KB087108

How to TEPS

텝스 실전 800

G

문법편

How to TEPS 텝스 실전 800 문법편 전면 개정판

지은이 테스 김
펴낸이 임상진
펴낸곳 (주)넥서스

출판신고 1992년 4월 3일 제311-2002-2호 ⑥
10880 경기도 파주시 지목로 5
Tel (02)330-5500 Fax (02)330-5555

ISBN 978-89-98454-32-6 13740

How to TEPS

출제 원리에 철저하게 맞춘 전략형 텝스 문법

텝스 실전 800

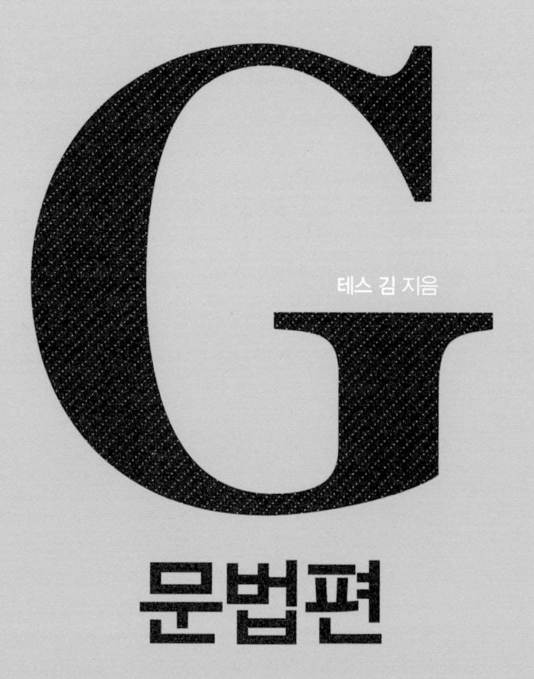

테스 김 지음

문법편

NEXUS Edu

Preface

TEPS 문법은 문법 요소 전반에 걸쳐 골고루 출제됩니다. 일상생활에 쓰이는 실용적인 회화체 및 구어체 표현에서부터 긴 글까지 기본적인 문맥 파악과 복합적인 문법 사항을 묻습니다. 후반으로 갈수록 난이도가 더욱 높아지고 문제를 읽고 푸는 데 긴 시간이 필요하므로 Part 1-2에서는 매우 빠른 속도감으로, Part 3-4에서는 대화 내용 및 글의 흐름을 정확히 파악하고 문제를 풀어 나가야 합니다. 50문제를 25분이라는 짧은 시간에 풀어야 하므로, 빠른 속도감뿐 아니라 정확성, 시간을 완벽히 조절하는 능력까지 요구됩니다.

TEPS 문법 고득점을 위해서는 문법의 가장 기본적인 틀을 완벽히 숙지하고 자주 출제되는 문법 원리를 확실하게 이해해야 합니다. 기본 문법 원리가 충분히 정리되면 최신 빈출 문법 위주로 공부해야 합니다. 가장 좋은 방법은 자주 시험을 치루면서, 자신의 영역별 강 · 약점을 파악하고 학습 방향을 설정하는 것입니다. 혼동하기 쉬운 부분들, 이해가 어렵고 문법적 응용이 심화된 내용들을 수시로 메모함으로써 오답을 줄여 나갑니다. 또한, 무조건적으로 문제만 풀 것이 아니라 Part 1-2의 실용적인 회화 및 단문에서의 문법적 오류, Part 3의 자연스러운 대화 내용에서의 문법적 오류, Part 4의 독해와 같은 긴 문장 구조들에 대한 이해도 병행되어야 합니다.

본 교재는 기본기를 갖춘 학습자들에게 평소의 실력을 확인하면서 동시에 고난도 응용 문제를 접할 수 있는 최적의 문법 학습서가 될 것입니다. 문법 각 유닛마다 꼭 알아야 할 핵심 이론 및 최신 문법 경향의 흐름을 정확하고 일목요연하게 정리했으며, 빠른 이해력을 돕는 Exercise 문제들과 Practice Test 및 Actual Test 문제들로 실전에 충분히 대비할 수 있도록 했습니다. 본 교재가 여러분의 실력 향상에 든든한 길잡이가 되어 TEPS 문법 고득점 달성에 꼭 성공하기를 바랍니다.

_테스 김

Contents

TEPS 문법 고득점 전략

TEPS 실전 모의고사

정답 및 상세한 해설 (부록)

Features

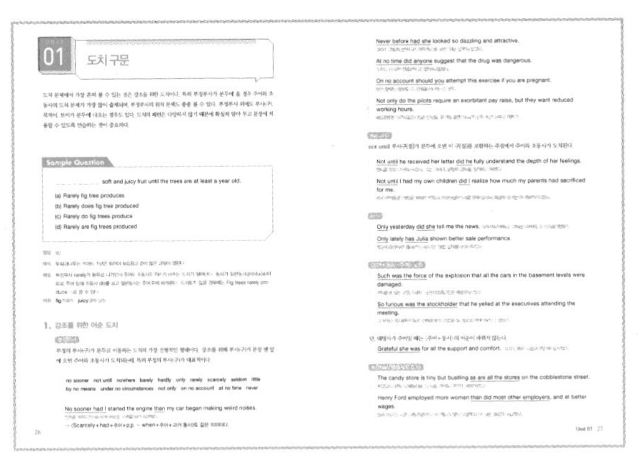

- 중급자 이상을 위한 문법 유형 전략

  TEPS 문법의 문제 유형을 15개 Unit으로 나눠 누구나 다 아는 단순한 유형 소개가 아닌 실질적인 고득점 핵심 전략을 설명합니다.

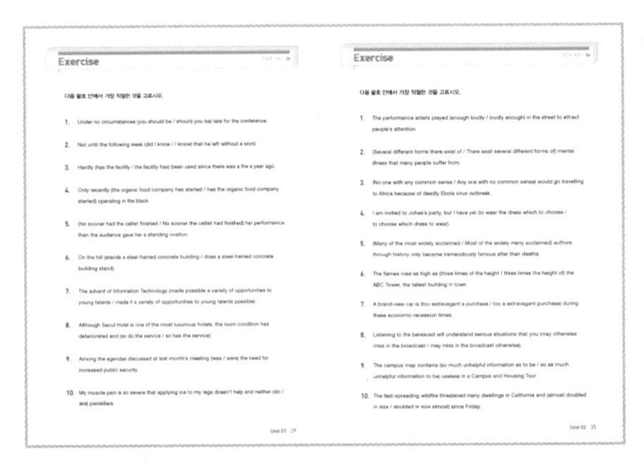

- Exercise

  학습한 TEPS 문법 유형 전략을 바로 문제에 적용해 볼 수 있도록 각 Unit마다 몸풀기 연습 문제 10문제를 실었습니다.

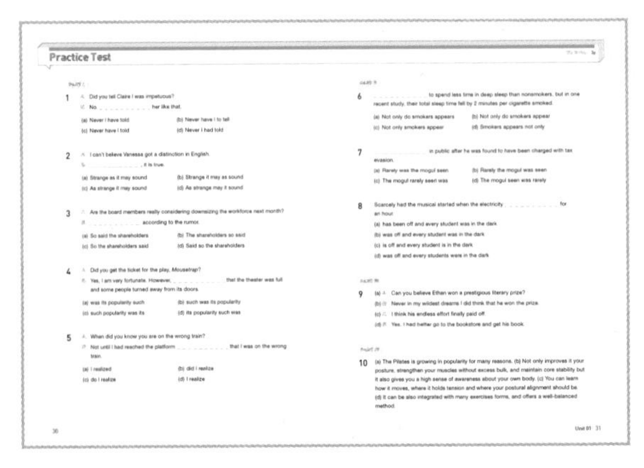

- Practice Test

  실전 모의고사 5회분을 풀기 전 실전 감각을 익힐 수 있도록 각 Unit에 Exercise보다 한 단계 수준을 높인 실전 문제 10문제를 수록했습니다.

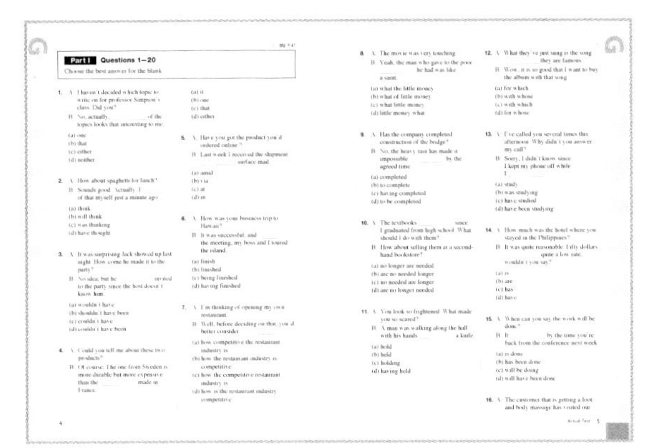

- **TEPS 실전 모의고사 5회분**

최신기출 경향에 맞춘 실전 모의고사 5회분, 총 50문제×5회=250문제를 준비하여 수험자가 원하는 점수를 현실화할 수 있도록 했습니다.

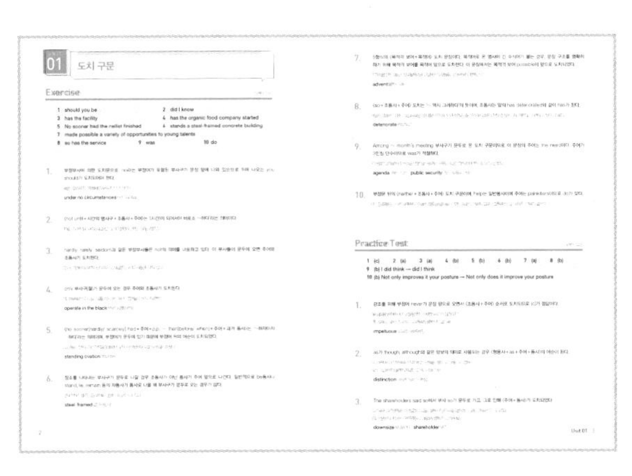

- **정확한 해석 및 상세한 해설**(부록)

Exercise, Practice Test, Actual Test 5회분의 전체 문제에 대한 정확한 해석과 상세한 해설, 친절한 어휘를 실어 고득점을 목표로 하는 학습자의 TEPS 문법 학습에 부족함이 없도록 준비했습니다.

TEPS란?

Test of English Proficiency developed by Seoul National University의 약자로 서울대학교 언어교육원에서 개발하고, TEPS관리위원회에서 주관하는 국가공인 영어 시험입니다. 1999년 1월 처음 시행 이후 연 약 12회~16회 실시하고 있습니다. 정부기관 및 기업의 직원 채용이나 인사고과, 해외 파견 근무자 선발과 더불어 국내 유수의 대학과 특목고 입학 및 졸업 자격 요건, 국가고시 및 자격시험의 영어 대체 시험으로 활용되고 있습니다.

1 / TEPS는 타 시험에 비해 많은 지문을 주고 짧은 시간 내에 풀어낼 수 있는지를 측정하는 속도화 시험으로 수험자의 내재화된 영어 능력을 평가합니다.

2 / 편법이 없는 시험을 위해 청해(Listening)에서는 시험지에 선택지가 제시되어 있지 않아 눈으로 읽을 수 없고 오직 듣기 능력에만 의존해야 합니다. 독해(Reading)에서는 한 문제로 다음 문제의 답을 유추할 수 있는 가능성을 배제하기 위해 1지문 1문항을 고수하고 있습니다.

3 / 실생활에서 접할 수 있는 다양한 주제와 상황을 다룹니다. 일상생활과 비즈니스를 비롯해 문학, 과학, 역사 등 학술적인 소재도 출제됩니다.

4 / 청해, 문법, 어휘, 독해의 4영역으로 나뉘며, 총 200문항에 990점 만점입니다. 영역별 점수 산출이 가능하며, 점수 외에 5에서 1+까지 10등급으로 나뉩니다.

TEPS 시험 구성

영역	Part별 내용	문항수	시간/배점
청해 Listening Comprehension	Part I 문장 하나를 듣고 이어질 대화 고르기 Part II 3문장의 대화를 듣고 이어질 대화 고르기 Part III 6~8 문장의 대화를 듣고 질문에 해당하는 답 고르기 Part IV 담화문의 내용을 듣고 질문에 해당하는 답 고르기	15 15 15 15	55분 400점
문법 Grammar	Part I 대화문의 빈칸에 적절한 표현 고르기 Part II 문장의 빈칸에 적절한 표현 고르기 Part III 대화에서 어법상 틀리거나 어색한 부분 고르기 Part IV 단문에서 문법상 틀리거나 어색한 부분 고르기	20 20 5 5	25분 100점
어휘 Vocabulary	Part I 대화문의 빈칸에 적절한 단어 고르기 Part II 단문의 빈칸에 적절한 단어 고르기	25 25	15분 100점
독해 Reading Comprehension	Part I 지문을 읽고 빈칸에 들어갈 내용 고르기 Part II 지문을 읽고 질문에 가장 적절한 내용 고르기 Part III 지문을 읽고 문맥상 어색한 내용 고르기	16 21 3	45분 400점
총계	13 Parts	200	140분 990점

TEPS 영역별 특징

청해 (Listening Comprehension) _60문항

정확한 청해 능력을 측정하기 위하여 문제와 보기 문항을 문제지에 인쇄하지 않고 들려줌으로써 자연스러운 의사소통의 인지 과정을 최대한 반영하였습니다. 다양한 의사소통 기능(Communicative Functions)의 대화와 다양한 상황(공고, 방송, 일상생활, 업무 상황, 대학 교양 수준의 강의 등)을 이해하는 데 필요한 전반적인 청해력을 측정하기 위해 대화문(dialogue)과 담화문(monologue)의 소재를 균형 있게 다루었습니다.

문법 (Grammar) _50문항

밑줄 친 부분 중 오류를 식별하는 유형 등의 단편적이며 기계적인 문법 지식 학습을 조장할 우려가 있는 분리식 시험 유형을 배제하고, 의미 있는 문맥을 근거로 오류를 식별하는 유형을 통하여 진정한 의사소통 능력의 바탕이 되는 살아 있는 문법, 어법 능력을 문어체와 구어체를 통하여 측정합니다.

어휘 (Vocabulary) _50문항

문맥 없이 단순한 동의어 및 반의어를 선택하는 시험 유형을 배제하고 의미 있는 문맥을 근거로 가장 적절한 어휘를 선택하는 유형을 문어체와 구어체로 나누어 측정합니다.

독해 (Reading Comprehension) _40문항

교양 있는 수준의 글(신문, 잡지, 대학 교양과목 개론 등)과 실용적인 글(서신, 광고, 홍보, 지시문, 설명문, 양식 등)을 이해하는 데 요구되는 총체적인 독해력을 측정하기 위해서 실용문 및 비전문적 학술문과 같은 독해 지문의 소재를 균형 있게 다루었습니다.

청해 Listening Comprehension

★ PART I (15문항)

두 사람의 질의응답 문제를 다루며, 한 번만 들려줍니다. 내용 자체는 단순하고 기본적인 수준의 생활 영어 표현으로 구성되어 있지만, 교과서적인 지식보다는 재빠른 상황 판단 능력이 필요합니다. Part I에서는 속도 적응 능력뿐만 아니라 순발력 있는 상황 판단 능력이 요구됩니다.

Choose the most appropriate response to the statement.

W I heard that it's going to be very hot tomorrow.
M ____________

(a) It was the hottest day of the year.
(b) Be sure to dress warmly.
(c) Let's not sweat the details.
(d) It's going to be a real scorcher.

W 내일은 엄청 더운 날씨가 될 거래.
M ____________

(a) 일 년 중 가장 더운 날이었어.
(b) 옷을 따뜻하게 입도록 해.
(c) 사소한 일에 신경 쓰지 말자.
(d) 엄청나게 더운 날이 될 거야.

정답 (d)

★ PART II (15문항)

짧은 대화 문제로, 두 사람이 A-B-A 순으로 보통의 속도로 대화하는 형식입니다. 소요 시간은 약 12초 전후로 짧습니다. Part I과 마찬가지로 한 번만 들려줍니다.

Choose the most appropriate response to complete the conversation.

M Would you like to join me to see a musical?
W Sorry no. I hate musicals.
M How could anyone possibly hate a musical?
W ____________

(a) Different strokes for different folks.
(b) It's impossible to hate musicals.
(c) I agree with you.
(d) I'm not really musical.

M 나랑 같이 뮤지컬 보러 갈래?
W 미안하지만 안 갈래. 나 뮤지컬을 싫어하거든.
M 뮤지컬 싫어하는 사람도 있어?
W ____________

(a) 사람마다 제각각이지 뭐.
(b) 뮤지컬을 싫어하는 것은 불가능해.
(c) 네 말에 동의해.
(d) 나는 그다지 음악에 재능이 없어.

정답 (a)

★ PART III (15문항)

앞의 두 파트에 비해 다소 긴 대화를 들려줍니다. 대신 대화와 질문을 두 번 들려줍니다. 대화의 주제나 주로 일어나고 있는 일, 화자가 갖고 있는 문제점, 세부 내용, 추론할 수 있는 것 등에 대해 묻습니다.

Choose the option that best answers the question.

W I just went to the dentist, and he said I need surgery.

M That sounds painful!

W Yeah, but that's not even the worst part. He said it will cost $5,000!

M Wow! That sounds too expensive. I think you should get a second opinion.

W Really? Do you know a good place?

M Sure. Let me recommend my guy I use. He's great.

Q: Which is correct according to the conversation?

(a) The man doesn't like his dentist.

(b) The woman believes that $5,000 sounds like a fair price.

(c) The man thinks that the dental surgery is too costly for her.

(d) The woman agrees that the dental treatment will be painless.

W 치과에 갔는데, 의사가 나보고 수술을 해야 한대.

M 아프겠다!

W 응, 하지만 더 심한 건 수술 비용이 5천 달러라는 거야!

M 와! 너무 비싸다. 다른 의사의 진단을 받아 보는 게 좋겠어.

W 그래? 어디 좋은 곳이라도 알고 있니?

M 물론이지. 내가 가는 곳을 추천해 줄게. 잘하시는 분이야.

Q 대화에 의하면 다음 중 옳은 것은?

(a) 남자는 담당 치과 의사를 좋아하지 않는다.

(b) 여자는 오천 달러가 적당한 가격이라고 생각한다.

(c) 남자는 치과 수술이 여자에게 너무 비싸다고 생각한다.

(d) 여자는 치과 시술이 아프지 않을 것이라는 점에 동의한다.

정답 (c)

★ PART IV (15문항)

이전 파트와 달리, 한 사람의 담화를 다룹니다. 방송이나 뉴스, 강의, 회의를 시작하면서 발제하는 것 등의 상황이 나옵니다. Part III와 마찬가지로 담화와 질문을 두 번씩 들려줍니다. 담화의 주제와 세부 내용, 추론할 수 있는 것 등에 대해 묻습니다.

Choose the option that best answers the question.

Tests confirmed that a 19-year-old woman recently died of the bird flu virus. This was the third such death in Indonesia. Cases such as this one have sparked panic in several Asian nations. Numerous countries have sought to discover a vaccine for this terrible illness. Officials from the Indonesian Ministry of Health examined the woman's house and neighborhood, but could not find the source of the virus. According to the ministry, the woman had fever for four days before arriving at the hospital.

Q: Which is correct according to the news report?
(a) There is an easy cure for the disease.
(b) Most nations are unconcerned with the virus.
(c) The woman caught the bird flu from an unknown source.
(d) The woman was sick for four days and then recovered.

최근 19세 여성이 조류 독감으로 사망한 것이 검사로 확인되었고, 인도네시아에서 이번이 세 번째이다. 이와 같은 사건들이 일부 아시아 국가들에게 극심한 공포를 불러 일으켰고, 많은 나라들이 이 끔찍한 병의 백신을 찾기 위해 힘쓰고 있다. 인도네시아 보건부의 직원들은 그녀의 집과 이웃을 조사했지만, 바이러스의 근원을 찾을 수 없었다. 보건부에 의하면, 그녀는 병원에 도착하기 전 나흘 동안 열이 있었다.

Q 뉴스 보도에 의하면 다음 중 옳은 것은?
(a) 이 병에는 간단한 치료법이 있다.
(b) 대부분의 나라들은 바이러스에 대해 관심이 없다.
(c) 여자는 알려지지 않은 원인에 의해 조류 독감에 걸렸다.
(d) 여자는 나흘 동안 앓고 나서 회복되었다.

정답 (c)

문법 Grammar

★ PART I (20문항)

A와 B 두 사람의 짧은 대화를 통해 구어체 관용 표현, 품사, 시제, 인칭, 어순 등 문법 전반에 대한 이해를 묻습니다. 대화 중에 빈칸이 있고, 그곳에 들어갈 적절한 표현을 고르는 형식입니다.

Choose the best answer for the blank.

A I can't attend the meeting, either.
B Then we have no choice ________ the meeting.

(a) but canceling
(b) than to cancel
(c) than cancel
(d) but to cancel

A 저도 회의에 참석할 수 없어요.
B 그러면 회의를 취소하는 수밖에요.
(a) 그러나 취소하는
(b) 취소하는 것보다
(c) 취소하는 것보다
(d) 취소하는 수밖에

정답 (d)

★ PART II (20문항)

Part I에서 구어체의 대화를 나눴다면, Part II에서는 문어체의 문장이 나옵니다. 서술문 속의 빈칸을 채우는 문제로 수 일치, 태, 어순, 분사 등 문법 자체에 대한 이해도는 물론 구문에 대한 이해력이 중요합니다.

Choose the best answer for the blank.

________ being pretty confident about it, Irene decided to check her facts.

(a) Nevertheless
(b) Because of
(c) Despite
(d) Instead of

그 일에 대해 매우 자신감이 있었음에도 불구하고 아이린은 사실을 확인하기로 했다.
(a) 그럼에도 불구하고
(b) 때문에
(c) 그럼에도 불구하고
(d) 대신에

정답 (c)

★ PART III (5문항)

A–B–A–B의 대화문에서 어법상 틀리거나 문맥상 어색한 부분이 있는 문장을 고르는 문제입니다. 이 영역 역시 문법뿐만 아니라 정확한 구문 파악과 대화 내용을 이해하는 능력이 중요합니다.

Identify the option that contains an awkward expression or an error in grammar.

(a) A: What are you doing this weekend?
(b) B: Going fishing as usual.
(c) A: Again? What's the fun in going fishing? Actually, I don't understand why people go fishing.
(d) B: For me, I like being alone, thinking deeply to me, being surrounded by nature.

(a) **A** 이번 주말에 뭐해?
(b) **B** 평소처럼 낚시 가.
(c) **A** 또 가? 낚시가 뭐 재미있니? 솔직히 난 사람들이 왜 낚시를 하러 가는지 모르겠어.
(d) **B** 내 경우엔 자연에 둘러 싸여서 혼자 깊이 생각해 볼 수 있다는 게 좋아.

정답 (d) me → myself

★ PART IV (5문항)

한 문단을 주고 그 가운데 문법적으로 틀리거나 어색한 문장을 고르는 문제입니다. 문법적으로 틀린 부분을 신속하게 골라야 하므로 독해 문제처럼 속독 능력도 중요합니다.

Identify the option that contains an awkward expression or an error in grammar.

(a) The creators of a new video game hope to change the disturbing trend of using violence to enthrall young gamers. (b) Video game designers and experts on human development teamed up and designed a new computer game with the gameplay that helps young players overcome everyday school life situations. (c) The elements in the game resemble regular objects: pencils, erasers, and the like. (d) The players of the game "win" by choose peaceful solutions instead of violent ones.

(a) 새 비디오 게임 개발자들은 어린 게이머들의 흥미 유발을 위해 폭력적인 내용을 사용하는 불건전한 판도를 바꿔 놓을 수 있기를 바란다. (b) 비디오 게임 개발자들과 인간 발달 전문가들이 공동으로 개발한 새로운 컴퓨터 게임은 어린이들이 매일 학교에서 부딪히는 상황에 잘 대처할 수 있도록 도와준다. (c) 실제로 게임에는 연필과 지우개 같은 평범한 사물들이 나온다. (d) 폭력적인 해결책보다 비폭력적인 해결책을 선택하면 게임에서 '이긴다'.

정답 (d) by choose → by choosing

어휘 Vocabulary

★ PART I (25문항)

구어체로 되어 있는 A와 B의 대화 중 빈칸에 가장 적절한 단어를 고르는 문제입니다. 단어의 단편적인 의미보다는 문맥에서 쓰인 의미가 더 중요합니다. 한 개의 단어로 된 선택지뿐만 아니라 두세 단어 이상의 구를 이루는 선택지도 있습니다.

Choose the best answer for the blank.

A Congratulations on your ____________ of the training course.

B Thank you. It was hard, but I managed to pull through.

(a) improvement
(b) resignation
(c) evacuation
(d) completion

A 훈련 과정을 완수한 거 축하해.

B 고마워. 어려웠지만 가까스로 끝낼 수 있었어.

(a) 개선
(b) 사임
(c) 철수
(d) 완수

정답 (d)

★ PART II (25문항)

하나 또는 두 개의 문장 속의 빈칸에 가장 적당한 단어를 고르는 문제입니다. 어휘력을 늘릴 때 한 개씩 단편적으로 암기하는 것보다는 하나의 표현으로, 즉 의미 단위로 알아 놓는 것이 제한된 시간 내에 어휘 시험을 정확히 푸는 데 많은 도움이 됩니다. 후반부로 갈수록 수준 높은 어휘가 출제되며, 단어 사이의 미묘한 의미의 차이를 묻는 문제도 출제됩니다.

Choose the best answer for the blank.

Brian was far ahead in the game and was certain to win, but his opponent refused to ____________.

(a) yield
(b) agree
(c) waive
(d) forfeit

브라이언이 게임에 앞서 가고 있어서 승리가 확실했지만 그의 상대는 굴복하려 하지 않았다.

(a) 굴복하다
(b) 동의하다
(c) 포기하다
(d) 몰수당하다

정답 (a)

독해 Reading Comprehension

★ PART I (16문항)

지문 속 빈칸에 알맞은 것을 고르는 유형입니다. 글 전체의 흐름을 파악하여 문맥상 빈칸에 들어갈 내용을 찾아야 하는데, 주로 지문의 주제와 관련이 있습니다. 마지막 두 문제, 15번과 16번은 빈칸에 알맞은 연결어를 고르는 문제입니다. 문맥의 흐름을 논리적으로 파악할 수 있어야 합니다.

Read the passage. Then choose the option that best completes the passage.

Tech industry giants like Facebook, Google, Twitter, and Amazon have threatened to shut down their sites. They're protesting legislation that may regulate Internet content. The Stop Online Piracy Act, or SOPA, according to advocates, will make it easier for regulators to police intellectual property violations on the web, but the bill has drawn criticism from online activists who say SOPA will outlaw many common internet-based activities, like downloading copyrighted content. A boycott, or blackout, by the influential web companies acts to ________________.

(a) threaten lawmakers by halting all Internet access
(b) illustrate real-world effects of the proposed rule
(c) withdraw web activities the policy would prohibit
(d) laugh at the debate about what's allowed online

페이스북, 구글, 트위터, 아마존과 같은 거대 기술업체들이 그들의 사이트를 닫겠다고 위협했다. 그들은 인터넷 콘텐츠를 규제할지도 모르는 법령의 제정에 반대한다. 지지자들은 온라인 저작권 침해 금지 법안으로 인해 단속 기관들이 더 쉽게 웹상에서 지적 재산 침해 감시를 할 수 있다고 말한다. 그러나 온라인 활동가들은 저작권이 있는 콘텐츠를 다운로드하는 것과 같은 일반적인 인터넷 기반 활동들이 불법화될 것이라고 이 법안을 비판하고 있다. 영향력 있는 웹 기반 회사들의 거부 운동 또는 보도 통제는 발의된 법안이 현실에 미치는 영향을 보여 주기 위한 것이다.

(a) 모든 인터넷 접속을 금지시켜서 입법자들을 위협하기 위한
(b) 발의된 법안이 현실에 미치는 영향을 보여 주기 위한
(c) 그 정책이 금지하게 될 웹 활동들을 중단하기 위한
(d) 온라인에서 무엇이 허용될지에 대한 논쟁을 비웃기 위한

정답 (b)

★ PART II (21문항)

글의 내용 이해를 측정하는 문제로, 글의 주제나 대의 혹은 전반적 논조를 파악하는 문제, 세부 내용을 파악하는 문제, 추론하는 문제가 있습니다.

Choose the option that correctly answers the question.

In theory, solar and wind energy farms could provide an alternative energy source and reduce our dependence on oil. But in reality, these methods face practical challenges no one has been able to solve. In Denmark, for example, a country with some of the world's largest wind farms, it turns out that winds blow most when people need electricity least. Because of this reduced demand, companies end up selling their power to other countries for little profit. In some cases, they pay customers to take the leftover energy.

Q: Which of the following is correct according to the passage?

(a) Energy companies can lose money on the power they produce.
(b) Research has expanded to balance supply and demand gaps.
(c) Solar and wind power are not viewed as possible options.
(d) Reliance on oil has led to political tensions in many countries.

이론상으로 태양과 풍력 에너지 발전 단지는 대체 에너지 자원을 제공하고 원유에 대한 의존을 낮출 수 있다. 그러나 사실상 이러한 방법들은 아무도 해결할 수 없었던 현실적인 문제에 부딪친다. 예를 들어 세계에서 가장 큰 풍력 에너지 발전 단지를 가진 덴마크에서 사람들이 전기를 가장 덜 필요로 할 때 가장 강한 바람이 분다는 것이 판명되었다. 이러한 낮은 수요 때문에 회사는 결국 그들의 전력을 적은 이윤으로 다른 나라에 팔게 되었다. 어떤 경우에는 남은 에너지를 가져가라고 고객에게 돈을 지불하기도 한다.

Q 이 글에 의하면 다음 중 옳은 것은?

(a) 에너지 회사는 그들이 생산한 전력으로 손해를 볼 수도 있다.
(b) 수요와 공급 격차를 조정하기 위해 연구가 확장되었다.
(c) 태양과 풍력 에너지는 가능한 대안으로 간주되지 않는다.
(d) 원유에 대한 의존은 많은 나라들 사이에 정치적 긴장감을 가져왔다.

정답 (a)

★ PART III (3문항)

글의 흐름상 어색한 문장을 고르는 문제로, 전체 흐름을 파악하여 지문의 주제나 소재와 관계없는 내용을 고릅니다.

Read the passage. Then identify the option that does NOT belong.

For the next four months, major cities will experiment with new community awareness initiatives to decrease smoking in public places. (a) Anti-tobacco advertisements in recent years have relied on scare tactics to show how smokers hurt their own bodies. (b) But the new effort depicts the effects of second-hand smoke on children who breathe in adults' cigarette fumes. (c) Without these advertisements, few children would understand the effects of adults' hard-to-break habits. (d) Cities hope these messages will inspire people to think about others and cut back on their tobacco use.

향후 4개월 동안 주요 도시들은 공공장소에서의 흡연을 줄이기 위해 지역 사회의 의식을 촉구하는 새로운 계획을 시도할 것이다. (a) 최근에 금연 광고는 흡연자가 자신의 몸을 얼마나 해치고 있는지를 보여 주기 위해 겁을 주는 방식에 의존했다. (b) 그러나 이 새로운 시도는 어른들의 담배 연기를 마시는 아이들에게 미치는 간접흡연의 영향을 묘사한다. (c) 이러한 광고가 없다면, 아이들은 어른들의 끊기 힘든 습관이 미칠 영향을 모를 것이다. (d) 도시들은 이러한 메시지가 사람들에게 타인에 대해서 생각해 보고 담배 사용을 줄이는 마음이 생기게 할 것을 기대하고 있다.

정답 (c)

TEPS 등급표

등급	점수	영역	능력검정기준(Description)
1+급 Level 1+	901~990	전반	외국인으로서 최상급 수준의 의사소통 능력 교양 있는 원어민에 버금가는 정도로 의사소통이 가능하고 전문분야 업무에 대처할 수 있음 (Native Level of Communicative Competence)
1급 Level 1	801~900	전반	외국인으로서 거의 최상급 수준의 의사소통 능력 단기간 집중 교육을 받으면 대부분의 의사소통이 가능하고 전문분야 업무에 별 무리 없이 대처할 수 있음 (Near-Native Level of Communicative Competence)
2+급 Level 2+	701~800	전반	외국인으로서 상급 수준의 의사소통 능력 단기간 집중 교육을 받으면 일반분야 업무를 큰 어려움 없이 수행할 수 있음 (Advanced Level of Communicative Competence)
2급 Level 2	601~700	전반	외국인으로서 중상급 수준의 의사소통 능력 중장기간 집중 교육을 받으면 일반분야 업무를 큰 어려움 없이 수행할 수 있음 (High Intermediate Level of Communicative Competence)
3+급 Level 3+	501~600	전반	외국인으로서 중급 수준의 의사소통 능력 중장기간 집중 교육을 받으면 한정된 분야의 업무를 큰 어려움 없이 수행할 수 있음 (Mid Intermediate Level of Communicative Competence)
3급 Level 3	401~500	전반	외국인으로서 중하급 수준의 의사소통 능력 중장기간 집중 교육을 받으면 한정된 분야의 업무를 다소 미흡하지만 큰 지장 없이 수행할 수 있음 (Low Intermediate Level of Communicative Competence)
4+급 Level 4+	301~400	전반	외국인으로서 하급 수준의 의사소통 능력 장기간의 집중 교육을 받으면 한정된 분야의 업무를 대체로 어렵게 수행할 수 있음 (Novice Level of Communicative Competence)
4급 Level 4	201~300		
5+급 Level 5+	101~200	전반	외국인으로서 최하급 수준의 의사소통 능력 단편적인 지식만을 갖추고 있어 의사소통이 거의 불가능함 (Near-Zero Level of Communicative Competence)
5급 Level 5	10~100		

TEPS 성적표

Test of English Proficiency
developed by
Seoul National University

SCORE REPORT

NAME	REGISTRATION NO.
HONG GIL DONG	0123456
DATE OF BIRTH	TEST DATE
JAN. 01. 1980	MAR. 02. 2008
GENDER	VALID UNTIL
MALE	MAR. 01. 2010

NO : RAAAA0000BBBB

TOTAL SCORE AND LEVEL

SCORE	LEVEL
768	2+

SECTION	SCORE	LEVEL	%
Listening	307	2+	77 / 59
Grammar	76	2+	76 / 52
Vocabulary	65	2	65 / 56
Reading	320	2+	80 / 61

0% 100% ■ your percentage ■ average

SAMPLE

OVERALL COMMUNICATIVE COMPETENCE

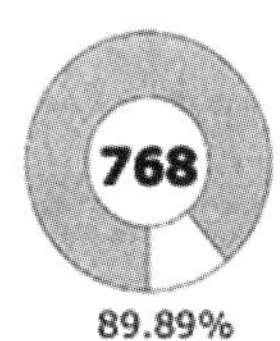

89.89%

A score at this level typically indicates an advanced level of communicative competence for a non-native speaker. A test taker at this level is able to execute general tasks after a short-term training.

SECTION			PERFORMANCE EVALUATION
Listening	PART I PART II PART III PART IV	86% 66% 86% 66%	A score at this level typically indicates that the test taker has a good grasp of the given situation and its context and can make relevant responses. Can understand main ideas in conversations and lectures when they are explicitly stated, understand a good deal of specific information and make inferences given explicit information.
Grammar	PART I PART II PART III PART IV	84% 75% 99% 21%	A score at this level typically indicates that the test taker has a fair understanding of the rules of grammar and syntax and has internalized them to a degree enabling them to carry out meaningful communication.
Vocabulary	PART I PART II	72% 56%	A score at this level typically indicates that the test taker has a good command of vocabulary for use in everyday speech. Able to understand vocabulary used in written contexts of a more formal nature, yet may have difficulty using it appropriately.
Reading	PART I PART II PART III	68% 90% 66%	A score at this level typically indicates that the test taker is at an advanced level of understanding written texts. Can abstract main ideas from a text, understand a good deal of specific information and draw basic inferences when given texts with clear structure and explicit information.

THE TEPS COUNCIL

TEPS 문법 고득점 전략

Unit 01 도치 구문

Unit 02 빈출 어순 표현

Unit 03 생략 및 대용 표현

Unit 04 수 일치

Unit 05 수동태

Unit 06 다양한 때를 나타내는 중요 시제들

Unit 07 틀리기 쉬운 조동사

Unit 08 가정법 시제 및 if 이외의 가정법 표현

How to
TEPS

UNIT 01

도치 구문

도치 문제에서 가장 흔히 볼 수 있는 것은 강조를 위한 도치이다. 특히 부정부사가 문두에 올 경우 주어와 조동사의 도치 문제가 가장 많이 출제되며, 부정부사의 위치 문제도 종종 볼 수 있다. 부정부사 외에도 부사(구), 목적어, 보어가 문두에 나오는 경우도 있다. 도치의 패턴은 다양하지 않기 때문에 확실히 알아 두고 문장에 적용할 수 있도록 연습하는 것이 중요하다.

Sample Question

__________ soft and juicy fruit until the trees are at least a year old.

(a) Rarely fig tree produces
(b) Rarely does fig tree produced
(c) Rarely do fig trees produce
(d) Rarely are fig trees produced

정답 (c)

해석 무화과나무는 적어도 1년은 되어야 부드럽고 즙이 많은 과일이 열린다.

해설 부정부사 rarely가 문두로 나가면서 주어와 조동사의 자리가 바뀌는 도치가 일어난다. 동사가 일반동사(produce)이므로 주어 앞에 조동사 do를 쓰고 일반동사는 주어 뒤에 따라온다. 도치되지 않을 경우에는 Fig trees rarely produce ~로 쓸 수 있다.

어휘 fig 무화과 juicy 즙이 많은

1. 강조를 위한 어순 도치

부정부사

부정의 부사(구)가 문두로 이동하는 도치의 가장 전형적인 형태이다. 강조를 위해 부사(구)가 문장 맨 앞에 오면 주어와 조동사가 도치되는데, 특히 부정의 부사(구)가 대표적이다.

no sooner not until nowhere barely hardly only rarely scarcely seldom little
by no means under no circumstances not only on no account at no time never

No sooner had I started the engine than my car began making weird noises.
엔진을 켜자마자 내 차가 이상한 소리를 내기 시작했다.
→ 〈Scarcely+had+주어+p.p. ~ when+주어+과거 동사〉도 같은 의미이다.

Never before had she looked so dazzling and attractive.
그녀가 그렇게 눈부시고 매력적으로 보인 적은 일찍이 없었다.

At no time did anyone suggest that the drug was dangerous.
아무도 이 약이 위험하다고 말하지 않았다.

On no account should you attempt this exercise if you are pregnant.
임신 중에는 절대로 이 운동을 해서는 안 된다.

Not only do the pilots require an exorbitant pay raise, but they want reduced working hours.
파일럿들은 터무니없는 임금 인상을 요구할 뿐만 아니라 근무 시간 단축도 원한다.

not until

not until 부사구[절]가 문두에 오면 이 구[절]를 포함하는 주절에서 주어와 조동사가 도치된다.

Not until he received her letter did he fully understand the depth of her feelings.
편지를 읽고 나서야 비로소 그는 그녀의 감정의 깊이를 완전히 이해했다.

Not until I had my own children did I realize how much my parents had sacrificed for me.
내가 아이들을 가졌을 때에야 비로소 부모님들이 나를 위해 얼마나 희생해 오셨는지 깨닫게 되었다.

only

Only yesterday did she tell me the news. 어제서야 비로소 그녀는 나에게 그 소식을 말했다.

Only lately has Julia shown better sale performance.
최근에 들어서야 줄리아는 더 나은 영업 실적을 보여 주었다.

〈보어+동사+주어〉 도치

Such was the force of the explosion that all the cars in the basement levels were damaged.
지하층에 있는 모든 차들이 손상되었을 만큼 폭발력이 컸다.

So furious was the stockholder that he yelled at the executives attending the meeting.
그 주주는 회의에서 회사 간부들에게 고함을 칠 정도로 무척 화가 나 있었다.

단, 대명사가 주어일 때는 〈주어+동사〉의 어순이 바뀌지 않는다.

Grateful she was for all the support and comfort. 그녀는 모든 도움과 위안에 감사했다.

〈전치사구+동사+주어〉 도치

In the audiotorium were a majority of undergraduate applicants waiting to be interviewed.
강당에는 많은 대학 지원자들이 면접 보기를 기다리고 있었다.

as[than]절에서의 도치

> The candy store is tiny but bustling as are all the stores on the cobblestone street.
> 자갈길의 모든 가게들처럼 그 사탕 가게도 작지만 북적거렸다.
>
> Henry Ford employed more women than did most other employers, and at better wages.
> 헨리 포드는 다른 고용주들보다 여자를 더 많이 고용했고 더 나은 월급을 지급했다.

2. 도치가 필요 없는 구문

목적어가 문두에 올 때

〈주어+동사〉의 어순을 그대로 유지한다.

> Clumsy people she doesn't like.
> 그녀는 서투른 사람들을 싫어한다.
>
> His spare time he spends watching television.
> 그는 여가시간을 TV를 보면서 보낸다.

부사(구)가 문두에 올 때

장소를 나타내는 부사(구)가 문두로 이동해도 뒤에 콤마(,)가 있으므로 주어와 동사가 도치되지 않는다.

> Only in Africa's national parks, people can see many rhinoceros and antelope.
> 아프리카에 있는 국립 공원에서만 사람들은 많은 코뿔소와 영양을 볼 수 있다.

양보절에서의 도치: 형용사[명사/ 동사/ 부사]+as+주어+동사

as가 양보를 나타내는 부사절 접속사로 쓰일 경우 형용사, 명사, 동사, 부사를 as 앞 문두에 옮김으로써 강조한다. 하지만 이때 주어와 동사는 도치되지 않는다.

> Try as you may, you can't immediately get noticed for your ingenuity.
> 네가 아무리 열심히 시도해 본들 너의 독창성이 금방 주목받지는 못할 거야.
>
> Talented as he is, he still can't catch up with the amazing 6-year-old piano prodigy.
> 그가 아무리 재능이 있다고 해도, 그는 이 놀라운 6살 피아노 신동을 따라잡지는 못할 거야.

3. 빈출 도치 표현

〈so[neither/ nor]+동사+주어〉 도치

〈so[neither/ nor]+동사+주어〉는 앞 문장과 내용상 동일한 상황을 말하는 구문으로 '~ 역시 그러하다'라는 의미이다.

> She likes blueberries. So does Nancy.
> 그녀는 블루베리를 좋아하고 낸시도 그렇다.
>
> I don't like the supervisor's proposal. Nor[Neither] does my colleague.
> 나는 상사의 제안이 마음에 들지 않는데 나의 동료도 그렇다.
>
> I am not good at cooking and neither is my sister.
> 나는 요리를 잘 못하고 내 여동생도 그렇다.

Exercise

정답 및 해설 / 2p

다음 괄호 안에서 가장 적절한 것을 고르시오.

1. Under no circumstances (you should be / should you be) late for the conference.

2. Not until the following week (did I know / I knew) that he left without a word.

3. Hardly (has the facility / the facility has) been used since there was a fire a year ago.

4. Only recently (the organic food company has started / has the organic food company started) operating in the black.

5. (No sooner had the cellist finished / No sooner the cellist had finished) her performance than the audience gave her a standing ovation.

6. On the hill (stands a steel-framed concrete building / does a steel-framed concrete building stand).

7. The advent of Information Technology (made possible a variety of opportunities to young talents / made it a variety of opportunities to young talents possible).

8. Although Seoul Hotel is one of the most luxurious hotels, the room condition has deteriorated and (so do the service / so has the service).

9. Among the agendas discussed at last month's meeting (was / were) the need for increased public security.

10. My muscle pain is so severe that applying ice to my legs doesn't help and neither (do / are) painkillers.

Practice Test

PART I

1 A Did you tell Claire I was impetuous?

B No. _______________ her like that.

(a) Never I have told
(b) Never have I to tell
(c) Never have I told
(d) Never I had told

2 A I can't believe Vanessa got a distinction in English.

B _______________, it is true.

(a) Strange as it may sound
(b) Strange it may as sound
(c) As strange it may sound
(d) As strange may it sound

3 A Are the board members really considering downsizing the workforce next month?

B _______________ according to the rumor.

(a) So said the shareholders
(b) The shareholders so said
(c) So the shareholders said
(d) Said so the shareholders

4 A Did you get the ticket for the play, *Mousetrap*?

B Yes, I am very fortunate. However, _______________ that the theater was full and some people turned away from its doors.

(a) was its popularity such
(b) such was its popularity
(c) such popularity was its
(d) its popularity such was

5 A When did you know you are on the wrong train?

B Not until I had reached the platform _______________ that I was on the wrong train.

(a) I realized
(b) did I realize
(c) do I realize
(d) I realize

PART II

6 ________________ to spend less time in deep sleep than nonsmokers, but in one recent study, their total sleep time fell by 2 minutes per cigarette smoked.

(a) Not only do smokers appears
(b) Not only do smokers appear
(c) Not only smokers appear
(d) Smokers appears not only

7 ________________ in public after he was found to have been charged with tax evasion.

(a) Rarely was the mogul seen
(b) Rarely the mogul was seen
(c) The mogul rarely seen was
(d) The mogul seen was rarely

8 Scarcely had the musical started when the electricity ________________ for an hour.

(a) has been off and every student was in the dark
(b) was off and every student was in the dark
(c) is off and every student is in the dark
(d) was off and every students were in the dark

PART III

9 (a) A Can you believe Ethan won a prestigious literary prize?
(b) B Never in my wildest dreams I did think that he won the prize.
(c) A I think his endless effort finally paid off.
(d) B Yes. I had better go to the bookstore and get his book.

PART IV

10 (a) The Pilates is growing in popularity for many reasons. (b) Not only improves it your posture, strengthen your muscles without excess bulk, and maintain core stability but it also gives you a high sense of awareness about your own body. (c) You can learn how it moves, where it holds tension and where your postural alignment should be. (d) It can be also integrated with many exercises forms, and offers a well-balanced method.

UNIT 02

빈출 어순 표현

문맥에 맞는 어순 고르기 문제는 텝스 문법에서 가장 많이 등장하는 유형이다. 어순 문제는 하나의 패턴으로 정리할 수 없을 만큼 다양한 유형이 출제된다. 도치나 간접의문문 등 문장 구조에 기반을 둔 어순 문제도 있지만 다양한 수식어구를 비롯해 어떤 문장 성분이라도 어순 문제로 출제될 수 있다.

Sample Question

_______________ an unfair financial arrangement between coffee franchises and the private coffee bean farm, which the customers are unaware of.

(a) There it is said to be
(b) It is said there to be
(c) It is said to be there
(d) There is said to be

정답 (d)

해석 고객들은 알지 못하는 커피 체인 회사와 민간 커피 농장 간의 불공정한 재정적 협의가 있다고 한다.

해설 〈There + 동사 + 진주어(to 부정사)〉 어순 문제이다. 문장에 주어와 동사가 없으므로 빈칸은 주어와 동사 자리이다. '불공정한 재정적 협의가 있다고 한다'라는 의미로 주어(to be an unfair financial arrangement)와 '~이라고 말해지다'의 의미를 나타내는 동사(is said)가 차례로 와야 한다. 긴 주어가 올 경우 가주어를 사용하여 〈There + 동사 + 진주어〉의 형태가 되므로 정답은 (d)이다.

어휘 arrangement 합의, 협의 be unaware of 알지 못하는

1. so, such, too, as의 어순

so, such, too, as 등이 관사, 형용사, 명사 등과 함께 올 때 올바른 어순을 고르는 문제가 나온다.

such + 부정관사 + 형용사 + 명사	so/ too/ as + 형용사 + 부정관사 + 명사

Ken's assertion of alien abduction was such a shocking phenomenon that many people were reluctant to accept it.
외계인 납치에 대한 켄의 주장은 너무 충격적인 현상이어서 많은 사람들이 그것을 받아들이기를 꺼렸다.

They picked so fantastic a day for hiking and hit the road right away.
그들은 하이킹하기에 아주 완벽한 날을 골랐고 곧장 길을 떠났다.

2. 가주어 There의 어순

There[Here]+자동사+주어	There is[was]+단수 명사	There are[were]+복수 명사

There seem to be some problems.
몇 가지 문제가 있는 것 같다.

There seems to be a problem.
어떤 문제가 있는 것 같다.
→ There 다음에 나온 자동사(= seem)의 단수/ 복수는 뒤의 주어를 보고 판단한다.

There are many people who are struggling with credit card debt.
신용 카드 빚으로 고전하는 사람들이 많다.

There is a secret engagement between the colleagues which their supervisors don't know.
그들의 상사도 알지 못하는 동료들 사이의 은밀한 약속이 있다.

3. enough의 어순

enough는 결합하는 단어의 품사에 따라 다양한 어순을 만들 수 있다. 명사와 결합하는 경우와 형용사, 부사, 동사와 결합하는 경우의 어순을 정확히 구분해서 알아 둔다.

enough+명사

Israel has enough arms and bombs that could pose a major threat to the Palestine.
이스라엘은 팔레스타인에게 큰 위협이 될 수 있는 충분한 무기와 폭탄을 보유하고 있다.

형용사[부사]+enough

Many undergraduate students are prepared well enough for the internship programs.
많은 대학생들이 인턴십 프로그램을 위해 충분히 잘 준비되었다.

형용사+enough+to부정사

She is very brilliant enough to win the Best Actress Award for the movie.
그녀는 그 영화로 여우주연상을 탈 만큼 매우 훌륭하다.

4. 구동사의 어순

〈동사+부사〉로 이루어진 구동사의 목적어가 대명사인 경우 〈동사+대명사+부사〉의 어순을 반드시 기억한다.

call off ~을 취소하다	turn on ~을 켜다	turn off ~을 끄다
put off ~을 미루다	put on ~을 입다	look up ~을 찾아보다
take off ~을 벗다	think over 곰곰이 생각하다	turn over 뒤집다
bring up (생각, 의견 등을) 내놓다	chew out 꾸짖다	point out 지적하다

I had a reservation a ticket for London, but I called it off.
나는 런던행 티켓을 예약했지만 그것을 취소했다.

You had better look it up in the reference and appendix yourself.
네가 직접 그것을 참고 문헌과 부록에서 찾아보는 게 좋겠어.

5. However의 어순

However+형용사[부사]+주어+동사

However가 양보의 뜻으로 쓰일 때 '(주어가) 아무리 ~하더라도'라고 해석한다.

However poor he may be, he is mature and considerate.
그가 아무리 가난하다 할지라도, 그는 성숙하고 배려심이 있다.
→ However는 No matter how로 바꿔 쓸 수 있다.

However carefully you may prepare for the musical, there will be some unexpected accidents.
아무리 신중하게 뮤지컬 준비를 해도, 어느 정도 예기치 못한 사고는 있을 것이다.

6. 그 밖에 혼동할 수 있는 어순

all+지시형용사+명사

all these things (o) these all things (x)

almost all the+명사

Almost all the people decided to sell all the equipment of obsolete skin scuba.
거의 모든 사람들이 구식이 된 스킨스쿠버 장비를 팔기로 결심했다.

배수사+정관사+단위+of

This river is three times the length of the Thames.
이 강은 템스 강의 길이의 세 배이다.

Exercise

정답 및 해설 / 5p

다음 괄호 안에서 가장 적절한 것을 고르시오.

1. The performance artists played (enough loudly / loudly enough) in the street to attract people's attention.

2. (Several different forms there exist of / There exist several different forms of) mental illness that many people suffer from.

3. (No one with any common sense / Any one with no common sense) would go travelling to Africa because of deadly Ebola virus outbreak.

4. I am invited to Johee's party, but I have yet (to choose to wear which dress / to choose which dress to wear).

5. (Many of the most widely acclaimed / Most of the widely many acclaimed) authors through history only became tremendously famous after their deaths.

6. The flames rose as high as (three times of the height / three times the height of) the ABC Tower, the tallest building in town.

7. A brand-new car is (too extravagant a purchase / too an extravagant purchase) during the economic recession.

8. Listening to the bereaved will understand serious situations that you (may otherwise miss in the broadcast / may miss in the broadcast otherwise).

9. The campus map contains (so much unhelpful information as to be / so as much unhelpful information to be) useless in a Campus and Housing Tour.

10. The fast-spreading wildfire threatened many dwellings in California and (almost doubled in size / doubled in almost size) since Friday.

Practice Test

PART I

1 A The lecture hall is really jammed with freshmen.
B I don't think I have ____________.

(a) ever seen this many students
(b) seen this ever many students
(c) seen ever students many this
(d) ever seen many students this

2 A Looking for a well-qualified person is so hard to find.
B Don't worry. You will find ____________.

(a) the right man soon enough
(b) the right man enough soon
(c) the man right soon enough
(d) soon enough the right man

3 A How did he feel when he got demoted at the company?
B He was ____________ perturbed at all; he just admitted his mistakes.

(a) not bit the least
(b) bit the least not
(c) not the least bit
(d) bit not the least

4 A Are we going to wait for the shipping from US all day?
B Yes, I got a confirmation email of my order that it would be here ____________.

(a) later on this evening
(b) on this evening later
(c) later this evening on
(d) later this evening on

5 A Are you going to go on Safari this weekend?
B Yes. I will spend ____________ at the Serengeti National Park where I will enjoy endless plains.

(a) the next three days
(b) the three next days
(c) next the three days
(d) three days the next

PART II

6 London Knowledge Center teams are researching ____________ foreign language acquisition.

(a) what extent high motivation impacts to

(b) what high extent motivation impacts to

(c) to what extent high motivation impacts

(d) to what high motivation impacts high

7 In order to successfully make baked spaghetti in the oven, it is imperative that ________________.

(a) step-by-step instructions follow

(b) step-by-step instructions be followed

(c) follow step-by-step instructions

(d) will follow step-by-step instructions

8 Steven Spielberg likes to write and direct science-fiction and adventure films ________________.

(a) however the storylines are complicated and unrealistic

(b) no matter how complicated and unrealistic the storylines are

(c) how complicated and unrealistic are no matter

(d) their storylines are complicated and unrealistic however

PART III

9 (a) A Almost all the students are back at school just three days after his accident.

(b) B I know. I wasn't expecting them returning to school so soon.

(c) A I don't think they are fully recovered from their injuries.

(d) B I agree. But they all must be very responsible and autonomous students.

PART IV

10 (a) A fully-grown humpback whale's weight is equivalent almost to the weight of seven to nine fully-grown elephants. (b) The pectoral fins are approximately one third of the animal's body length, thus distinguishing it from other whales. (c) The black and white pattern on the underside of the tail is as unique as human fingerprints and enables scientists to distinguish individual whales. (d) Male humpback whales are also among the most active and acrobatic species of whale.

UNIT 03

생략 및 대용 표현

같은 어구가 반복될 때 반복을 피하기 위해서 중복되는 문장을 완전히 삭제하는 것을 생략이라고 하며 문장의 일부가 없더라도 의미 전달에 지장이 없는 경우에 가능하다. 대용은 같은 어구가 반복될 때 반복되는 구를 다른 말로 대신하는 것이다.

Sample Question

A Why didn't you attend the speech therapy meeting yesterday?

B I ____________, but I had to visit my parents in the hospital.

(a) should attend

(b) should have done

(c) should have

(d) should have had

정답 (c)

해석 A 어제 왜 언어 치료 모임에 참석하지 않으셨어요?

B 그랬어야 했는데, 병원에 부모님 병문안을 가야 했어요.

해설 문장 안에서 한 번 언급된 동사구가 다시 사용될 때에는 보통 그대로 되풀이하지 않고 조동사 바로 뒤에서 생략한다. should have attended the speech therapy meeting이 A의 말과 반복되므로 조동사만 남기고 그 뒤의 동사구는 생략한다.

1. 생략

같은 어구가 반복될 때 반복되는 부분을 삭제한다. 주로 동사/ 명사/ 보어/ 대부정사를 생략한다.

> I finished displaying construction model earlier than you (~~finished displaying construction model~~).
> 나는 너보다 더 일찍 건축 모형 전시를 끝냈어.

앞에 나온 어구가 조동사 뒤에 반복되는 경우

조동사까지만 쓰고 그 뒤는 생략한다.

> They can analyze more detail than we can (~~analyze more detail~~).
> 그들은 우리가 할 수 있는 것보다 더 상세하게 분석할 수 있다.

to부정사에서 앞에 나온 어구가 to 뒤에 다시 나올 경우

동사를 중복해서 쓰지 않고 to만 남겨 둔다. 이때 to를 대부정사라고 한다.

> You can refuse to give your decision on the pay increase if you want to (~~refuse to give your decision on the pay increase~~).
> 당신이 원한다면 임금 인상에 대한 결정을 거부할 수 있다.
>
> I met him in the National Library, although I didn't expect to (~~meet him there~~).
> 그를 국립 도서관에서 만나게 되리라곤 기대하지 않았는데 그러고 말았다.

to 뒤에 반복되는 동사가 be동사일 경우

to be까지 쓰고 반복되는 내용은 생략한다.

> A Tess was pretty audacious, wasn't she? 테스는 꽤 성격이 대담했어, 그렇지 않았니?
>
> B She used to be (~~audacious~~). Now she is rather timid. 그랬었지. 지금은 약간 소심해.

ready, try, be동사 등 독립적으로 흔히 쓰이는 표현

이러한 표현 뒤의 to부정사구가 앞에 나온 어구의 반복이면 to까지도 모두 생략할 수 있다.

> A You should check your application status for four-year scholarship opportunities.
> 너는 4년 장학금을 받을 수 있는 기회를 위해 지원 현황을 확인해야 해.
>
> B OK, I will try (~~to check the application status~~).
> 알았어. (지원서 현황을) 확인해 볼게.

2. 대용

반복되는 어구를 하나의 다른 단어로 대신하는 경우

문장 전체를 다시 받는 대표적인 대용 표현에는 so가 있다.

> Christine believes that we need an indigenous online community, but I don't think so.
> 크리스틴은 고유한 온라인 커뮤니티가 필요하다고 생각하지만, 나는 그렇게 생각하지 않는다.
> → 반복되는 어구 that we need an indigenous online community를 so로 대신한다.

이미 언급된 사건이나 상태

guess, hope, be afraid, think, suppose, believe 등의 동사 뒤에서 대용 표현으로 that절이 반복될 때 긍정문이면 so, 부정문이면 not으로 대신한다.

> A Do you think he will join the full-marathon tomorrow?
> 그가 내일 풀코스 마라톤에 참여할 거라고 생각해?
>
> B I hope[believe/ expect] so. 그가 내일 참여하기를 바라[믿어/ 기대해].
> I hope[believe/ expect] not. 그가 내일 참여하지 않기를 바라[믿어/ 기대해].

일반동사 이하에 앞에 나온 어구가 반복되는 경우

이미 언급된 동작이나 상태를 되풀이하여 말할 때 do[be] so가 해당 동사구를 대신할 수 있다. 일반동사는 수와 시제에 따라 do/ does/ did로, 동사 뒤에 나오는 어구는 so로 대신하는데, 이때 so는 생략할 수 있다.

He enrolled in the English writing course because everyone else did (so).
모든 사람들이 그렇게 했기 때문에, 그도 영어 작문 수업에 등록했다.
→ 일반동사 enrolled 이하의 어구를 되풀이하므로 동사는 did로, 동사 이하의 내용은 so로 대신한다.

앞에 나온 어구가 be동사 뒤에서 명사/ 형용사 보어로 올 때

이러한 보어들은 so로 대신할 수 있으며, 이때 so는 생략할 수 있다.

A He is very embarrassed that he lost his belongings in the library.
도서관에서 소지품을 잃어버려서 그는 정말 당황해 하고 있어.

B Who wouldn't be (so)?
누가 안 그렇겠어?

→ be동사 뒤에 되풀이되는 보어 very embarrassed를 so로 대용하며, 이때 so는 생략할 수 있다.

3. 관용적인 표현

절이 생략된 관용적인 표현

문장 구조에 큰 영향을 미치지 않는 경우에 생략할 수 있다. 특히, 부사절에서 it is 또는 there is는 생략 가능하다.

The board meeting will be held as (it is) scheduled on Monday.
이사회 미팅이 월요일에 예정대로 진행될 것이다.

I will drop by your office if (it is) possible.
가능하면 너의 사무실에 들를게.

They were best friends when (they were) at school.
그들은 학창 시절에 가장 친한 친구 사이였다.

If (you were) given the chance, would you study abroad?
만약 기회가 주어진다면, 너는 해외에서 공부할 거니?

그 밖의 be동사 생략 표현

The higher the mountain (is), the purer the air (is).
산이 높을수록 공기가 맑다.

The building should be saved whatever the cost (is).
비용이 얼마가 들더라도 그 건물은 보존되어야 한다.

Exercise

정답 및 해설 / 8p

다음 괄호 안에서 가장 적절한 것을 고르시오.

1. I realized I had spent much more money on fundraising for the company than (senior management had / senior management).

2. There is little, (if ever / if any), chance of his recovery from serious depression.

3. Jessi released a new book again. She (does so / is so) whenever she has spare time.

4. She will come as soon as she (can do / can) if the train arrives earlier.

5. My performance was awarded first prize at the 2014 Edinburgh Festival, and I thought it (would be / would do).

6. I heard they are coming to the welcoming party. But I hope they are (not / not come).

7. Mary felt ready to run the new tea shop, though her parents were not convinced she (was to / was).

8. My husband got a check-up last week and I (intend to / intend to do) during the next week.

9. (Once accustomed to / Once accustoming to) the climate of Iceland, you will be able to enjoy the natural beauty of the country.

10. Some people managed to overcome the bleak situation, but most of them (didn't / didn't manage).

Practice Test

PART I

1 A Let's go out for pasta and steak at Tom's restaurant.

B Because of my strict diet, I ____________________.

(a) am not able to
(b) am not able to go out
(c) am not able to do
(d) am not able to it

2 A The plants in the yard need light and water to blossom again.

B The plants on your desk ____________________ as well.

(a) need
(b) need to
(c) do
(d) do to

3 A Is it OK if I have the complimentary coffee on the desk?

B I don't see why ____________________.

(a) we not do
(b) don't we
(c) don't
(d) not

4 A You should apply for free summer courses at UCL college.

B Even if I ____________________, the summer courses would be already closed.

(a) wanted to
(b) wanted apply
(c) wanted to do
(d) wanted do so

5 A I really need to talk to Dr. Oz. Do you think he has time to squeeze me in?

B ____________________. He is fully booked up this week.

(a) I'm afraid not
(b) I'm afraid so
(c) I'm afraid not to
(d) I'm afraid

PART II

6 Jeffrey didn't buy the digital camera because the photographer advised him ________________.

(a) not to
(b) not to buy
(c) not to do
(d) do not buy

7 Although its director claims that his movie is complex, *Terminator 4* lacks enough storyline to make it ________________.

(a) which
(b) each
(c) what
(d) so

8 Jamie could not overcome his indignation and animosity toward his colleague no matter how hard he ________________.

(a) tried doing
(b) tried
(c) tried to do
(d) tried to get

PART III

9 (a) A I'm so sorry to hear that your sister was hit by a bicycle.
(b) B She got run over by the bicycle while she was on the way to school.
(c) A What? I hope she wasn't injured seriously.
(d) B She did. She will be in a hospital quite a long time.

PART IV

10 (a) For a long time, the police have thought that eyewitnesses to crimes are a great help in finding culprits. (b) Daniel Richard, a renowned psychologist, ran an experiment where 40 students looked at pictures showing a crime taking place. (c) All of the students thought they were seeing the same pictures, but they were actually not seeing. (d) Thus, he found that the testimony of eyewitnesses can be wrong, and that outside influences can cause fake memories to evolve.

UNIT 04

수 일치

영어에서 수를 일치시켜야 하는 경우는 여러 가지가 있지만 수량과 관련된 표현들이 가장 많이 출제된다. 또, 명사가 집합적인 의미인지, 개별 구성원을 의미하는지도 파악해야 한다. 문제에서는 주어 뒤 수식어의 영향으로 동사의 단수, 복수가 혼동스러울 때가 있다. 따라서 주어와 동사를 먼저 정확하게 찾아야 한다.

Sample Question

A I turn in two research reports about using smart phone as an educational purpose.

B ______________ going to be implemented soon under the supervision.

(a) Either of the plan is
(b) Either of the plan are
(c) Either of the plans are
(d) Either of the plans is

정답 (d)

해석 A 저는 교육적인 목적으로 스마트폰 사용에 관해 두 개의 연구 보고서를 제출했어요.
B 그 계획들 중 하나는 감독하에 곧 실행될 거예요.

해설 〈either of + 복수 명사 + 단수 동사〉의 규칙을 묻는 문제이다. 그 계획들(plans) 중에서 하나(either)가 주어이므로 단수 동사 is가 온다. 동사 앞 복수 명사에 수 일치하지 않도록 주의한다.

어휘 turn in 제출하다 implement 시행하다 supervision 감독

1. 주어와 동사의 수 일치

시간, 거리, 금액

복수형이어도 간격, 무게, 시간, 거리를 나타내는 단위는 하나의 덩어리로 보기 때문에 단수 취급한다.

시간 표현 명사: seconds, minutes, hours 등
거리 표현 명사: inches, miles, feet 등
금액 표현 명사: cents, dollars 등

Twenty thousand dollars is my final offer for the second-hand car.
2만 달러는 그 중고차에 대한 나의 마지막 가격 제안이다.

Five miles is a very long distance to jog every morning and evening.
5마일은 매일 아침저녁으로 조깅하기에는 매우 먼 거리이다.

집합명사/ 군집명사

같은 단어라도 집합명사, 군집명사로 모두 사용되므로 어떤 명사로 쓰였는지 확인한다. 집합명사로 사용되면 한 덩어리로 보아 단수로 취급하고, 군집명사 즉, 집합체의 구성원을 개별적으로 보는 경우에는 형태는 단수지만 복수로 취급한다.

family 가족 crew 승무원 committee 위원회 audience 관객들 class 계급 team 단체 army 군대 jury 배심원단

The committee is composed of executives and secretaries only.
위원회는 임원들과 비서들로만 구성된다.

The committee have different opinions in selecting the best leader.
위원들은 최고의 리더를 선택하는 데 있어서 다른 견해들을 가지고 있다.

항상 복수 취급하는 집합명사:
the police 경찰 people 사람들 military 군인들 clergy 성직자들 staff 직원들 folk 사람들 livestock 가축 cattle 소 poultry 가금류

단수와 복수의 형태가 같은 명사:
aircraft 항공기 personnel 직원 deer 사슴 sheep 양 species 종 fish 물고기 salmon 연어 trout 송어 dice 주사위 series 시리즈 offspring 자식 bison 들소 headquarters 본사

Many cattle are suffering from an inflammatory disease.
많은 가축들이 염증성 질환으로 고통받고 있다.

집합명사/ 군집명사의 주의할 점

복수형 명사들도 단수를 나타내는 단위와 함께 쓰면 단수로 취급한다. 집합명사 cattle이 a herd of, a group of와 함께 쓰이면 단수 동사를 쓴다. 사람들이 인종, 언어, 문화를 공유하는 경우 a people 또는 peoples(민족들)로도 사용할 수 있다. 또한, 경찰관 개개인을 지칭할 때는 a police officer 또는 a policeman으로도 표현한다.

a herd of cattle 한 무리의 소 a school of fish 한 무리의 물고기 떼 a flock of sheep 한 무리의 양 떼 a pride of lions 사자 한 무리 a swarm of bees 한 무리의 벌 떼

2. 분수/ 퍼센트의 수 일치

〈분수+of+명사〉, 〈숫자+of+명사〉의 경우 of 뒤에 나오는 명사에 수를 일치시킨다. 분수를 나타낼 때 two thirds, three fifths와 같이 분자가 둘 이상이면 분모(서수)에 -s를 붙인다. 그러나 -s가 붙었다고 해서 복수 동사를 선택해서는 안 되며 항상 of 뒤의 명사에 수를 일치시켜야 한다.

Two thirds of the northern area has been devastated by a volcano eruption.
화산 폭발에 의해 북쪽 지역의 2/3가 초토화되었다.

90% of the people living in Okinawa have been severely affected by a strong typhoon.
오키나와에 살고 있는 사람들의 90퍼센트는 강한 태풍에 의해 심각한 영향을 받아 왔다.

Three quarters of the salt we eat is hidden in processed foods and only a quarter comes from salt added either at the table or during cooking.
우리가 먹는 소금의 3/4은 가공된 음식들에 숨어 있고, 1/4만이 식사나 요리 중에 첨가된다.

-(e)s로 끝나는 학문명[국가명/ 운동 경기명/ 병명]+단수 동사

복수형이지만 하나의 학문을 의미하므로 단수 취급한다.

학문명:
mathematics 수학 physics 물리학 genetics 유전학 economics 경제학 linguistics 언어학 ethics 윤리학 politics 정치학

병명:
the blues 우울증 measles 홍역 diabetes 당뇨병 rabies 광견병 herpes 포진

Physics is one of the most challenging subjects among all classes.
물리학은 모든 수업 중에서 가장 도전적인 과목 중의 하나이다.

Sometimes referred to as Holland, the Netherlands borders the North Sea between Germany and Belgium.
때로 홀란드라고 불리는 네덜란드는 독일과 벨기에 사이에서 북해를 면하고 있다.

다른 뜻으로 쓰여 복수 취급하는 경우

statistics 통계, 수치, 통계 자료 mathematics 수학적인 재능 politics 정치적인 견해 및 신념

Politics is a tool that enables people to organize and develop society.
정치학은 사람들이 사회를 구성하고 발전시킬 수 있게 해 주는 도구이다.

The nation's politics are extremely polarized.
그 나라의 정치적인 견해는 매우 양극화되어 있다.

Current official statistics show that unemployment rate in the US was truly unexpected and volatile.
최근 공식 통계에 의하면 미국의 실업률은 정말 예상 밖이며 변동이 심했다.

3. 주의해야 할 수량 표현

주어의 수량 표현

None of the students were able to complete their assignment within the due date.
학생들 누구도 마감 기한 내에 과제를 완성할 수 없었다.

Nearly three out of four families in the country own cable TV.
시골의 4가구 중 거의 3가구가 케이블 TV를 소유하고 있다.

All the food was kept in the freezer before being cooked.
조리 전에 모든 음식은 냉장고에 보관되었다.

many+복수 명사+복수 동사 VS. many a(n)+단수 명사+단수 동사

Many a doctor takes part in the marathon to raise money for pancreatic cancer research this Saturday.
많은 의사들이 췌장암 연구 모금을 위해 이번 주 토요일 마라톤에 참가한다.

the number of+복수 명사+단수 동사

The number of victims of Apartheid has been drastically increasing, causing a public uproar.
아파르트헤이트의 희생자 수가 급격히 늘어나 대중의 분노를 유발했다.

a number of+복수 명사+복수 동사

A number of protesters against the government in Greece are taking to the streets to fight corruption.
그리스 정부에 대항하는 많은 시위자들이 부패와 싸우기 위해서 길거리로 나오고 있다.

Exercise

정답 및 해설 / 11p

다음 괄호 안에서 가장 적절한 것을 고르시오.

1. Each chapter (include / includes) questions that will help individual readers apply the ideas to their own classrooms.

2. Drawing portraits with realism and precision (is / are) a very difficult skill to acquire.

3. The Human Resource Department has the largest number of (personnels / personnel).

4. The liberalism of Dutch culture (has / have) more to do with accepting human nature and its value than depravity.

5. The number of Korean tourists traveling to Brazil (is / are) expected to increase 30 percent.

6. Five years in Germany (have / has) made me appreciate multiculturalism more.

7. A large percentage of patients with diabetes (consume / consumes) moderate amounts of sweets.

8. Statistics show that half of the used cameras (have been / has been) out of order.

9. Millions of Europeans (seek out / seeks out) acupuncturists, since their conventional medicine failed to cure their illnesses.

10. The effects the volcano eruption will have on diverse ecosystems (is / are) a great source of concern.

Practice Test

PART I

1 A Why did you choose to send your daughter to this school?

B Because I believe each of the students there ______________ a great opportunity for autonomous thinking.

(a) have (b) is having
(c) are having (d) has

2 A What's the problem with feminism?

B Many a feminist ______________ to think that women can eradicate gender difference by behaving like men.

(a) seem (b) seems
(c) is seeming (d) have seemed

3 A Would you like a smoking room?

B No. Neither of us ______________.

(a) smokes (b) smoke
(c) smoking (d) smoked

4 A What do you think of the film's screenplay?

B Yours ______________ much better and more imaginative.

(a) are (b) is
(c) do (d) doing

5 A How much deposit do I have to pay?

B There is no deposit. But, we have to pay ______________ for school accommodation in advance.

(a) two thousands dollar (b) two thousands dollars
(c) two thousand dollars (d) two thousand dollar

PART II

6 The number of sports programs that are targeted at adults and teenagers ________ steadily increased.

(a) has (b) had
(c) have (d) to have

7 Neither Chris nor Michael ________ show up for a fashion show.

(a) has expected to (b) have expected to
(c) were expected to (d) was expected to

8 The committee ________ to review the recommendation letter of each potential candidate for the student body president.

(a) have wanted (b) wanting
(c) want (d) wants

PART III

9 (a) A I heard a large number of disabled students easily becomes discouraged and drop out of school.
(b) B Many schools have a bad opinion of disabled students. We should treat them with love and attention.
(c) A I think each school should have a counseling service and facilities for disabled students in order not to suspend the schools.
(d) B I agree. The very thing is all students hang out with them without prejudice.

PART IV

10 (a) This is a great half marathon for first runners and seasoned marathoners alike. (b) The half marathon is held on the same course route as the full marathon, meaning there are lots of cheers. (c) Although the distance is only half that of a full marathon, 13 miles are a very long distance to run, in particular, to the first runners. (d) Once you complete a half-marathon, all participants have the sense of accomplishment, which experiences such an inspirational and emotional moment.

UNIT 05

수동태

수동태의 기본 규칙과 함께 다양한 쓰임새를 파악해야 한다. 우선, 주어와 동사를 찾아 수동의 관계인지, 능동의 관계인지 이해하며 특히, 자동사와 타동사 둘 다 가능한 동사들은 문장 속에서 쓰이는 형태에 주목한다. 또한 능동 형태임에도 수동의 의미를 가지는 동사들도 잘 익혀 두어야 한다.

Sample Question

Huge pressure was ________________ her shoulders when she was called a female Beckham in UK.

(a) placed to
(b) placed on
(c) being placed to
(d) to be placed on

정답 (b)

해석 그녀가 영국에서 여자 베컴이라고 불려질 때, 엄청난 중압감이 그녀의 어깨에 놓여졌다.

해설 중압감이 그녀의 어깨에 '놓여지는' 것이므로 수동태가, 어깨 '위에' 놓이는 것이므로 전치사 on이 적절하다.

어휘 pressure 압박(감) female 여성인

1. 수동태와 시제의 결합

현재-미래-과거 시제, 완료형, 진행형, 조동사가 함께 쓰이는 다양한 쓰임새를 파악하자.

The majority of online music is downloaded illegally.
대다수의 온라인 음악은 불법적으로 다운로드된다.

30 passengers were injured seriously in the train accident yesterday.
어제 기차 사고에서 30명의 승객들이 심각한 부상을 당했다.

Our bank will be taken over by a Chinese state-owned company.
우리 은행은 중국 국유 회사에 의해 인수될 것이다.

The jobless are being helped to search for a job by the local community.
직업이 없는 사람들은 지역 사회로부터 직업을 찾는 데 도움을 받고 있다.

Procrastination can be caused by either physical problems with the brain or by mental difficulties.
일을 뒤로 미루는 것은 뇌와 관련된 신체적인 문제들 또는 정신적인 어려움들에 의한 것일 수 있다.

Too many wild animals have been killed in the last 10 years.
너무 많은 야생 동물들이 지난 10년간 죽음을 당해 왔다.

2. 주의해야 할 수동태 구문 (1)

형태는 능동형이지만 자동사처럼 목적어 없이 쓰일 때 수동의 의미를 갖는 동사를 반드시 알아 둔다. 그리고 목적어를 갖는 타동사이지만 수동형으로 절대 쓸 수 없는 동사들도 주의해야 한다.

능동태이나 의미는 수동인 동사

형태는 능동태이지만 수동의 의미를 가지는 동사이다.

peel (껍질·표면이) 벗겨지다 read 쓰여 있다 sell 팔리다 be to blame 비난받다

You can learn to make hard-boiled eggs so that it peels easily.
달걀 껍질이 쉽게 벗겨질 수 있도록 완전히 익힌 달걀을 만드는 법을 배울 수 있다.

Brazil soccer jerseys are selling like hot cakes.
브라질 축구 셔츠는 불티나게 잘 팔리고 있다.

I am not to blame in this situation.
나는 이런 상황에서 아무런 책임이 없다.

need+동명사

주어와 need 뒤의 동사가 수동의 관계가 되며, need to be p.p.로 바꿀 수 있다.

The garden needs weeding and the grass needs cutting.
그 정원은 잡초를 뽑아야 하고 풀은 잘라져야 한다.

This digital camera needs repairing(=needs to be repaired).
이 디지털 카메라는 수리가 필요하다.

수동태로 쓰지 않는 타동사

have 가지다 lack ~이 없다 resemble 닮다 cost (비용이) 들다 fit 맞다 reach ~에 도달하다
hold 수용하다 suit 어울리다 become 어울리다 look like ~인 것처럼 보이다 agree with ~에 동의하다

He resembles his younger brother a lot.
→ His younger brother is resembled by him. (x)
그는 남동생과 많이 닮았다.

These shoes fit me great.
→ I am fitted by these shoes. (X)
이 구두는 나에게 잘 맞는다.

They have reached Chicago.
→ They have been reached Chicago. (x)
그들은 시카고에 도착했다.

The conference room can hold up to 500 people.
→ The conference room can be held up to 500 people. (x)
그 대회의장은 500명까지 수용이 가능하다.

자동사로만 쓰이는 동사(구)

happen 발생하다 wait 기다리다 interfere 간섭하다 lie 눕다, 있다 abound 아주 많다 appear 나타나다
remain 계속 ~이다, 남다 serve as ~의 역할을 하다 belong to ~에 속하다 rely on ~에 의존하다
consist of ~로 이루어져 있다 amount to ~에 이르다 take place 일어나다

Rumors abound as to why she left the company.
그녀가 회사를 그만둔 이유에 대한 소문이 무성하다.

This book consists of 10 short stories that recount personal travel experiences.
이 책은 개인의 여행 경험에 대해 이야기하는 10개의 단편들로 구성되어 있다.

3. 주의해야 할 수동태 구문 (2)

목적어가 명사절인 경우의 수동태

사고, 기대, 판단 등을 의미하는 동사들은 that절을 목적어로 취할 때 가주어 it 또는 that절의 주어를 이용해 수동태로 쓸 수 있다.

일반 주어(people/ they)+say[believe/ think/ suppose/ report/ consider/ expect]+that+S+V

People say that she is curious about many things.

=It is said that she is curious about many things.

=She is said to be curious about many things.
그녀는 많은 것에 호기심이 있다고 한다.

People expect that the company will become more profitable in the next quarter.

=It is expected that the company will become more profitable in the next quarter.

=The company is expected to become more profitable in the next quarter.
그 회사는 다음 분기에 더 많은 수익을 올릴 것으로 기대된다.

사역동사와 지각동사의 수동태

사역동사와 지각동사의 목적격 보어인 원형부정사가 수동태로 바뀌는 경우에는 목적보어로 쓰인 동사 원형을 to부정사로 바꿔야 한다. 단, 목적보어가 현재분사인 경우는 그대로 둔다.

He was seen to clean the windshield by me.
나는 그가 차 앞 유리를 닦는 것을 보았다.

I was made to go to the concert by her.
그녀는 나를 콘서트에 가게 했다.

Someone was heard shouting for help by the residents.
누군가 주민들이 도움을 요청하려고 소리를 치는 것을 들었다.

I was made to give them details of my bank accounts.
나의 은행 계좌의 상세한 사항을 그들에게 주게 되었다.

by 이외의 전치사를 쓰는 수동태

with, of, in, to 등 by 이외의 전치사를 쓰는 수동태는 하나의 숙어처럼 암기해 두어야 한다.

My brother was married to a South African woman last year.
오빠는 작년에 남아프리카 여자와 결혼했다.

Many businessmen are only interested in making a profit.
많은 사업가들이 이윤을 창출하는 데에 단지 관심이 있다.

The passengers are satisfied with the good service.
승객들은 훌륭한 서비스에 만족한다.

The world-famous British Museum is best known for its huge range of historical artifacts around the globe.
세계적으로 유명한 대영 박물관은 전 세계의 광범위한 역사 유물들로 잘 알려져 있다.

The store is located in the downtown area of Sydney.
그 상점은 시드니의 도심에 위치해 있다.

I was caught in a small shower while I was on the way home.
집으로 가는 동안 적은 양의 소나기를 만났다.

Exercise

정답 및 해설 / 14p

다음 괄호 안에서 가장 적절한 것을 고르시오.

1. The summit meeting (is consisted of / consists of) 27 representatives around the world.

2. The National Museum used not to (allow / be allowed) visitors to take photos and record them on videotape.

3. (It was said to live / It was said that) a monster lived in Lake Michigan, but that was just a myth.

4. Annual death rates (declined / were declined) during the years of downturn.

5. The final decision (would be made / would make) after a scheduled meeting today.

6. I went to the beach last weekend, and now my back (is peeling / is peeled).

7. The medical experts were unable (to be reached / to reach) a final agreement.

8. The tours being very popular, reservations (need to make / need to be made).

9. The products (are being filled with / are filling with) more useful features like digital camera and MP3 player every year.

10. Professor Stevenson's career (has dedicated / has been dedicated) to fostering international research.

Practice Test

PART I

1 A Who is the winner? Did Messi finally get an award for MVP?

B No, the award __________________ Neymar.

(a) was given for
(b) was given to
(c) was given of
(d) was given

2 A I finally get a master's degree next week.

B Congratulations. You must __________________.

(a) be exhilarated
(b) have been exhilarated
(c) was exhilarated
(d) exhilarate

3 A These new sneakers seem to be a big hit.

B Yeah, they are __________________ really well after Justin Bieber wears it.

(a) sold
(b) selling
(c) to sell
(d) to be sold

4 A Where do you want the pizza __________________?

B My workplace, please.

(a) deliver
(b) delivered
(c) to deliver
(d) delivering

5 A I think your presentation __________________ by tomorrow morning and available online later.

B I know. I will do my utmost to get my work done quickly.

(a) needs to be recorded
(b) need being record
(c) needs to be recording
(d) need of recorded

PART II

6 We are happy to announce that the strike ______________ and all flights will begin operating as scheduled.

(a) has called off
(b) has been called off
(c) have been called off
(d) were being called off

7 Among the many paintings that ______________, one was a Jackson Pollock worth over a million euros.

(a) were stolen
(b) is stolen
(c) are stealing
(d) has been stealing

8 The ancient Chinese art ______________ multiple health benefits like reducing stress and promoting better sleep.

(a) says that having
(b) are said to have
(c) is said to have
(d) is said that having

PART III

9
(a) A What happened? Your knee is full of scar.
(b) B I tripped and fell during night hiking.
(c) A Why don't you get a tetanus shot for prevention?
(d) B I will. It's going to be even worse if leave untreated.

PART IV

10 (a) 30 people were left hanging upside down when a roller coaster stopped at peak due to a power failure. (b) The passengers were stranded 50 feet in the air for 30 minutes. (c) An official from the amusement park argued that the passengers had firmly locked in and had not been in danger. (d) It was agreed that the ticket price should be given back to the passengers.

UNIT 06

다양한 때를 나타내는 중요 시제들

시제 문제는 전 파트에 골고루 분포되어 있고 출제 빈도가 매우 높은 유형이다. 시제와 함께 사용되는 시간 표현을 잡아내는 것이 핵심이다. 또한, 현재완료, 미래완료 등의 완료 시제가 자주 출제되므로 완료의 개념을 이해하고, 단순 시제(과거, 현재, 미래)와의 차이점을 정확하게 구별한다.

Sample Question

The coffee machine _______________ for the past few days when it finally broke down and failed to switch on.

(a) has been acting up
(b) had been acting up
(c) has made
(d) made

정답 (b)

해석 커피 기계가 지난 며칠 동안 제 기능을 못하더니, 결국 고장이 나 켜지지 않았다.

해설 과거완료는 과거 시점보다 이전에 일어난 일을 나타낸다. 제 기능을 하지 못한 것이 고장이 나서 켜지지 않은 것보다 이전에 일어난 일이므로 과거완료를 써야 한다.

어휘 act up 제 기능을 못하다 break down 고장 나다

1. 현재완료

현재완료 시제

현재완료는 과거를 나타내는 특정한 표현들(last year/ ago/ yesterday)과는 함께 쓰지 않는다. just와 before는 현재완료와 과거 시제에 모두 사용 가능하지만, just now는 과거 시제에서만 사용할 수 있고, 〈since+과거 표시 어구〉는 완료 시제 문장에서 쓸 수 있다.

현재완료와 함께 쓰이는 표현: for[over/ since/ in] the last year, ever, for, lately, recently

The chemical corporation has been the most lucrative firm in the past 3 years.
그 화학 회사는 지난 3년간 수익이 가장 좋은 회사였다.

과거 시제 in VS. 현재완료 시제 since

과거 시제는 과거 특정 시점에서 시작했다가 완료된 일이고, 현재완료 시제는 발생하여 지금까지 영향을 미치는 경우이다. 과거의 특정한 시점을 의미하는 부사적 표현과 함께 쓰여 의미를 분명히 한다. in은 과거 시제와, since는 현재완료 시제와 쓰인다.

> This computer program which was implemented in 2014, has received high satisfaction levels from customers.
> 2014년에 실행되었던 이 컴퓨터 프로그램은 고객들로부터 높은 만족도를 받아 왔다.
>
> This computer program has received high satisfaction levels from customers since 2014.
> 이 컴퓨터 프로그램은 2014년 이후로 고객들로부터 높은 만족도를 받아 왔다.
>
> I have dabbled in playing classical music since I was a high school student.
> 나는 고등학생이었을 때부터 취미 삼아 클래식 음악을 연주해 왔다.

2. 미래완료

미래완료는 과거나 현재 시점부터 특정한 미래 시점까지의 동작이나 상태의 '완료/ 경험/ 계속/ 결과'를 나타내는데, 〈by+미래 표시 어구〉가 미래완료와 함께 가장 자주 출제된다.

1) by[until]+미래 표시 어구(next year[month], tomorrow): ~쯤이면
2) if[when]+주어+동사: 만약 ~하게 되면

> Tess will have worked in the company for twenty years by the time she tenders her resignation next month.
> 테스가 사직서를 제출할 다음 달 무렵이면 그녀는 이 회사에서 근무한 지 20년이 되어 있을 것이다.
> → for twenty years는 완료에 해당하는 시간 표현이고 next month는 미래까지의 시점을 나타내므로 미래완료 시제를 써야 한다.
>
> If I go to Mexico again, I shall have been there twice.
> 내가 다시 멕시코에 간다면 그곳에 두 번 가게 되는 것이다.

3. 과거완료

과거완료는 과거보다 더 오래된 과거부터 과거 시점까지의 동작이나 상태를 나타낸다. 과거완료 시제는 과거의 어느 시점에 이미 상황이 종료되었거나 그때까지 지속된 것으로, 문장 안에 반드시 특정한 과거 시점이 언급된다.

by the time+주어+동사

과거 시점을 나타내는 표현인 〈by the time+주어+과거 시제 동사〉가 오는 경우, 주절에는 과거완료 시제를 쓴다.

> She had already left for the day by the time the meeting was adjourned.
> 회의가 중단되었을 때쯤 그녀는 이미 퇴근했었다.
> → by the time 뒤에 과거 시제(was adjourned)가 왔으므로 주절에는 과거 시제(left)가 아닌 과거완료 시제(had left)를 써야 한다.

주절과 종속절의 시제

주절이 과거 시제일 경우 종속절에는 과거 또는 과거 완료가 나온다.

> Mr. Huntington informed us that clinical trials were conducted last week.
> 헌팅턴 씨는 우리에게 임상 실험이 지난주에 실시되었다고 알려 주었다.
>
> My best friend sent me a coat that she had bought in London.
> 나의 친한 친구가 런던에서 산 코트를 내게 보내 주었다.
> → 친구가 코트를 보내 준 것은 과거이고 런던에서 그것을 산 것은 그 이전이므로 과거완료를 쓴다.

종속절의 동작이나 상태가 계속될 경우

주절이 과거 시제라도 문장이 언급되고 있는 현재 시점까지 종속절의 동작이나 상태가 계속될 경우 현재완료 시제가 올 수 있다.

> She insisted that the research team has developed various methods to detect contaminants.
> 그녀는 연구팀이 오염 물질을 감지하는 다양한 방법들을 개발해 왔다고 주장했다.
> → 주절이 과거 시제(insisted)이지만 이 문장을 말하고 있는 현재 시점에도 오염을 측정할 수 있는 방법들에 대한 개발이 지속되고 있다고 여겨진다면 현재완료 시제(has developed)를 쓸 수 있다.

Exercise

정답 및 해설 / 17p

다음 괄호 안에서 가장 적절한 것을 고르시오.

1. We (have saved / will have saved) enough money by next year to buy a bigger house.

2. She and her date (have planned / had planned) to go on an amusement park, but it snowed.

3. The landlord told her tenants that the rent (will increase / will have increased) next year.

4. Tom and his girlfriend, who got engaged last winter after dating for 10 years, (tied the knot / have been tied the knot) in California on Saturday night.

5. I (have been thinking / had thought) of dropping out of school since last October.

6. By the time the firefighters (arrive / will arrive) at the scene of the fire, the gallery will have been burnt to ashes.

7. As a result of a sharp rise in prices, air conditioner sales (decreased / have decreased) by 30% for the past six months.

8. It was not surprising that the documentary movie (won / win) the award for Best Picture at the Sundance film festival.

9. Tess (had been / have been) hesitant to apply to a private university, considering his parents would not have been able to afford the tuition and living expenses.

10. Fiona (has been taught / will have been teaching) at the college for five years by the time she leaves for London.

Practice Test

PART I

1 A How was Catherine when you went to the hospital to visit her yesterday?

B I could tell she ________________ although she tried to pretend that her disease can be cured completely.

(a) would be crying
(b) had been crying
(c) have cried
(d) was crying

2 A Hi, Tom. Do you have a minute to talk?

B I'm Sorry, you ________________ me at a bad time. I'm really busy now.

(a) caught
(b) catch
(c) had caught
(d) will be caught

3 A How was the Edvard Munch exhibition?

B Fantastic! I ________________ his works at the art museum until now.

(a) wouldn't have seen
(b) hadn't seen
(c) won't have seen
(d) haven't seen

4 A Have you ever been to Ireland?

B Yes, I ________________ to Dublin with my family back in 2012.

(a) go
(b) went
(c) have been
(d) have gone

5 A I wonder what Eva's been doing since dropping out of college.

B I have heard she ________________ several jobs and now she is a nanny.

(a) has
(b) was having
(c) had
(d) had had

PART II

6 Jessica and her colleagues were dead on their feet by the time they got home because they ________________ a full marathon.

(a) have finished
(b) had finished
(c) finished
(d) have been finished

7 According to the Korea Economic Research Institute, the earnings of the upper income-level class ________________ by the next quarter.

(a) will have increased
(b) have increased
(c) will be increased
(d) have been increased

8 We ________________ before we came to live in Seattle.

(a) didn't marry long
(b) had not married long
(c) have not long been married
(d) had not long been married

PART III

9 (a) A The musical starts at 8:00, and it's already 7:40!
(b) B We should have taken the subway instead of the taxi.
(c) A Yes. By the time we get there, the musical has already started.
(d) B If we hurry now, we will only miss the first few minutes.

PART IV

10 (a) We notice you didn't register to be a student again since January 2014 when you withdrew from school. (b) Professor Jeffreys has confirmed that you have not registered for any classes this term either. (c) We shall be grateful if you could let us know if you are still hoping to re-register for the summer term. (d) And, we cannot write a letter to say you are registered until we receive this information.

UNIT 07

틀리기 쉬운 조동사

be동사나 일반동사 앞에서 쓰여 문장의 의도를 더 구체화시키는 〈조동사+have p.p.〉 형태에서 적절한 조동사를 찾는 문제가 자주 나온다. 또한, 조동사가 포함되어 있거나 조동사처럼 동사 앞에 쓰여 의미를 추가하는 관용적인 표현이 자주 출제되므로 이런 표현들에 주의한다.

Sample Question

A My back is so sore and my face is peeling from sunburn.

B I told you to apply some sunscreen. You ______________ to me.

(a) would have listened

(b) can have listened

(c) must have listened

(d) should have listened

정답 (d)

해석 A 햇볕에 타서 등이 아프고 얼굴이 벗겨지고 있어.
B 자외선 차단제를 바르라고 했잖아. 내 말을 들었어야지.

해설 자외선 차단제를 바르라는 충고를 듣지 않아서 힘들어하는 것이므로 과거에 하지 않은 일에 대한 아쉬움을 나타내는 should have p.p.가 알맞다.

어휘 sore 따가운, 화끈거리는 peel (피부가) 벗겨지다 sunburn 햇볕으로 입은 화상

1. 자주 출제되는 조동사

조동사+have p.p.

과거 사실에 대한 추측, 과거의 일에 대한 반대의 가정, 아쉬움, 후회 등을 나타낸다.

must have p.p. ~했음이 틀림없다	cannot have p.p. ~였을 리가 없다
need not have p.p. ~할 필요가 없었는데 했다	should have p.p. ~했어야만 했다
may[could/ might] have p.p. ~였을지도 모른다	

She must have been here an hour ago. 그녀가 1시간 전에 여기에 왔던 게 틀림없어.
She cannot have been here an hour ago. 그녀가 1시간 전에 여기에 왔을 리가 없어.

She may have been here an hour ago. 그녀가 1시간 전에 여기에 왔을 수도 있어.
She should have been here an hour ago. 그녀는 1시간 전에 여기에 왔었어야만 했어.
She need not have been here an hour ago. 그녀가 여기에 1시간 전에 올 필요는 없었어.

need VS. dare

need와 dare 모두 부정문이나 의문문에서 조동사로 사용이 가능하나 긍정문에서는 조동사가 될 수 없다. 조동사로 쓰일 경우에는 뒤에 동사원형이 온다.

You need not(=don't need to) check out the schedule early and frequently while concentrating on your work.
일에 집중하는 동안은 스케줄을 일찍, 자주 확인할 필요가 없다.

Need I(=Do I have to) complete this registration form and drop it in a box?
이 등록 신청서를 작성해서 박스에 넣어야 하나요?

I dared not(didn't dare to) look at the famous actress while seeing the play.
연극을 보면서 나는 감히 그 유명 여배우를 쳐다보지 못했다.

How dare you(=do you dare to) tell me a deliberate lie?
당신이 어떻게 내게 의도적인 거짓말을 할 수 있어요?

2. 조동사 관용 표현

had better+동사원형: ~하는 것이 좋을 것이다

You had better turn that music down before our parents get mad at me.
부모님이 내게 화를 내시기 전에 너는 그 음악 소리를 줄이는 게 좋겠어.

would rather A than B/ may as well A as B: B하는 것보다 차라리 A하는 것이 더 낫다

I would rather apply for a new job than receive a meager salary.
얼마 안되는 월급을 받느니 차라리 새로운 일자리를 찾는 게 낫겠어.

may well+동사원형: ~하는 것도 당연하다, 아마도 ~할 가능성이 높다

She may well handle stress better after suffering from heart disease.
심장 질환을 앓은 후, 그녀가 스트레스를 잘 관리하는 것도 당연해.

cannot ... too[enough]: 아무리 ~해도 지나치지 않다

You cannot be too careful in choosing your first job.
첫 직장을 고를 때 아무리 신중해도 지나치지 않다.

cannot but+동사원형/ have no choice but to+동사원형/ cannot help -ing: ~하지 않을 수 없다

I can make a fresh start but I cannot help dwelling on past failures.
새로운 출발을 할 수 있지만, 과거의 실패들을 곱씹지 않을 수가 없다.

3. 조동사의 시제

현재: 조동사+동사원형

조동사 뒤에 동사원형이 오면 시제상 현재를 나타낸다.

> Generally when women work full-time, they can't take care of their children on their own.
> 일반적으로 여자들이 풀타임으로 일하면 혼자서 자식들을 돌볼 수 없다.

과거: 조동사+have p.p.

조동사 뒤에 have p.p.가 오면 시제상 과거를 나타낸다.

> You should have seen the look on his face when I told him I had won first prize.
> 내가 1등을 했다고 그에게 말했을 때 그의 표정을 네가 봤어야 했어.

4. 조동사의 생략

한 번 언급된 동사구가 다시 사용될 때는 보통 do나 be동사를 포함한 (조)동사 바로 뒤에서 생략될 수 있다. 동사를 생략하는 경우와 반드시 써야 하는 경우를 구별해서 이해해야 한다.

일반동사

조동사 뒤에 일반동사가 올 경우 무조건 생략한다.

> A Can you distinguish his handwriting from other students?
> 다른 학생들과 그의 글씨체를 구별할 수 있어?
>
> B Of course, I can. 물론이죠.
> → 일반동사 distinguish가 생략되었다.

be동사

조동사 뒤에 반복되는 동사가 be동사인 경우 be동사까지 쓴다.

> Living in a dormitory and living on campus is much harder than it used to be.
> 기숙사에서 지내는 것과 캠퍼스에서 생활하는 것이 예전에 그랬던 것보다 훨씬 더 힘들어졌다.
> → 조동사 used to 뒤에 be를 생략하지 않고 꼭 써 줘야 한다.

have

조동사 뒤에 완료 시제를 쓸 경우 have까지만 남기고 생략한다.

> A Did you see off Susan at the airport? 수잔을 공항까지 배웅해 줬니?
>
> B No, I should have. 아니, 배웅을 해 줬어야 했는데 못했어.
> → have 뒤에 seen her off가 생략되었다.

Exercise

정답 및 해설 / 20p

다음 괄호 안에서 가장 적절한 것을 고르시오.

1. I would rather do my work (than / when) be idle.

2. You (couldn't / shouldn't) have seen my car in the parking lot. It was in the garage.

3. The students (dare not / need not) feel guilty about their procrastination because they met the deadline for the term paper yesterday.

4. She (must have gone / could have gone) to Cambridge University but she preferred Brown University in the US.

5. This book (wouldn't have been / shouldn't have been) possible without the help of many people.

6. If you want the scars to remove well, you (should / would) apply the ointment twice daily.

7. Playing music on the phone overnight (should / might) have run out of the battery.

8. (Need / Am) I drop out of my physics class or math class by tomorrow?

9. My strict diet and exercise was so successful that friends (may as well / may well) not recognize me.

10. Being loud and obnoxious inside a museum (would not / cannot be) harshly criticized enough.

Practice Test

PART I

1 A Did you check the date on the milk carton in the refrigerator?

B No. I ______________.

(a) should have
(b) shouldn't have
(c) shouldn't it
(d) should be done

2 A I can't go to the art gallery with you, but Melissa can.

B I ______________ rather cancel the reservation than go with Melissa.

(a) would
(b) could
(c) should
(d) have

3 A Olivia ______________ her lawsuit over the car accident.

B Yes. The judge awarded her $20,000 in damages.

(a) couldn't have won
(b) could be won
(c) ought to win
(d) must have won

4 A I can't find my documents in my office. Have you seen it?

B You ______________ them in my car by mistake.

(a) would not leave
(b) could have left
(c) should have left
(d) should leave

5 A We couldn't see any tickets for the football match in Barcelona.

B You ______________ a reservation online.

(a) must have made
(b) couldn't have made
(c) should have made
(d) used to have made

정답 및 해설 / 21p

6 A I didn't sleep a wink last night for sorting through the data.

B Oh, you ______________ not have done that. Andrea analyzed and retained our data on the computer.

(a) need
(b) must
(c) would
(d) might

PART II

7 We ______________ emphasize enough the importance of having a well-balanced body for a well-balanced mind.

(a) mustn't
(b) cannot
(c) ought not
(d) shouldn't

8 A new theory on missing flight claims that it ______________ hijacked or sabotaged using a mobile phone to take over the controls.

(a) could have been
(b) need have been
(c) should have been
(d) ought to have been

PART III

9 (a) A I plan to travel to Okinawa this weekend.

(b) B You wouldn't do that. You had better change your itinerary.

(c) A Why? I already made a reservation for a hotel and an airline ticket.

(d) B The forecast warns that a typhoon will hit Okinawa this week.

PART IV

10 (a) Many people can encounter culture shock when first arriving in a foreign country, no matter how long people have lived overseas. (b) It may not be such a shock and it may not be prolonged, but adapting to new customs and rules should take some time. (c) The symptoms of culture shock can appear at different times and at different levels with several stages. (d) We all come equipped with different personalities, experiences and backgrounds that will help determine how well we cope. But coping and accepting, in the end, the new culture can be a life shaping experience.

UNIT 08

가정법 시제 및 if 이외의 가정법 표현

실제 사실과 반대되거나 일어나지 않은 일을 말할 때 가정법을 쓴다. 텝스에서는 시제와 결합한 동사의 형태와 if가 생략되어 도치되는 경우, 그리고 if를 사용하지 않는 기타 가정법 표현들이 전 파트에 걸쳐서 골고루 출제된다.

Sample Question

A I was very surprised you decided to donate all proceeds of the company's newest products to charity.

B Well, had it not been for my colleagues' support, I ______________ it.

(a) would never have done
(b) will never have done
(c) never done
(d) would never be done

정답 (a)

해석 A 당신이 회사 신제품 수익금의 전부를 자선 단체에 기부하기로 한 결정에 너무 놀랐어요.
B 음, 동료들의 도움이 없었더라면 그렇게 하지 않았을 겁니다.

해설 과거의 일을 가정하는 것이므로 가정법 과거완료 형태인 (a) would never have done이 정답이다. had it not been for는 if가 생략되어서 도치된 구문이며 but for/ without/ if it had not been for로 쓸 수 있다.

어휘 proceeds 수익금 colleague 동료

1. 가정법 문장의 특징

가정법 미래

현재나 미래 사실에 대한 강한 의혹 또는 불가능한 일을 가정하는 경우이며, if절에는 were to나 should를 사용하고 주절에는 조동사의 과거형이나 현재형을 사용한다. 특히, were to는 의미가 강한 미래, 또는 가능성이 희박한 일에 대한 순수한 가정을 나타낸다. should는 앞으로 어떠한 도움 또는 문제가 나타날 경우에 자주 사용된다.

If+주어+were to[should] ~, 주어+would[should/ might]+동사원형 ~

> If I were to be young again, I would take care of my skin condition.
> 내가 다시 젊어진다면, 피부 관리에 신경을 쓸 텐데.
>
> If her relatives and friends should come tomorrow, I would pick them up at the bus terminal.
> 그녀의 친척들과 친구들이 내일 온다면, 나는 그들을 데리러 버스터미널에 갈 거야. (강한 의혹)
>
> If you should require any further information, we will be pleased to assist you.
> 더 추가적인 정보를 요구하고 싶으시면, 저희가 기꺼이 돕겠습니다.

가정법 과거

가정법의 가장 기본적인 형태로, 현재 사실의 반대를 가정할 때 쓰며 형태는 과거이나 내용의 기준 시점은 현재이다.

If+주어+과거 동사(be동사는 were) ~, 주어+would[should/ might]+동사원형 ~

> If he were well-educated and had a good command of English, he would get promoted sooner.
> 그가 고학력이고 좋은 영어 실력을 갖추었다면, 더 빨리 승진할 수 있을 텐데.

가정법 과거완료

과거 사실의 반대를 가정해서 과거 상황에 대한 아쉬움 또는 후회를 나타낼 때 쓰며, 과거완료의 형태는 출제 빈도가 가장 높은 편이다.

If+주어+had p.p., 주어+would[should/ could/ might]+have p.p. ~

> TBC Inc, would have gotten a great reputation if the research team had succeeded in launching new medicine.
> 연구팀이 새로운 약을 출시하는 데 성공했다면, TBC 사는 굉장히 좋은 평판을 얻었을 것이다.
>
> If it had not been for a ventilation system installation last week, the residents would have suffered the effects of indoor air pollution problem.
> 지난주 환기 시설 설치 작업이 없었다면, 주민들은 실내 공기 오염의 피해를 입었을 것이다.

혼합가정법

과거 일의 결과가 현재에 영향을 주었을 때 사용하며, 보통 주절에는 현재를 나타내는 부사 today, now 등이 오는 경우가 많으므로 주절의 단서를 참고한다.

If+S+had p.p. ~, S+would[should/ might]+동사원형

> If you had practiced law in New York when younger, you would be very rich now.
> 젊었을 때 뉴욕에서 변호사 개업을 했었더라면, 너는 지금쯤 매우 부자가 되었을 텐데.

2. if절 생략의 가정법 표현

가정법에서 if는 생략 가능하며, 이 경우 뒤에 있는 〈주어+동사〉가 도치된다. if절에 조동사(would/ could/ might)를 쓰지 않는 것이 원칙이나 should가 가끔 사용되는데, 이때 if를 생략하면 should가 주어와 도치되어 문두로 온다. 이처럼 if가 생략될 때 should가 도치되는 문장이 자주 출제된다.

> If you should wish addititonal food items, please contact reception for the appropriate charges.
> → Should you wish additional food items, please contact reception for the appropriate charges.
> 추가 음식을 원한다면, 적절한 비용을 위해서 호텔 접수처에 연락해 주세요.

생략된 가정법의 관용 표현

without/ but for 만약 ~이 없다면[없었다면]

> If it had not been for two witnesses, the innocent students would have been unjustly accused of the crimes.
> → Had it not been for two witnesses, the innocent students would have been unjustly accused of the crimes.
> → Without two witnesses, the innocent students would have been unjustly accused of the crimes.
> → But for two witnesses, the innocent students would have been unjustly accused of the crimes.
> 두 명의 목격자가 아니었다면, 그 무고한 학생들은 범죄에 대해 누명을 썼을지도 모른다.

3. 기타 가정법을 사용한 주요 구문들

if를 쓰지는 않지만 가정법의 과거 및 과거완료의 의미로 해석이 된다. 시제에 주의하면서 가정법에 사용되는 특수한 구문들은 외워 두어야 한다.

wish+가정법: 현재 또는 과거의 일에 대한 이루어질 수 없는 소망

> I wish I could see the Santos football team. 산토스 풋볼팀을 볼 수 있으면 좋겠는데.
> I wish I had seen the documentary film. 내가 그 다큐멘터리 필름을 봤으면 좋았을 텐데.

as if[though]+가정법 과거[과거완료]: 현재나 과거 사실에 반대되는 가정을 표현할 때

조동사 뒤에 have p.p.가 오면 시제상 과거를 나타낸다.

> He acts as if he were a real chef at a restaurant.
> 그는 레스토랑에서 진짜 요리사인 것처럼 행동한다.
>
> She talked about Brazil as if she had visited many times.
> 그녀는 마치 많이 방문한 것처럼 브라질에 대해서 이야기했다.

It is (high[about]) time that+주어+동사의 과거형: ~해야 할 때이다

현재 사실에 대한 당연한 기대와 반대되는 것을 의미하고 있다.

It's about time the UN Secretary-General took serious actions to stop Russian military intervention in Ukraine.
→ It is time the UN Secretary-General should take serious actions to stop Russian military intervention in Ukraine.
UN 사무총장은 우크라이나에 대한 러시아의 무력간섭을 중단하기 위해서 중대한 조치를 취해야 할 때이다.

would rather (that)+주어+동사의 과거형: ~하는 편이 낫겠다

You lent short-term flat without consulting me and I would rather you hadn't.
나와 상의 없이 네가 단기임대를 빌렸는데, 안 그랬더라면 좋았을 거야.

I would rather she had transferred all her credits from New York University last year.
나는 그녀가 작년 뉴욕대학교에서 받은 학점들을 모두 인정받았으면 좋았을 것이다.

should+동사원형: ~해야 한다

주장, 요구, 제안, 명령을 의미하는 동사의 목적어가 되는 that절에는 《(should)+동사원형》을 쓴다. '~해야 한다'라는 의미로 당위적인 것을 표현한다.

demand 요구하다 command 명령하다 ask 요청하다 insist 주장하다 suggest 제안하다
propose 제안하다 order 명령하다 require 요구하다 request 요청하다 move 제안하다
decide 결정하다 recommend 추천하다

He recommended that I should not give up completing my master's program.
그는 나에게 석사 과정을 마치는 것을 포기하지 말기를 권했다.

They suggested that the minimum wage be raised this year.
그들은 올해에는 최저 임금이 인상되어야 한다고 제안했다.

It is important 다음의 that절에는 《(should)+동사원형》이 쓰인다.

이성적 판단의 형용사들이 it ... that절에서 사용되면 〈should+동사원형〉이 된다. 뒤에 오는 that절에 동사원형을 쓰는 이성적 판단의 형용사는 다음과 같다.

desirable 바람직한 important 중요한 essential 중요한 imperative 필수적인 reasonable 이성적인
proper 적당한 necessary 필요한 natural 자연스러운 vital 필수적인

It is essential that the suitcases should be as light as possible.
여행용 가방은 최대한 가벼울 필요가 있다.

It is desirable that everyone seek peace of mind and tranquility.
모든 사람들이 마음의 평화와 평온을 추구하는 것이 바람직하다.

Exercise

정답 및 해설 / 23p

다음 괄호 안에서 가장 적절한 것을 고르시오.

1. If you had to give us one piece of advice, what (would / will) it be?

2. I would rather they (went / had gone) to the museum yesterday.

3. The doctor suggested that his patients (did / do) various types of physical activity every day.

4. If you (have not saved / had not saved) your money at that time, you would still be in debt now.

5. If my supervisor were to call me, I (wouldn't have answered / wouldn't answer) during the weekend.

6. Josh talked as if he and I (have been / had been) close colleagues for a very long time.

7. If the ambulance had arrived earlier, the car accident victim (would have made / would be made) it.

8. The hierarchical nature in the Hindu caste system demands that lower classes (were / be) willing to sacrifice some privileges.

9. If I (had studied / studied) law in college, I could earn much more money now.

10. If there were a warning system against that typhoon, the local residents could (be evacuated / have been evacuated) safely.

Practice Test

PART I

1 A Is Eva coming to Heejae's farewell party this weekend?
B I wish she ________________, but she's leaving for Alaska tonight.

(a) can
(b) was
(c) could
(d) did

2 A Do you mind if I turn off this heater?
B I ________________.

(a) would rather you don't
(b) would rather you didn't
(c) would rather you do
(d) would rather you had

3 A Haven't you finished your report yet?
B No. If I ________________ earlier today, I could be playing tennis now.

(a) had started
(b) have started
(c) would start
(d) started

4 A What are you going to wear for the conference?
B I'd like to wear my grey suit, but I need to get it cleaned and pressed.
I wish I ________________ it to a dry cleaner last week.

(a) had taken
(b) took
(c) have taken
(d) could take

PART II

5 ________________ the in-depth investigation, the case would never have been solved.

(a) If for not it had been
(b) Had it not been for
(c) Had not it been for
(d) Have it not been for

6 If you had canceled your insurance, you __________ in debt now from the treatment expenses.

(a) wouldn't be (b) would be
(c) would have been (d) had not gotten

7 It is crucial that every student __________ equal cultural and educational opportunities.

(a) have (b) has
(c) had (d) would have

8 __________ you have any queries about the service in this hotel, do not hesitate to contact us.

(a) Could (b) Might
(c) Should (d) Would

PART III

9 (a) A Why is Joseph taking so long with that application form?
(b) B I think he is just revising it before submitting.
(c) A Well, it is imperative that he submits it online by 5:00
(d) B OK, I will remind him of making it on time.

PART IV

10 (a) Ten sales clerks in K-market have been treated due to varicose vein symptoms during the past 6 months. (b) They have voiced for better working conditions such as shorter hours standing and enough break time, which have been rejected by the management. (c) Labor unions suggest that professions requiring extended periods of standing may increase the risk of developing varicose veins. (d) Also, they are saying that if the company paid more careful attention to the health of its workers, it would not be experiencing staff shortages today.

UNIT 09

형태에 주의해야 할 분사구문

분사는 수식하고 있는 명사와의 관계가 능동인지, 수동인지 문맥을 통해서 파악하는 문제가 출제된다. 접속사를 생략하면서 부사절을 분사구로 전환하는 분사구문의 출제 비율이 가장 높으므로 실전 문제를 꾸준하게 풀면서 익숙해지도록 한다. 특히 특수 분사구문 및 주어가 있는 분사구문을 정확히 이해하고 독립분사구문과 같은 관용적인 표현도 꼭 기억한다.

Sample Question

Minor earthquakes ________________ in recent days, all the roads leading to the volcano were closed yesterday.

(a) having recorded
(b) having been recorded
(c) to have been recorded
(d) to have recorded

정답 (b)

해석 최근에 작은 지진이 기록되었기 때문에, 어제 화산으로 이어지는 모든 길들이 폐쇄되었다.

해석 주절의 주어가 Minor earthquakes이므로 수동의 의미를 가진 분사가 나와야 하고, 최근에 작은 지진이 기록된 것이 먼저 일어난 일이므로 having been p.p. 형태의 완료분사구문을 써야 한다.

1. 자주 출제되는 분사

분사구문의 의미가 수동인지 능동인지, 즉 현재분사가 필요한지 과거분사가 필요한지를 알 수 있어야 한다. 의미상의 주어에 따라 달라지므로 먼저 의미상의 주어부터 정확하게 찾아야 한다.

능동/ 수동 관계에서 보어의 형태

능동 관계인지 수동 관계인지에 따라서 보어가 달라지는 경우이다. 분사가 사역동사의 목적격 보어로 쓰일 때이며, 〈사역동사 get[have/ make]+목적어+목적격 보어〉인 경우에는 분사를 수식하고 있는 명사와의 관계부터 파악해야 한다.

A I have been suffering from a severe asthma. 나는 심한 천식을 앓아 왔어.

B You should get yourself examined by an ENT doctor. 이비인후과 의사에게 검진을 받아야 해.

현재분사 VS. 과거분사

명사 앞에서 항상 현재분사 또는 과거분사만을 쓰는 분사형용사를 꼭 학습해 둔다.

designated seat 지정석	surrounding area 주변 지역
merged company 합병된 회사	the following month 다음 달
unlimited warranty 무제한 보증	the coming year 다음 해
attached file 첨부된 파일	challenging task 어려운 일
enclosed document 동봉된 서류	demanding teacher 까다로운 선생님
revised edition 개정판	promising singer 유망한 가수

2. 분사구문의 시제

분사구문에서는 시제를 고려해야 하는데 분사구문이 주절의 일보다 먼저 일어났거나 앞선 시제를 나타낼 때 완료형 분사구문 having p.p.를 쓴다.

> Providing free meals and drinks, this resort is already fully booked.
> 공짜 식사와 음료수들을 제공하기 때문에, 이 리조트는 이미 다 예약이 되었다.
>
> Having driven all day long by turns, both of us were very tired.
> 하루 종일 교대로 운전을 했기 때문에, 우리 둘은 무척 피곤했다.

3. 분사구문의 부정어순: not[never]+분사구문

분사구문을 부정할 때에는 항상 분사 앞에 not 또는 never를 붙여야 한다.

> Not wanting to hurt her parents' feelings, Susan didn't tell them the bad news.
> 수잔은 부모님의 기분을 상하게 하고 싶지 않았으므로, 나쁜 소식을 전하지 않았다.
>
> Not having read her books before, I couldn't write a review about her released book.
> 그녀의 책을 읽어 본 적이 없기 때문에, 나는 그녀의 출간된 책에 대한 비평을 쓸 수 없었다.

4. 주어가 있는 분사구문

분사구문을 쓸 때 부사절의 주어가 주절의 주어와 다를 경우 원래 부사절의 주어를 분명하게 표현한다. 또한, 의미상의 주어는 주로 명사로 표시한다.

> Her assignment having been rejected twice, she revised and proofread it more carefully.
> 그녀의 과제가 두 번 거절되었기 때문에, 그녀는 더 신중하게 그것을 고치고 교정했다.
>
> A new semester starting again, I signed up for all prerequisite subjects.
> 새 학기가 다시 시작되면서, 나는 모든 필수 과목들을 등록했다.

5. 100% 외워야 하는 독립분사구문

분사구문 규칙에 상관없이 관용적으로 쓰이는 독립분사구문으로서, 문장에서 단독으로 쓰며 부사절의 역할을 한다. 따라서 독립분사구문은 무조건 암기한다.

putting it simply 쉽게 말해서
seeing the circumstance 상황으로 보건대
strictly speaking 엄격하게 말하자면
generally speaking 일반적으로 말하자면
granting[admitting] that ~을 인정하더라도
providing[supposing] that ~라면
judging from ~으로 판단하건대
all things considered 모든 것을 고려해 보면
weather permitting 날씨가 좋으면

Providing that all your assignments are completed, you may have dinner.
너의 모든 과제들을 마쳤다면, 저녁을 먹어도 좋아.

Judging from her accent, she is from Texas.
그녀의 억양으로 판단하면, 그녀는 텍사스 출신이다.

6. with+(대)명사+분사

분사의 의미상 주어 앞에 with를 두어 동시 진행 상황을 나타낸다. '~한 채', '~하면서'의 의미로 부대 상황을 나타내며, 분사 앞의 명사와의 관계에 따라서 능동인 경우 현재분사, 수동인 경우 과거분사를 사용한다.

with one's eyebrows raised 눈썹을 치켜 뜬 채
with one's legs crossed 다리를 꼬고
with one's arms folded 팔짱을 낀 채
with one's sleeves rolled up 소매를 걷어붙이고
with one's eyes closed 눈을 감고
with one's hands put into a pocket 주머니에 손을 넣은 채로

She is staring at them with her eyebrows raised.
그녀는 눈썹을 치켜 뜬 채, 그들을 응시하고 있었다.

She stood there, with her arms folded.
그녀는 팔짱을 낀 채, 거기에 서 있었다.

Jane begins walking toward her house with her hands put into a pocket.
제인은 주머니에 손을 넣은 채로 그녀의 집을 향해 걸어가기 시작했다.

Exercise

정답 및 해설 / 26p

다음 괄호 안에서 가장 적절한 것을 고르시오.

1. (Accused / Having accused) of stealing two mobile phones from ABC store, a homeless man was arrested last night.

2. The attack left 10 people dead and 5 others (injuring / injured).

3. (With his eyes closed / With his eyes close), he thought of how to change his mother's mind.

4. A stroke occurs when the blood flow to the brain is cut off, (deprived / depriving) it of oxygen.

5. His decision about staying at his current company is very (comforted / comforting) to his wife.

6. All the advice (was offered / offered) to him was ignored as he just wouldn't listen.

7. In addition to calculating numbers, computers can do some work usually (relating / related) with human decision-making.

8. (There being / It being) no seats available in the classroom, I had to stand all the way through the lecture.

9. (All things are considered / All things considered), I would do better traveling to India in winter.

10. A My alarm suddenly doesn't go off.
    B Don't worry too much. I can get it (fixed / fixing) for you tomorrow.

Practice Test

PART I

1 A I can't understand him. He knows that we don't have much time, but he never hurries things up.

B ______________, the harder you push him, the more he resists.

(a) Being put simply (b) Putting it simply
(c) It being put simply (d) Simply putting

2 A Wow. What a beautiful living room it is!

B ______________ could be, I spent three hours cleaning it up.

(a) It being as messy as (b) It was messy
(c) Being as messy it (d) Being it as messy as

3 A Why don't you join a study group this weekend?

B ______________ introverted, I would rather study alone than study in a group.

(a) To be (b) Being
(c) Has been (d) I am

4 A Do you think she is a native speaker of English?

B Yes. ______________, she must be English.

(a) Judging from her accent (b) Judge from her accent
(c) To judging from her accent (d) Being judging from her accent

5 A Is it true that North Atlantic Airlines will take over Iceland Express?

B Yes. Once ______________, the two companies should be profitable.

(a) merging (b) merged
(c) it merging (d) having merged

Practice Test

PART II

6 ______________ very recently, the shopping mall is in danger of collapsing.

(a) Built
(b) Having built
(c) To be built
(d) Having been building

7 There was a multi-vehicle collision on Highway 50, ______________ many people to be stuck in a traffic jam for several hours.

(a) cause
(b) caused
(c) to cause
(d) causing

8 ______________ at her final job interview, she gave up hope of being hired.

(a) Screwing up
(b) Having screwed up
(c) To screw up
(d) To be screwed

PART III

9
(a) A What did you do when you couldn't match your leave dates to your friends?
(b) B I searched for a travel partnering agency. They provide solo travelers with a travel companion.
(c) A Really? What a great idea to match like-minded travelers.
(d) B Yes. Having had not any experience in visiting India, I asked them for someone who does.

PART IV

10 (a) If people spend much time sitting with their legs cross, it can cause health issues like decreased circulation, varicose veins, back pain, and high blood pressure. (b) Chronic leg crossers probably have a sedentary lifestyle or lack of exercise. (c) In particular, crossing the legs can place disproportionate tension on the muscles of the lumbar back. (d) And while tensing the back muscles, it can also strain the abdominal muscles which can cause further problems down the road.

UNIT 10

동명사와 to부정사 비교

동명사를 쓸 것인가, to부정사를 쓸 것인가를 고르는 문제는 항상 출제되는데, 둘 다를 목적어로 취할 수 있는 동사들은 어느 것을 목적어로 취하느냐에 따라 의미가 완전히 달라지는 것에 주의한다. 또 시험에 자주 나오는 to부정사와 동명사의 관용적인 표현도 실전 문제를 통해 익혀 두어야 한다.

Sample Question

James Anderson, CEO of the airline, regrets ______________ that the company will downsize its workforce and reduce its payroll.

(a) announcing
(b) to have announced
(c) having announced
(d) to announce

정답 (d)

해석 항공사 대표인 제임스 앤더슨은 회사의 직원 감축과 임금 삭감을 발표하게 되어 유감스럽게 생각한다.

해설 과거의 일에 대한 후회는 〈regret＋동명사〉, 어떤 상황에 대한 유감은 〈regret＋to부정사〉로 쓴다. 문맥상 안 좋은 소식을 발표하게 되어 '유감이다'라는 표현이 적절하므로 to부정사가 와야 한다.

어휘 downsize 축소하다 workforce 직원 payroll 급여 지불 총액

1. 동명사와 to부정사에 따라 의미가 달라지는 동사

가장 출제가 많이 되는 문제 중 하나이다. to부정사를 쓰느냐, 동명사를 쓰느냐에 따라 달라지는 의미의 차이를 문장에서 파악해야 한다.

동명사/ to부정사가 목적어일 때 의미가 다른 동사

	＋동명사 (과거의 의미)	＋to부정사 (미래의 의미)
remember	~한 것을 기억하다	~할 것을 잊지 않고 기억하다
forget	~한 것을 잊다	~할 것을 잊다
regret	~한[했던] 것을 후회하다	~하게 되어서 유감이다
try	(시험 삼아) ~해 보다	~하려고 노력[시도]하다
stop	~하는 것을 멈추다	~하기 위해서 멈추다

We try to raise much-needed funds for supporting people with dementia.
우리는 치매에 걸린 사람들을 지원하기 위해서 매우 필요한 기금을 모으려고 애쓰고 있어요.

If you are interested in supporting people with dementia, try calling this number for fund raising.
치매에 걸린 분들을 위한 지원에 관심이 있다면, 기금 모집을 위한 이 번호로 한번 전화해 보세요.

I remember to lock all the doors and windows before leaving home.
나는 집에서 나오기 전에 모든 문과 창문을 잠가야 할 것을 기억한다.

I remember checking out the window to see whose car was parked outside before leaving home.
나는 집에서 나오기 전 밖에 누구의 차가 주차되어 있는지 창문을 확인한 것을 기억한다.

We regret to inform you that we cannot provide you with a student loan.
학자금 대출을 해 드릴 수 없음을 알려 드리게 되어 유감스럽게 생각합니다.

They regretted not providing you with a student loan.
그들은 당신에게 학자금 대출을 해 주지 못한 것에 대해서 후회했다.

We have plenty of bottled water. I forgot getting some yesterday.
우리는 생수가 충분해. 어제 몇 개 구입한 걸 깜박했어.

Don't forget to buy bottled water when you go to the department store.
백화점에 가면 생수 사는 것을 잊지 마.

2. 동명사 또는 to부정사만 목적어로 취하는 동사

문제를 많이 풀면서 어떤 동사들이 동명사 혹은 to부정사를 뒤에 쓰는지 암기한다. 동사의 특성으로 구별할 수 있기 때문에 시험에서는 오히려 매우 쉬운 문제에 속한다.

동명사만 목적어로 취하는 동사

consider 고려하다	suggest 제안하다	deny 부인하다
recommend 추천하다	mind 꺼리다	avoid 피하다
entail 수반하다	imagine 상상하다	practice 연습하다
confess to 고백하다	ban 금지하다	abandon 버리다, 포기하다
admit 인정하다	escape 도망가다	tolerate 용인하다
postpone/ defer/ put off/ delay 연기하다, 미루다		

He is considering dropping out of school and working for the Italian restaurant.
그는 학교를 그만두고 이탈리아 식당에서 일하는 것을 고려하고 있다.

My supervisor will not tolerate turning in the report after due date.
나의 상사는 마감 기한 이후에 보고서를 제출하는 것을 참지 않을 것이다.

to부정사만 목적어로 취하는 동사

ask 묻다	promise 약속하다	plan 계획하다
pretend ~하는 척하다	agree 동의하다	refuse 거절하다
decide 결심하다	expect 기대하다	endeavor 노력하다
undertake 떠맡다	manage 가까스로 ~하다	intend 의도하다
guarantee 보장하다	claim 주장하다	command 명령하다
desire 바라다	arrange 정하다	order 명령하다
hesitate 주저하다	determine 결정하다	afford ~할 여유가 있다
fail 실패하다	offer 제공하다	care 주의하다
seek 찾다		

The university decided to stop developing the online writing program because it cost too much.
그 대학은 비용이 너무 많이 들어가서 온라인 쓰기 프로그램 개발을 중단하기로 결정했다.

All employees finally refused to work overtime and left work early.
모든 직원들은 마침내 야근하는 것을 거부하고 일찍 퇴근했다.

3. 동명사와 to부정사의 부정 표현

동명사와 to부정사의 부정은 각각 〈not+-ing〉 또는 〈not to+동사원형〉의 형태로 쓴다.

I was used to not staying with many roommates in a dormitory.
나는 기숙사에서 많은 룸메이트들과 지내지 않는 것에 익숙했다.

I decided not to take up the offer at University of Exeter and reconsidered the offer for a future start date.
엑시터 대학의 제안을 받지 않기로 결정했고, 앞으로 시작할 날을 위한 제안을 재고했다.

4. 동명사와 to부정사의 관용적인 표현

동명사의 관용적인 표현

there is no -ing ~할 수 없다	be used to -ing ~에 익숙하다
be worth -ing ~할 가치가 있다	when it comes to -ing ~하는 거라면
It is not use -ing ~해도 소용없다	on[upon] -ing ~하자마자
can't help -ing ~하지 않을 수 없다	far from -ing 결코 ~하지 않다
object to -ing ~에 반대하다	have difficulty[trouble] -ing ~하는 데 고생하다
contribute to -ing ~에 기여하다	make a point of -ing 반드시 ~하다
What do you say to -ing ~? ~하는 게 어때?	admit (to) -ing ~을 인정하다
confess to -ing ~을 고백하다	

It is no use persuading her not to stop studying due to the child care.
육아 때문에 공부를 그만두지 말라고 그녀를 설득해 봤자 소용없는 일이다.

The management confessed to embezzling the money of a firm.
경영진은 회사의 돈을 횡령한 사실을 고백했다.

to부정사의 관용적인 표현

have only to부정사 ~하기만 하면 된다
형용사[부사] enough to부정사 ~할 정도로 충분히 ~한
know better than to부정사 ~할 만큼 어리석지는 않다
be about to부정사 막 ~하려고 하다
have no choice but to부정사 ~하지 않을 수 없다, ~할 수밖에 없다
make it a rule to부정사 ~하는 것을 습관[규칙]으로 삼다

In order to get a fair trade, two companies have no choice but to reach an agreement.
공정한 거래를 성사시키기 위해 두 회사는 타협하지 않을 수 없다.

5. 동명사와 to부정사의 시제

동명사와 to부정사가 주절의 시점과 같은 경우는 그대로 쓴다. 하지만 본동사의 시제보다 한 시제 앞선 사실을 표현할 때에는 완료형을 쓴다. 완료형 외에도 수동태와 완료 수동태도 쓴다. 단순 시제 문제보다는 완료형 부정사 및 동명사를 묻는 문제가 종종 출제된다.

완료형 부정사 및 동명사: to have p.p./ having p.p.

My classmates seem to have read many philosophy books.
나의 반 친구들은 철학책을 많이 읽었던 것 같다.
→ read는 동사원형이 아니라 과거분사이다.

I remember Jenny having spent so much money on antique furniture.
나는 제니가 많은 돈을 골동품 가구에 써 버렸던 것을 기억한다.

Exercise

정답 및 해설 / 29p

다음 괄호 안에서 가장 적절한 것을 고르시오.

1. The actress offered (helping / to help) by donating about 1 million dollars for the students who can't afford to pay their school lunch.

2. During the semester, I have made it a rule (never to sleep / never sleep) during the day.

3. I regret (having spent / to spend) so much money on investing in stocks and funds.

4. The ex-convict refused to (confess to having / confess to have) committed the crime.

5. We are (considering / considering of) subscribing to *The New York Times*.

6. After careful consideration, Alissa decided (not to take / to not taking) part in the London marathon.

7. There are many hardships for women (enduring / to endure) in a male-dominated society.

8. The high winds and heavy rain are expected (to hit / to hitting) London and Brighton by the weekend.

9. The orthopedist warned me (to use / using) a chair which is designed ergonomically.

10. Despite (there being a blackout / a blackout was there) in the building, most students didn't moved out of the building and continued studying in the classroom.

Practice Test

PART I

1 A Did you bring your medicine case with you?

B Oh, no. I forgot ________________ it with me. It slipped my mind.

(a) to have brought
(b) to bring
(c) bringing
(d) bring

2 A We are going to London this winter. Any advice?

B I highly recommend ________________ the Natural History Museum. There are a lot of things to see there.

(a) visiting
(b) to visit
(c) that visit
(d) that you visited

3 A I think I got the highest score in the SAT test.

B Come on. There is ________________.

(a) little chance of that happening
(b) little chance that of happening
(c) chance of little happening that
(d) little that chance of happening

4 A How do you think Terry will do on the final test tomorrow?

B He is expecting ________________ it very easily.

(a) pass
(b) passing
(c) to be passed
(d) to pass

5 A Well, Chile tried their best in the World Cup qualifier against top-ranked Spain.

B I already anticipated ________________ the game, but not by so much.

(a) to lose
(b) having losing
(c) to be lost
(d) losing

PART II

6 Most dentists recommend scaling ________________, although some claim it weakens the teeth.

(a) to prevent tooth decay
(b) preventing from tooth decay
(c) prevents decaying from tooth
(d) preventing from decaying tooth

7 Missing several key pieces of information, Jeffery had ________________ his presentation on the proposed merger and acquisition.

(a) no choice but delaying
(b) no choice but to delay
(c) but chosen not to delay
(d) not chosen but delaying

8 Andrew hesitated ________________, as she seemed a very private person.

(a) to ask Jenny out
(b) as to ask Jenny out
(c) to be asked out Jenny
(d) asking out to Jenny

PART III

9 (a) A Can we get started with painting the wall tonight?
(b) B We can. Did you remember of buying paint brushes and a roller?
(c) A Sure. I already set up everything for painting.
(d) B Thanks. Let's thin down the paint with water now.

PART IV

10 (a) The Dongdaemun Shopping Complex brought modern design and cutting-edge technology to Seoul. (b) The innovative project was designed by Al Jahara, the world-famous landscape architect. (c) Construction costs for this grand scheme came to nearly 490 billion won. (d) Also, easy access to mass transportation was required to be implementing around the clock to attract many tourists.

UNIT 11

비교 구문

비교 구문은 둘 이상의 대상을 비교하는 구문이며, 원급, 비교급, 최상급으로 나뉜다. 형용사와 부사를 포함한 비교급은 용법이 다양하기 때문에 고난도의 문제로 출제되는 경우가 많다. 기본적인 원급, 비교급, 최상급, 관용적인 비교 표현에 대한 정확한 이해와 함께 빈출 문제를 자주 접하도록 하자.

Sample Question

Chicago is ______________ city in the United States although it has lost population since 2012.

(a) the third largest
(b) the largest third
(c) the third large
(d) third the largest

정답 (a)

해석 시카고는 2012년 이후 인구가 줄었을지라도 미국에서 세 번째로 큰 도시이다.

해설 서수 third와 함께 최상급 표현 largest를 만들기 위해서는 〈the + 서수 + 최상급〉의 어순이 적절하다.

1. 원급

as ... as 사이에는 원급의 형용사 또는 부사를 쓴다. as ... as 앞에 배수 표현이 올 때는 뒤에 있는 as의 의미가 '~보다'로 바뀌게 된다. 배수의 위치는 비교급만큼 자주 출제되는 형태이다.

as + 원급 + as

All passengers are required to fasten their seat belts as tightly as they can when the plane lands.
모든 승객들은 비행기 착륙 시에 가능한 한 단단히 안전벨트를 매야 한다.

배수사[퍼센트/ 분수]+as+원급+as

Male police officers work twice as much as their female counterparts.
남자 경찰들이 여자 경찰들보다 2배 더 많이 일한다.

2. 비교급

비교 표현은 매우 다양한데 비교 표현의 어순과 형식을 올바르게 배열하는 것이 출제 포인트이다. 〈비교급+than〉, 〈not so+형용사[부사]+A as B〉, 〈배수사+비교급+than〉과 같은 비교 표현은 출제 빈도가 매우 높다.

비교급+than

> The new model of laptop is sleeker than the last model.
> 신형 노트북 모델은 지난 모델보다 더 매끈하다.

not so+형용사[부사]+A as B: A라기보다는 B이다

> Ethan Hawke was not so much an actor as a prolific writer.
> 에단 호크는 배우라기보다는 다작의 작가였다.

A is no more B than C: A가 B가 아닌 것은 C가 B가 아닌 것과 같다

> Eating too little salt is no more desirable than consuming excess salt intake.
> 너무 적은 양의 소금을 먹는 것은 지나친 소금 섭취만큼 좋지 않다.

배수사+비교급+than

> The number of male employees in this company is four times larger than that of ours.
> 이 회사의 남자 직원 수는 우리 회사보다 4배가 많다.

as many[much/ little/ few]+명사+as: ~만큼 많은[적은]

> We prepared as much food as we could for the first catering service.
> 우리는 첫 번째 출장 요리 서비스를 위해서 할 수 있는 만큼 많은 음식을 준비했다.

the+비교급+(명사)+주어+동사 ~, the+비교급+(명사)+주어+동사: ~할수록 더 ~하다

〈the+비교급〉 다음에 나오는 단어의 올바른 어순을 묻는 문제와 두 번째 비교급을 원급 또는 최상급으로 표현해서 틀린 부분을 찾는 문제가 나온다.

> The more money he makes, the more useless things he buys.
> 그가 더 많은 돈을 벌수록, 쓸모없는 것을 사게 된다.
>
> The more money he makes, the less(~~the least~~) his debt will become.
> 그가 더 많은 돈을 벌수록, 그의 채무는 줄어들게 된다.

3. 비교급의 강조

비교급을 강조하는 표현으로는 much/ far/ a lot/ still/ rather/ somewhat/ even/ a bit이 있다.

> You can earn much more money by taking over this lucrative business.
> 당신은 이 수익성 좋은 사업을 인수함으로써 훨씬 더 많은 돈을 벌 수 있다.

4. 최상급 표현

최상급의 일반적인 형태는 〈the+최상급〉이며 이외에도 원급, 비교급을 사용해서 최상급을 표현할 수 있다. 최상급을 강조하는 표현 또한 매우 중요하다.

〈the+최상급〉

최상급 표현 앞에는 the를 쓴다. 비교의 범위를 나타내는 in, of, among 등의 전치사구에는 장소나 집단, 구성원을 나타내는 명사가 온다. 구성원을 의미할 때는 보통 복수명사가 온다.

> When it comes to the best place to live, Singapore is the highest-ranking city helped by its plentiful outdoor recreation and pleasant climate.
> 살기 좋은 장소에 대해서는, 싱가포르가 풍부한 야외 활동과 좋은 기후 덕분에 가장 높은 순위를 차지한다.
>
> Of all the celebrities at the party, she was the most gorgeous and looked incredible.
> 파티에 온 모든 유명 인사들 중에서 그녀가 가장 멋졌고 굉장해 보였다.

최상급의 강조

최상급을 강조하는 표현으로는 much/ better/ far/ by far/ yet/ still/ a great deal/ the very 등을 쓴다. the very 다음에는 다시 the를 쓰지 않는다.

> The digital camera is much the best.
> 이 디지털 카메라가 다른 것들보다 훨씬 좋다.
>
> Susan Sontag is by far the most renowned and controversial intellectual.
> 수잔 손탁은 단연 가장 잘 알려져 있고 논쟁거리가 되는 지식인이다.
>
> It is said that Sheryl Sandberg, chief operating officer of Facebook, is the very smartest woman in the United States.
> 페이스북의 최고 운영 책임자인 셰릴 샌드버그는 미국에서 가장 똑똑한 여자라고 한다.

원급과 비교급을 이용한 최상급 표현

〈비교급+than any other〉 뒤에는 반드시 단수 명사가 오며, 〈비교급+than all (the) other〉 뒤에는 복수 명사를 쓴다.

> Copenhagen, the Danish capital, has a better urban train system than any other city in the world.
> 덴마크의 수도인 코펜하겐은 세계의 다른 어느 도시보다 나은 도시 기차 시스템을 가지고 있다.
>
> Copenhagen, the Danish capital, has a better urban train system than all (the) other cities in the world.
> 덴마크의 수도인 코펜하겐은 세계의 다른 어느 도시들보다 나은 도시 기차 시스템을 가지고 있다.

the+비교급+of the two

비교 범위가 두 개인 경우, 즉 of the two로 제시되는 경우, 비교급으로 최상급을 대신한다. 둘 중에 하나를 가리키므로 비교급 앞에 the를 쓴다.

> I have no idea which one of the two delegates is the better one.
> 두 대표자들 중 누가 더 나은지 모르겠어.

5. 절대 최상급 표현

최상급의 관용적인 표현으로서 최상급 앞에 정관사 the를 붙이지 않고 '매우 ~하다'라는 의미를 나타낸다. 뒤에 명사가 올 때 the 대신 소유격을 쓰는 경우가 많으며 뒤에 명사가 없는 경우, 즉 최상급이 보어로 올 때 the를 쓰지 않는다.

소유격을 쓰는 경우

> I met Tony and his most gorgeous girlfriend last week.
> 나는 지난주에 토니와 그의 매우 아름다운 여자 친구를 만났다.
>
> The Plitvice Lakes is 47 meters at its deepest point.
> 플리트비체 호수는 가장 깊은 곳이 47미터이다.

seem/ be/ become 뒤에 최상급이 오는 경우

> He seemed happiest when with his family.
> 그는 자기 가족과 있을 때 가장 행복해 보였다.

〈부정어+비교급〉을 이용한 최상급 표현

> I have never been happier than now.
> 지금이 가장 행복하다.
>
> I have never slept better.
> 이보다 더 잘 잔 적은 결코 없었다.
>
> I have never seen a more beautiful botanic garden than this in my life.
> 이것은 지금까지 본 것 중에 가장 아름다운 식물원이다.

6. 그 밖의 관용적인 비교급 표현

no better than: ~나 마찬가지인(almost the same as/ as good as)

She is no better than any other chef here.
그녀는 여기에 있는 다른 요리사나 다름없다.
=She is almost the same as any other chef here.
=She is as good as any other chef here.

no sooner ... than: ~하자마자 …하다

The defendants had no sooner seen the plaintiff than they ran away.
피고들은 원고를 보자마자 달아나 버렸다.

more/ less와 관련된 중요 표현

no more than(=only) 단지, 다만
not more than(=at most) 기껏해야
no less than(=as much[many] as) ~만큼, ~에 못지않게
not less than(=at least) 적어도
no later than+날짜(시간) 늦어도 ~까지는
more or less 거의(almost/ nearly), 대략(approximately)

This Hollywood celebrity's home in New York was no more than an expensive white elephant.
뉴욕에 있는 이 할리우드 유명인의 집은 단지 비싼 무용지물이 되어 버렸다.

No less than 100 businessmen came to the trade show.
100명 정도가 무역 박람회에 왔다.

She has worked as a accountant not less than 15 years.
그녀는 적어도 15년 이상 회계사로 일해 왔다.

We all admire no less an artist than Tom Ford.
우리는 모두 톰 포드와 같은 예술인을 동경한다.

Exercise

정답 및 해설 / 32p

다음 괄호 안에서 가장 적절한 것을 고르시오.

1. People who eat breakfast usually find it easier to control their weight, and they tend to be (much / very) slimmer than those who don't.

2. Hong-Kong, one of the world's most dynamic (cities / city), is also renowned for the way it blends the ancient and the modern.

3. Eat (no more than / no later than) 500g of red meat a week, and completely avoid processed meat.

4. This is (by much / by far) the most wonderful experience that has ever happened to me.

5. Jessica followed the newest fads (as rigorously as / as rigorous as) any other model in the fashion industry.

6. A new study has found that older men who marry younger women (are much more likely to / are likely to much more) live longer.

7. Lula da Silva is often regarded the greatest of (all Brazil politician / all the Brazil politicians).

8. Covering the story about refugees in Ukraine was (my / quite) greatest achievement as a reporter.

9. This delicious tea is one of the most sought-after (drinks / drink) due to its unique health benefits.

10. Nigeria remains (the second larger / the second largest) African economy with a GDP of $150 billion.

Practice Test

PART I

1 A Last night's prom party was very rowdy.
B Yeah, many students and partners chatted ____________ too much.

(a) pretty (b) way
(c) such (d) hardly

2 A What time do you usually return to your office?
B No ____________ than 12.

(a) later (b) early
(c) late (d) early

3 A How's the economic situation in the Philippines?
B It's in bad shape, ____________ as with other countries.

(a) much the same (b) the very same
(c) still the same (d) as the same

4 A Did you hear that Christina won an Assembly by-election last night?
B Yes. I had thought she is more qualified than ____________.

(a) any candidates (b) any other candidates
(c) any other candidate (d) any more candidate

5 A How much is your new car?
B It is ____________ than yours.

(a) almost twice expensive (b) twice almost than expensive
(c) almost twice as expensive (d) almost twice more expensive

PART II

6 Malaysia Airlines pilots are demanding a ________________ workers in other sectors.

(a) much big pay raise than
(b) much more pay raise
(c) much bigger pay raise than
(d) much bigger pay raising as

7 According to recent studies, more people are looking at Asia for job opportunities ________________.

(a) than ever before
(b) than ever ago
(c) than even better
(d) than even more

8 The quicker your loan is repaid, ________________ your credit rating will be upgraded.

(a) the least
(b) the less
(c) the more
(d) the most

PART III

9
(a) A My twin sisters, Claire and Jennie got good marks in Math and Physics.
(b) B That's great! I heard they worked so hard on that.
(c) A Absolutely. Claire is greater of the two. She will get a partial scholarship next semester.
(d) B That is the best news for your family.

PART IV

10 (a) Spain's train network is one of the biggest and most modern in Europe and is constantly expanding. (b) Its high-speed service, the AVE, connects all the country's main cities with Madrid in under three hours, making it easy to go to Valencia for lunch and be back to Madrid to catch an opera. (c) Avid travelers will want to buy the Spain Train Pass, a card that allows non-residents to travel throughout the country up to ten times within one month. (d) AVE trains can take you hopping around Spain's main cities but you can choose to take the quite slowest route and stop frequently along the way.

UNIT 12

관계대명사와 관계부사

관계대명사는 매달 출제되고 있으며, 문법적 지식뿐만 아니라 내용적 이해가 뒷받침되어야 정답을 찾아낼 수 있다. 적절한 관계대명사를 찾기 위해서는 관계대명사절이 수식하는 선행사를 파악하고, 어떤 격(주격, 소유격, 목적격)인지 잡아내야 한다. 선행사의 유무에 따라 관계대명사가 달라지는 것 또한 중요하다. 접속사와 부사의 역할을 수행하는 관계부사의 경우 선행사의 성격에 따라 종류가 달라지고, 〈전치사+관계대명사〉 형태의 문장들도 출제 빈도가 높다.

Sample Question

There are many ways ________________ we deal with relationship problems.

(a) by which
(b) on which
(c) at which
(d) during which

정답 (a)

해석 우리가 인간관계의 문제에 대처하는 방법에는 여러 가지가 있다.

해설 빈칸 뒤의 절이 완전하므로 관계부사 또는 〈전치사+관계대명사〉가 들어가야 한다. 선행사가 ways이므로 수단이나 방법을 나타낼 때 쓰이는 전치사 by가 적절하다.

1. 관계대명사 who/ whom/ whose/ which/ that

who/ whose/ whom은 선행사가 사람인 경우 각각 주격/ 소유격/ 목적격의 역할을 한다. which는 선행사가 사물인 경우에 사용하며, that은 선행사가 사람, 사물인 경우 모두 사용한다.

If you have school-aged children whom you wish to attend school in Seoul, please contact Ms. Kim before going to any schools.
서울에서 학교를 다니길 원하는 취학 연령의 자녀가 있다면, 어떤 학교든 다니기 전에 김 씨에게 연락해 주세요.

Well-adjusted and responsible students are educated by parents whose care balances affection and strong disciplines.
정서적으로 안정되고 책임감 있는 학생들은 애정과 강한 훈육 사이에서 균형을 유지하는 부모에 의해서 교육받는다.

2. 주의해야 할 관계대명사 용법

계속적인 용법

who/ which의 선행사가 의미가 정확한 경우에는 선행사 뒤에 쉼표를 찍는다. 또한, which가 계속적인 용법으로 쓰이는 경우 앞 문장 전체를 받을 수 있다.

> Insufficient sleep boosts the levels of a hormone called ghrelin, which researchers say can make you hungrier, slow your metabolism and promote fat retention.
> 불충분한 잠은 연구가들이 말하는 사람들을 좀 더 배고프게 만드는 그렐린이라는 호르몬의 수치를 늘리고, 신진대사를 느리게 하며, 지방 보유를 촉진시킨다.
>
> The government may cut teacher's salaries next quarter, in which case many temporary teachers will be forced to laid off.
> 정부는 다음 분기에 교사의 급료를 삭감할지도 모르는데, 그럴 경우 많은 임시 교사들이 해고될 수밖에 없을 것이다.
>
> → which의 선행사는 앞 문장 전체이며, 문맥상 빈칸에는 '그럴 경우에는'이라는 말이 와야 하므로 전치사 in이 which 앞에, case가 뒤에 와야 문장이 완성된다.

관계대명사 that

that은 who/ which 대신 쓰이기도 하지만 앞에 전치사를 쓰지 않으며, 계속적인 용법으로는 쓸 수 없고 주격/ 목적격으로만 사용한다. 목적격으로 사용한 경우에는 생략이 가능하다.

> Botox is a purified protein that is injected into the skin to relax the muscles that contract wrinkles.
> 보톡스는 주름을 만드는 근육을 풀어 주기 위해서 피부에 주입되는 순수한 단백질이다.
>
> → 앞의 that은 a purified protein을, 뒤의 that은 the muscles를 선행사로 하는 관계대명사이다.

전치사+관계대명사

관계대명사 앞에 전치사가 오는 경우는 관계대명사절에 있는 동사의 성격을 알아야 한다. 선행사와 관계대명사절의 내용을 적절히 연결하고 동사와 함께 쓰이는 전치사를 파악해야 정답을 찾을 수 있다. 전치사가 관계대명사 앞에 오는 경우 관계대명사는 항상 목적격이다.

> How is your new apartment, to which you moved last month?
> 지난달 이사 간 새로운 아파트는 어때?
>
> Architecture is an academic subject about which many European people have an interest.
> 건축학은 많은 유럽 사람들이 관심을 갖고 있는 학문 분야이다.

수량 표현+of+관계대명사

계속적 용법으로 자주 사용하는 〈수량 표현+of+관계대명사〉 문장은 꼭 알아야 한다.

all/ both/ many/ much/ most one/ each/ some/ any several/ half/ the rest	+of+관계대명사(whom/ which)

Many book publishers participated in the international book exhibition, some of which took advantage of the opportunity to advertise their newly released books.
많은 출판사들이 국제 도서전에 참가했으며, 그중 일부는 새로운 책 출간을 광고할 수 있는 기회로 활용했다.

President Obama announced that he would leave 10,000 troops for combat missions in Afghanistan by the end of 2015, all of whom would leave by 2016.
오바마 대통령은 2015년 말까지 아프가니스탄에 전투 임무를 위해 1만 명의 군대를 남길 것이고, 그들 모두는 2016년까지 철수할 것이라고 발표했다.

관계대명사 what

관계대명사 what과 that의 차이를 묻는 문제는 자주 출제된다. what은 선행사를 포함하는 관계대명사로서 주격/ 목적격으로 쓰인다. the thing that[which]과 의미가 같으며, what이 이끄는 절은 명사절이므로 문장 내에서 주어/ 목적어/ 보어 역할을 한다.

What she said made us frustrated and frazzled.
그녀의 말이 우리를 좌절시키고 기진맥진하게 했다.

A dehumidifier is what reduces the level of humidity in the air.
제습기는 공기 중에 습기의 정도를 줄이는 것이다.

I don't know what is taking her so long to pack her luggage.
무엇 때문에 그녀가 짐을 싸는 데 그렇게 오래 걸리는지 모르겠어.

3. 복합관계대명사

관계대명사+ever

복합관계대명사 whoever, whichever, whatever는 선행사를 포함하는 관계대명사로, 뒤에는 불완전한 문장이 오며 명사절과 부사절을 이끈다.

Whoever is responsible for this fire will be questioned.
이번 방화에 대해 책임이 있는 사람은 누구든지 심문을 받을 것이다.

whichever VS. whatever

whichever는 주로 두 개의 선택할 대상에서 하나를 선택하는 경우에 사용되며, 뒤에 선택의 두 가지 범위를 나타내는 명사가 올 수 있다. 반면, whatever는 선택 범위가 매우 넓기 때문에 주로 모든 것들을 강조할 때 사용한다.

Jerad rooted for whichever looked more attractive between the two competing baseball teams.
제라드는 경쟁하고 있는 두 야구팀 중에서 어느 쪽이든지 더 매력적으로 보이는 팀을 응원했다.

Whatever you need, I will try to get it.
네가 무엇이 필요하든 나는 그것을 얻기 위해서 노력할 것이다.

4. 관계부사/ 복합관계부사의 종류 및 특징

관계부사절도 관계대명사절과 마찬가지로 선행사를 수식하는 형용사절의 역할을 한다. 관계부사 뒤에는 완전한 문장이 나오며, 〈전치사+관계대명사〉로 바꿔 쓸 수 있다. 장소, 시간, 이유의 경우 the place, the reason, the time과 같이 가장 전형적인 선행사들은 〈선행사+관계부사〉를 모두 쓰거나 둘 중 하나를 생략한다.

관계부사	선행사	전치사+관계대명사
when	day, time, year	at[in/ on/ during] which
why	the reason	for which
where	city, place, spot, street	at[in/ on/ to] which
how	the way	in which

He didn't tell anyone the reason why he was scolded by a supervisor.
그는 상사가 꾸짖은 이유를 누구에게도 말하지 않았다.

A lot of fans gathered outside the hospital where Neymar was being treated.
많은 팬들이 네이마르가 치료받고 있는 병원 밖에 모였다.

Boxing Day is when many department stores expect to sell the most goods.
박싱 데이는 많은 백화점들이 최고의 매출을 기대하는 때이다.

관계부사 how

방법을 나타내는 관계부사 how는 the way how처럼 선행사와 같이 쓰지 못하고 반드시 둘 중 하나는 생략해야 한다. 관계대명사로 대신할 때는 the way in which로 나타낸다.

It is essential to find out how the parachute works before opening it.
낙하산을 열기 전에 어떻게 그것이 작동하는지 알아내는 것이 필수이다.

Could you show me the way how this coffee machine operates? (x)
이 커피 기계가 작동하는 방식을 보여 주시겠어요?

복합관계부사

〈관계부사+-ever〉 형태로 부사절의 역할을 하며 뒤에 완전한 문장이 온다. 양보 '~하더라도' 및 '~든지'의 의미이다. however의 경우 〈however+형용사[부사]+주어+동사〉 형태의 양보절을 묻는 문제가 나온다.

Wherever you may study, I will cheer for you.
당신이 어디에서 공부하든지, 저는 항상 당신을 응원하겠습니다.

Whenever you may come back, I will be right here waiting for you.
당신이 언제 돌아오든지, 나는 바로 여기에서 당신을 기다리겠습니다.

However hard you try, the result will be the same.
네가 아무리 열심히 애를 쓴다고 해도, 결과는 똑같을 것이다.

Exercise

정답 및 해설 / 35p

다음 괄호 안에서 가장 적절한 것을 고르시오.

1. The boss implemented flexible working hours, (where / which) he believes will result in a more responsible and autonomous work environment.

2. Jacoby can speak Portuguese and Spanish, (with which / which) are a great advantage when working with foreign clients from South America.

3. Because of the construction of many apartment complexes, my neighborhood is not (that / what) it used to be.

4. He will call the patrons (to whom / for whom) the package was delivered.

5. London has hundreds of beautiful parks, (many of that / many of which) are located in its northern districts.

6. Ask questions to native speakers whenever you meet any awkward words the meanings (of which / which) you don't understand.

7. The Brazilian club Santos (which / where) Luise belongs is a very popular football team.

8. A complimentary ticket for the theater will be provided to (whoever / whatever) donates his or her blood.

9. College students should ensure that their abilities and skills match the internship programs (of which / for which) they apply.

10. Any delegate (which / that) wants to resign is asked to give a month's notice to the committee.

Practice Test

PART I

1 A I have heard you flunked physics.
B Right, but it is not the only subject __________ I screwed up.

(a) that (b) what
(c) which (d) why

2 A I will give up on this. I can't stand it any longer.
B Don't be so frustrated. That's __________ it goes.

(a) what (b) how
(c) why (d) where

3 A I get absorbed in __________ I am very interested in.
B So do I.

(a) whom (b) that
(c) which (d) what

4 A How about coming by the office __________ Sooin works?
B Ok. Let's meet there and decide where to go.

(a) what (b) which
(c) when (d) where

PART II

5 A grammar school in the UK is usually a selective private school __________ teaches students aged 11 through 18.

(a) which (b) where
(c) in which (d) what

6 The person ______________ you refer is the new executive assistant in our department.

(a) whose
(b) whom
(c) to whom
(d) with whom

7 I purchased a printer and an ink cartridge at the department store, ______________ were on sale.

(a) some of whose
(b) some of whom
(c) both of they
(d) both of which

8 France and Germany see a lot of numbers of immigrants and much more diversity in the countries ______________ they come.

(a) from which
(b) by which
(c) where
(d) which

PART III

9
(a) A You seem down these days. Come with me on my business trip to Bangkok.
(b) B Sounds fun. You had better concentrate on working all week, which I will go shopping and enjoy spa treatment.
(c) A OK. It will be perfect time to relieve your stress and bad mood.
(d) B I'd like to come with you. I will go pack my bag right now.

PART IV

10 (a) Margaret Thatcher was the longest-serving female Prime Minister of the 20th century in the United Kingdom. (b) She was a controversial figurehead who was nicknamed the "Iron Lady" during her three consecutive terms in office. (c) She was an advocate of privatizing state-owned industries and reducing social expenditure. (d) Her surprising leadership challenge and uncompromising politics from unstable Britain's economic situation was the cause which Margaret Thatcher dedicated her life.

UNIT 13

가산 명사와 불가산 명사

명사는 주로 가산 명사와 불가산 명사를 구분할 수 있는지를 확인하는 문제가 출제되며, 특히 셀 수 없는 명사들이 시험에 자주 등장한다. cash, change와 같은 집합적 물질명사들이 대표적인 예시인데 정확한 개념 이해와 암기가 필수이다. 집합을 이루고 있는 개별적 요소들은 가산 명사이지만, 집합 전체를 대표하는 명사는 불가산 명사이다.

Sample Question

A How do you manage to stay so fit?

B I do yoga and pilates almost every day after ________.

(a) work

(b) a work

(c) works

(d) working

정답 (a)

해석 A 어떻게 그렇게 건강을 유지하죠?

B 퇴근 후에 거의 매일 요가와 필라테스를 하러 가요.

해설 work는 '일, 업무'를 의미할 때는 불가산 명사이고, '책, 작품'을 의미할 때는 가산 명사이다. after work, 즉 '퇴근 후'에 운동을 하는 것이므로 문맥상 불가산 명사가 와야 한다. 따라서 정답은 관사나 복수형이 붙지 않은 (a) work이다.

1. 출제 빈도가 높은 불가산/ 집합명사

baggage[luggage] 수하물	information 정보	traffic 교통
clothing 의류	furniture 가구	evidence 증거
equipment 기계 장비	news 뉴스	advice 충고
produce 농산물	apparel 의복	postage 우편 요금, 우송료
stationery 문구류	machinery 기계류	trash 쓰레기
merchandise 상품	cutlery 식사용 식기류	cash 월급
jewelry 보석류	attention 주의, 집중	homework 숙제
peotry 시	weather 날씨	scenery 풍경

I don't have any cash until I get paid next week.
다음 주 월급을 받을 때까지는 현금을 한 푼도 가지고 있지 않다.

She decided to purchase cutlery that matched her new plates and bowls.
그녀는 새로운 접시와 그릇과 어울리는 식기류를 사기로 했다.

Most of the money raised by the foundation was squandered on extravagant furniture and loads of equipment.
그 재단에 의해 모금된 자금 대부분이 사치스러운 가구들과 많은 장비로 낭비되었다.

2. 단수일 때와 복수일 때 뜻이 달라지는 명사

복수형이 되면 단수형이 가진 기본적인 뜻에서 새로운 뜻으로 바뀌는 단어들이 있다. 모든 파트에 걸쳐 출제될 수 있으므로 반드시 알고 있어야 한다.

manners 예의	damages 손해 배상금	honors 대학의 우등
authorities 당국	letters 문학, 학문	contents 내용물, 차례
savings 저축, 저금	earnings 소득, 수익	quarters 숙소
times 시대	terms 조건, 인간관계	codes 규정
brains 두뇌, 지능	resources 자원들	steps 방책
regards 안부 인사	valuables 귀중품	necessities 필수품
pains 노력, 수고	essentials 필수 요소	papers 과제
colors 깃발, 군기	belongings 소지품	

It is crucial that you have to respect the local manners when you travel abroad.
해외여행을 할 때 현지 예절을 존중하는 것이 매우 중요하다.

She received his graduate degree with honors in linguistics at London University.
그녀는 런던대학교에서 언어학을 우등생으로 대학원 학위를 받았다.

There is room for improvement in your research proposal.
당신의 연구 제안에는 개선의 여지가 있다.

→ room은 추상 명사로 '여지, 공간'을 뜻한다. 같은 예로 '빛'을 뜻하는 추상 명사 light가 있다. (a light는 '조명'을 뜻한다.)

3. 불가산 명사로 보이지만 가산 명사에 포함되는 명사

a price 가격	a compliment 찬사	a headache 두통
a purpose 목적	an approach 접근법	a treat 한턱
a refund 환불	a fee 요금	a rest 휴식
a cold 감기	a fund 기금	a deposit 예금

As well as a severe headache, I have a toothache and an earache all at the same time.
심한 두통뿐만 아니라, 치통과 귓병까지 동시에 났다.

To receive a full refund we must withdraw no later than 2 business days prior to the class start date.
전액 환불을 받기 위해서, 우리는 늦어도 수업 첫날의 평일 이틀 전에는 수업을 취소해야 한다.

We both want to take a rest for a spell.
우리 둘 다 잠시 쉬고 싶다.

All students could be exempted from paying tuition fees.
모든 학생들이 학비를 면제받을 수 있다.

4. 복수형을 쓰지 않는 명사

hundred, dozen과 같이 수를 표시하는 명사들은 특히 앞에 수사가 와서 정확한 수를 나타낼 경우에는 단수형으로 쓴다. 앞에 수사가 없으면 복수형으로 쓴다.

two hundred people 200명의 사람들
two dozen pencils 2다스의 연필들

뒤에 〈of+명사〉가 와서 막연한 수를 표현할 때는 -s가 붙는다.

This place was very crowded with hundreds of tourists.
이곳은 수백 명의 여행객들로 매우 붐볐다.

〈수사+명사〉가 결합되어 뒤의 명사를 꾸며주는 형용사의 역할을 하면 단수형을 써야 한다.

I have ten dollars. 나는 10달러가 있다.
I have ten-dollar bill. 나는 10달러짜리 청구서를 가지고 있다.
→ ten-dollar는 bill을 꾸미는 형용사적 성격이다.

a ten-year-old girl 10세 소녀
a five-inch-thick magazine 5인치 두께의 잡지

5. 항상 복수형으로 사용되는 표현

복수형이 단수형과 뜻이 다른 명사이거나 또는 항상 복수형만 쓰이는 명사는 다른 명사 앞에 붙어서 형용사처럼 쓰일 경우에도 항상 복수 형태로 사용한다.

an honors graduate 우등 졸업생
a goods train 화물 열차
a savings account 저축 예금 계좌
overseas trip 해외여행
a customs officer 세관 공무원
a sports car 스포츠 카
earnings growth 수익 증가
awards ceremony 시상식

Exercise

정답 및 해설 / 38p

다음 괄호 안에서 가장 적절한 것을 고르시오.

1. The novelist, Erik Orsenna, was one of the most distinguished men of (letters / writings) of his time.

2. The furniture you ordered three days ago (is / are) to be delivered today.

3. This price is not including (postage and packing / postages and packings).

4. When she took out a fistful of (a small change / small change) from her coin purse, the clerk was reluctant to accept it.

5. When the professor retired after 25 years with the university, (a dinner / dinner) was held in his honor.

6. Studies reveal that people who eat (garlic / a garlic) every day are less likely to develop cancer.

7. They have been bequeathed (legacy / a legacy) of $100,000 in my grandfather's will.

8. All the selected students received (some mail / some mails) from the Institute of Education.

9. The charity concert was (a great success / great success) in reaching its donations goal.

10. About (three hundreds people / three hundred people) attended the seminar.

Practice Test

PART I

1 A Tom's dormitory is a mess and is filled with ____________.

B That's why he can't live with any roommate.

(a) a trash (b) trashes

(c) the trashes (d) trash

2 A Sorry for not offering you the guest room on the weekend.

B I didn't realize you had ____________.

(a) the company (b) companies

(c) company (d) a company

3 A Emily, I have ____________ for you!

B What is it? Is it about my application for the program?

(a) good news (b) a good news

(c) few good news (d) a few good news

4 A What happened with the hit-and-run case?

B I successfully sued the guy for my ____________ .

(a) damages (b) damage

(c) the damage (d) damaging

5 A There have been some big rallies in the street, and traffic is backed up.

B I know. ____________ are waiting for the mayor to appear.

(a) A thousand protesters (b) Thousands of protester

(c) Thousands of a protester (d) A thousands of protester

정답 및 해설 / 39p

PART II

6 Doctors say that the new medication can have __________ if it is not taken as prescribed.

(a) side effect
(b) side effects
(c) the side effects
(d) the side effect

7 All __________ done an outstanding job with sales this year.

(a) personnel has
(b) personnels have
(c) personnel have
(d) personnels has

8 According to the airline regulations, you can file a claim for your __________ for up to a thousand dollars.

(a) damaged baggages
(b) a damaged baggage
(c) damaged baggage
(d) the damaged baggage

PART III

9 (a) A Did you have good flight?
(b) B Fantastic! It was the most luxurious living space in the air.
(c) A I'm glad you enjoyed the long-haul flight.
(d) B The service was much better than I expected. It was unparalleled comfort.

PART IV

10 (a) Acupuncture has been practiced in China for around 3,500 years. (b) However, it became widely known in the West only in the 1970s, when its use as an alternative to conventional anesthesia received sensational press coverage. (c) Practitioners insert fine, sterile needles into specific points on the body as a mean of pain relief. (d) Now one of the most well-known and most widely accepted Eastern therapies, acupuncture is increasingly practiced in a simplified form by Western doctors.

UNIT 14

고유명사와 관사

관사 문제는 매우 까다로운 편이다. 우리가 문맥상 이해할 수 있는 경우는 정관사가 앞에 나온 명사를 반복하는 경우나 명사의 의미를 한정할 때이다. 정관사, 부정관사 모두 관용적으로 쓰이는 표현들이 많기 때문에 문제를 통해 필요한 부분은 암기해야 한다.

Sample Question

A After drinking some milk, I am suffering from ________________.

B I think you are likely to have lactose intolerance. Visit a doctor immediately.

(a) a severe stomachache

(b) severe stomachache

(c) little severe stomachache

(d) the severe stomachache

정답 (a)

해석 A 우유를 좀 마셨는데, 복통이 너무 심해.

B 유제품을 소화 못 시키는 유당불내증인 것 같아. 빨리 병원에 가 봐.

해설 -ache가 들어가는 가벼운 병명 앞에는 부정관사 a(n)를 쓴다. 그러나 일반적으로 병명 앞에는 관사를 사용하지 않는다.

어휘 lactose intolerance 유당불내증

1. 관사와 고유명사

고유명사는 단 하나만 있는 존재이므로 항상 관사와 함께 사용된다.

> The Pope will visit Korea and pray for reconciliation and peace on the Korean Peninsula.
>
> 교황은 한국을 방문해서 한반도의 화해와 평화를 위해서 기도할 것이다.

the+특정 고유명사

운하, 해협, 만:
the Atlantic 대서양 the North sea 북해 the Mediterranean 지중해
the Amazon 아마존 강 the Suez Canal 수에즈 운하 the Korean Peninsula 한반도

군도, 산맥:
the Hawaiian Islands 하와이 제도 the Alps 알프스 산맥 the Rockies 로키 산맥

나라, 도시, 지역:
the Netherlands 네덜란드 the USA 미국 the Hague 헤이그 시

관공서, 시설, 협회, 학교:
the National Gallery 국립 미술관 the British Museum 대영 박물관
the University of London 런던대학교 the Vatican 바티칸 궁전 the White House 백악관

신문, 책, 잡지:
The New York Times 〈뉴욕 타임스〉 *The Guardian* 〈가디언〉
The Wall Street Journal 〈월 스트리트 저널〉 *The Economist* 〈이코노미스트〉

관사를 쓰지 않는 경우

역, 다리, 공항, 공원, 호수 등에 고유명사가 붙거나 지명이 앞에 올 때는 관사를 쓰지 않는다.

Euston Station 유스턴 역 Lake Tahoe 타호 호수 Regent Park 리젠트 공원

Golden Gate Bridge 골든 게이트 다리 Hudson Bay 허드슨 만

Harvard University 하버드대학교 Seoul Station 서울역 Kimpo Airport 김포 공항
→ the Lake of Hahoe처럼 of가 있는 경우에는 앞에 the를 쓴다.

2. 출제 빈도가 높은 부정관사와 정관사 표현

〈of+명사구〉의 수식을 받아 원래 관사가 붙지 않는 명사 앞에 정관사를 쓰는 경우

the supervision of the United Nations = United Nations supervision 국제 연합의 감독

the literature of Argentina = Argentinian literature 아르헨티나 문학

the history of the world = world history 세계의 역사

the University of London = London University 런던대학교

정관사 the는 앞에 나온 명사를 반복하거나 전후 관계를 명백히 알 경우, 뒤에서 한정할 때 주로 쓰인다. 뒤에 나오는 〈of+명사〉의 수식을 받아 한정하는 것으로 이해하면 된다.

Samuel was elected the valedictorian of his class.
사무엘이 반에서 졸업생 대표로 선출되었다.

most[some/ any/ all/ none] of+한정사+명사

of 다음에 the/ its/ his/ her/ their 중 하나가 꼭 나와야 한다.

> All of his classes were difficult due to the use of inscrutable jargon.
> 이해하기 어려운 전문 용어를 썼기 때문에 그의 모든 수업이 어려웠다.

kind[type/ sort] of+명사

이 경우 of 뒤에 오는 명사에는 관사가 붙지 않으며, 복수 형태가 올 수 있다.

> These kinds of novels are hard to check out in a public library.
> 이런 종류의 소설책들은 도서관에서 대출하기가 어렵다.

3. 관사가 붙지 않는 경우

breakfast, lunch, dinner 앞

> Having breakfast is to give you energy to start a new day.
> 아침 식사를 하는 것은 하루를 시작하기 위한 에너지를 준다.

병명(cancer, anemia, anorexia, pneumonia) 앞

> Being diagnosed with cancer is something very serious.
> 암 진단을 받는 것은 매우 심각한 일이다.

식사 앞에 형용사가 붙는 경우 부정관사 사용

> I have a light breakfast with my friends after I work out.
> 나는 운동을 한 후 친구들과 가벼운 아침 식사를 한다.

ache가 들어가는 가벼운 병명에 부정관사 사용

> I am suffering from a horrible toothache.
> 나는 심한 치통을 앓고 있다.

4. 관용적 표현

정관사를 쓰는 관용적 표현

> That's the spirit! 바로 그거야!
> I am on the phone. 저는 통화 중입니다.
> What's the matter? 무슨 일이세요?
> on the spot 즉석[현장]에서
> in the long run 결국에는
> Do you have the time? 몇 시입니까?
> What's the occasion? 무슨 일이죠?
> Keep the change. 거스름돈은 가지세요.
> around the world 전 세계에서
> in the future 미래에는

부정관사를 쓰는 관용적 표현

What a shame!/ It's a pity./ It's a shame. 그거 유감이야, 안됐어.

What a surprise! 놀랐는걸!

What a coincidence! 우연의 일치군요!

I am in a pickle. 나는 곤란한 입장에 있어.

Can I ask you a favor? 부탁 좀 해도 될까요?

Have a good time! 즐거운 시간 보내세요!

Let's take a walk. 산책을 하자.

Give it a try. 시도해 봐.

come to an end 끝이 나다

stand a good chance of ~을 할 가능성이 충분하다

5. 시간, 수량, 단위를 나타내는 정관사

by the+단위[수량] 표현

Most of the personnel paid by the month get more fringe benefits than weekly paid employees.
월급을 받는 대부분의 직원이 주급제로 일하는 직원들보다 복리 후생이 더 좋다.

the+최상급+명사

It is the greatest masterpiece of ancient Chinese architecture.
그것은 고대 중국 건축 중 최고의 걸작이다.

the very+명사

This is the very gift Jessica had wanted.
이것이 제시카가 원했던 바로 그 선물이다.

the+서수+명사

Thanksgiving is the fourth Thursday of November.
추수감사절은 11월의 넷째 주 목요일이다.

the+연대

The use of light-weight vehicle has become very popular in the 2010s.
경차의 사용은 2010년대에 이르러서 매우 대중화되었다.

the same

This disease is not the same as the one many people contracted.
이 질병은 많은 사람들이 걸렸던 질병과 같지 않다.

Exercise

정답 및 해설 / 41p

다음 괄호 안에서 가장 적절한 것을 고르시오.

1. Last winter I listened to his lectures. Most of his (were / was) the hardest to understand.

2. (The Netherlands / Netherlands) is the official name of the country and Holland is just one of the provinces.

3. It was (such a surprise / such surprise) to see the world-famous actor at the lecture hall.

4. (A high proportion / High proportion) of diabetic patients show excessive thirst and frequent urination.

5. There was (a small change / small change) in the air with the seasons changing.

6. Whichever team they play against, the Glasgow team will (stand good chance of / stand a good chance of) winning.

7. I am (in a pickle / in the pickle) owing to your drastic and aggressive action.

8. Among herbal remedies, dandelions are considered to have (a greatest / the greatest) medicinal qualities.

9. There are some great apps that are worth downloading if you have (migraine headache / a migraine headache).

10. Saudi Arabia is (only country / the only country) in the world where women are forbidden to drive cars.

Practice Test

PART I

1 A What are your plans for this weekend?

B There are ____________________ at the park near the church.

(a) free lunch
(b) the free lunch
(c) the free lunches
(d) free lunches

2 A Should I sign a one-year contract extension with the company?

B Yes, I think that is ____________________.

(a) the right choice
(b) a right choice
(c) right choice
(d) any right choice

3 A Is ____________________ still worth the time and money?

B Yes. It still remains a valuable asset in life.

(a) an university education
(b) university education
(c) a university education
(d) universities education

4 A Where are ____________________ at the moment?

B They are waiting for you in camping park.

(a) all my of children
(b) my all of children
(c) all of my children
(d) my children all of

5 A Do you know who is making that presentation?

B Yeah. She is ____________________.

(a) a supervisor of Grace
(b) a supervisor of Grace's
(c) a Grace's supervisor
(d) a Grace supervisor

PART II

6 ______________ who study in this institute hail from Canada and U.S.

(a) Almost half of people
(b) Almost half of the people
(c) Almost half of a people
(d) Almost half of peoples

7 The attorney used to get paid ______________. But now, he gets paid by the year.

(a) by the week
(b) by weeks
(c) by a week
(d) a week

8 She is not ______________ great musician she used to be. She may have passed her prime.

(a) the same
(b) a same
(c) same
(d) any same

PART III

9 (a) A How much is a guestroom if I stay during weekend?
(b) B Our weekend rate is one hundred dollars per night.
(c) A I see. I heard the amenities include a pool and laundry facility.
(d) B Yes. We offer those things to all of our guests.

PART IV

10 (a) Almost all patients have difficulty following medical advice, largely because it is often incomprehensible to them. (b) Most public-health professionals use some jargons and complex medical phrases to their patients. (c) It leads to poor communication between patients and physicians, and subsequently causes ineffective medical care. (d) State officials are now highly recommending doctors to use simpler language to communicate with their patients.

UNIT 15

접속사와 전치사의 구별

접속사와 전치사의 차이와 의미부터 알아야 한다. 전치사는 뒤에 명사(구)가 오며, 접속사는 뒤에 〈주어+동사〉로 이루어진 절을 이끈다. 접속사와 전치사가 가지고 있는 속성과 관용 표현, 전치사를 이용한 시제 문제 및 시간 표현들은 매달 출제되므로 꼭 익혀 둔다.

Sample Question

A I am not really sure if I can complete this report before the deadline on Tuesday.

B Don't worry too much. You have enough time ______________ next weekend.

(a) until
(b) by
(c) within
(d) prior

정답 (a)

해석 A 화요일 마감 전까지 이 보고서를 완성할 수 있을지 모르겠어.
B 너무 걱정하지 마. 다음 주말까지 충분한 시간이 있어.

해설 시점을 나타내는 전치사를 고르는 문제이다. 문맥상 '다음 주말까지 시간이 있다'라는 의미가 자연스러우므로 '~까지'를 의미하는 전치사 by 또는 until 중 하나가 필요하다. 다음 주말까지 시간이 있음을 의미하므로 '동작의 지속'을 나타내는 until이 정답이다. by는 동작의 완료를 의미한다.

1. 원인과 이유의 접속사와 전치사

접속사: since, because, as, for, seeing that, on the ground that, now that
전치사: because of, due to, owing to, on account of, on the ground of, in view of

Now that he tendered his resignation, he can dabble in oil painting.
그는 이제 퇴직서를 제출했으니, 취미 삼아서 유화를 할 수 있다.

We object to passing the bill, on the grounds that it transgresses our values and is male-oriented.
그 법안이 우리의 가치를 위반하고 남성 지배적이라는 이유로 우리는 가결을 반대한다.

2. 양보를 나타내는 접속사 및 전치사

접속사: although, though, even though, even if, albeit, whereas, while
전치사: notwithstanding, for all, with all, despite, in spite of, regardless of

The summit meeting, albeit friendly, was not very productive.
정상 회담은 비록 우호적이었지만 생산적이지 못했다.

Despite all the transportation strikes that hindered traffic, the Brazil World Cup was relatively problem-free.
브라질 월드컵은 교통을 방해했던 모든 운송 파업에도 불구하고 비교적 문제가 없었다.

3. 조건을 나타내는 접속사

provided[providing] that, what if, supposing that, in case (that), on the condition that, unless, if, as long as

In case something goes wrong, we need some backup plan.
일이 잘못될 경우를 대비해서 보완 계획이 필요하다.

As long as you confirm your acceptance and send a pre-payment of $300 by September 30, you will be guaranteed a dorm room.
9월 30일까지 등록을 확인하고 선불 300달러를 보내시면, 학교 기숙사가 보장될 것입니다.

4. 자주 출제되는 의미가 같은 접속사와 전치사

접속사 + 주어 + 동사 VS. 전치사 + 명사(구)

뜻은 같지만 문법적으로는 달리 쓰는 접속사와 전치사를 구별하는 문제가 출제된다.

의미	접속사	전치사
~하는 동안	while	during
~인 경우	in case (that)	in case of
~ 뒤에, ~한 후에	after	following
~하지 않으면, ~이 없다면	unless	without, barring

during VS. for

during과 for의 차이를 묻는 문제는 자주 출제된다. during은 특정 기간 동안 어떤 일이나 상황이 발생하는 것을 의미하고 for는 일정 기간 내내 동작이나 상황이 계속될 때 쓴다. for 다음에는 구체적인 숫자가 포함된 명사가 오고, during 다음에는 숫자가 아닌 기간의 의미를 나타내는 명사가 온다.

> during the winter vacation
> 겨울 방학 동안
>
> during the intensive period
> 집중 훈련 기간 동안
>
> We have been talking for three hours.
> 우리는 3시간 동안 계속 이야기하고 있다.

최다 빈출 접속사 및 전치사 표현

in that+주어+동사 ~라는 점에서
seeing that+주어+동사 ~인 것으로 보아
that being said(= that said) 그럼에도 불구하고
as to (시간) ~부로
as for ~에 관해 말하자면
and yet, but yet 그럼에도 불구하고
for all that ~임에도 불구하고
notwithstanding ~임에도 불구하고

> The Ebola virus differs from other diseases in that the fatality rate is up to 90%.
> 에볼라 바이러스는 사망률이 90퍼센트까지 이른다는 점에서 다른 질병과 다르다.
>
> Seeing that your lips are blue and you are shaking, you must have played in the swimming pool.
> 입술이 파랗고 몸을 떨고 있는 것으로 보아, 넌 수영장에서 놀았음이 틀림없어.
>
> It is tough to be at the top as new and highly-skilled golfers appear. And yet, there is also some chance to participate in tournaments for catching the public eye.
> 새롭고 고도로 숙련된 골프 선수들이 나타나면서 정상에 오르는 것이 어려워진다. 그럼에도 불구하고, 대중들의 눈에 띌 수 있는 토너먼트에 참가할 기회 또한 있다.

Exercise

정답 및 해설 / 44p

다음 괄호 안에서 가장 적절한 것을 고르시오.

1. You cannot reinstate your library card and account (unless / if) you pay your outstanding overdue fines.

2. The man got acquitted (although / despite) there being much evidence showing his guilt.

3. The entire Seoul Public Library systems will shut down (over / on) the entire weekend.

4. Your skin may feel very dry and flaky in winter (as if / even if) you use moisturizing lotion.

5. The valedictorian's speech, (if / albeit) poor in comparison with the others, elicited cheering and clapping.

6. Haggis is a popular and traditional dish (through / throughout) the Scotland.

7. Researchers estimate that previously non-threatening volcanoes can become volatile and active (within / on) a matter of months.

8. Due to the delayed construction, we moved into the new apartment (behind / before) schedule.

9. An American who contracted the Ebola virus (while / during) treating patients in West Africa was brought back to the United States for treatment last week.

10. (Despite of / Though) Saudi Arabia still prohibits women from many social activities, women have begun taking on more roles in the very strict Islamic country's male-dominated society.

Practice Test

PART I

1 A Johee, do you happen to know a man ______________ the name of Ruby Rennie?

B To be honest with you, I have never heard the name before.

(a) at (b) by

(c) for (d) to

2 A What are you smiling about?

B I got a straight A ______________ my final test.

(a) on (b) with

(c) to (d) at

3 A I can't believe Alice achieves a score of 160 on an IQ test.

B Yes. She is highly intelligent and advanced ______________ her age.

(a) to (b) with

(c) for (d) as

4 A How does this white belt go with my red dress?

B Well, it stands out too much ______________ the dress.

(a) with (b) against

(c) upon (d) about

5 A Did you vote in favor of Obama's health care reform bill?

B Yes. I support this bill ______________ taxes don't go up.

(a) until then (b) as long as

(c) even though (d) as to

PART II

6 ____________ they present a valid identification card, the staff cafeteria can provide free food and beverages.

(a) Even if (b) Provided that
(c) And yet (d) That said

7 All yoga and meditation sessions are to be held from 8 am to 10 am ____________ indicated otherwise.

(a) because (b) unless
(c) whenever (d) notwithstanding

8 The actress splurged on travel and a new car ____________ charge of tax evasion.

(a) amid (b) for
(c) among (d) on

PART III

9 (a) A Are you preparing for Hurricane Giselle?
(b) B Yes, I am. I bought bottled water until a week now that the power goes out.
(c) A I heard that the shelves of many supermarkets were swept bare.
(d) B Well, let's not worry too much. The forecast predicts it will weaken somewhat late Friday.

PART IV

10 (a) In the last few years, many universities have noticed a drastic drop in the writing abilities of students. (b) This is because the fact that they are accustomed to communicating asynchronously by informal and short text messages. (c) As a result, many universities have strict rules that all students must enroll an academic writing course as a required curriculum. (d) This new policy will help students to enhance their writing abilities.

TEPS 실전 모의고사

Actual Test 1

Actual Test 2

Actual Test 3

Actual Test 4

Actual Test 5

How to
TEPS

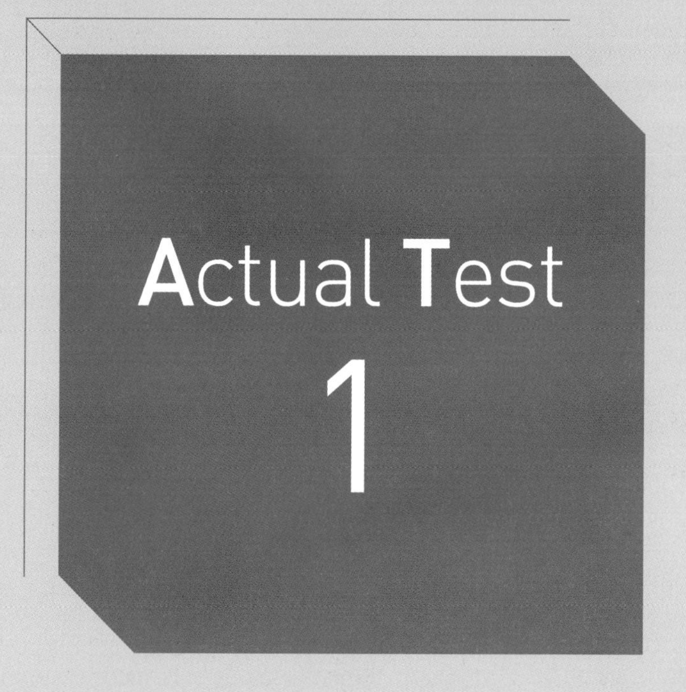

Grammar

DIRECTIONS

This part of the exam tests your grammar skills. You will have 25 minutes to complete the 50 questions. Be sure to follow the directions given by the proctor.

정답 P 47

Part I **Questions 1—20**

Choose the best answer for the blank.

1. A: I haven't decided which topic to write on for professor Simpson's class. Did you?
   B: No, actually, __________ of the topics looks that interesting to me.
   (a) one
   (b) that
   (c) either
   (d) neither

2. A: How about spaghetti for lunch?
   B: Sounds good. Actually, I __________ of that myself just a minute ago.
   (a) think
   (b) will think
   (c) was thinking
   (d) have thought

3. A: It was surprising Jack showed up last night. How come he made it to the party?
   B: No idea, but he __________ invited to the party since the host doesn't know him.
   (a) wouldn't have
   (b) shouldn't have been
   (c) couldn't have
   (d) couldn't have been

4. A: Could you tell me about these two products?
   B: Of course. The one from Sweden is more durable but more expensive than __________ made in France.
   (a) it
   (b) one
   (c) that
   (d) either

5. A: Have you got the product you'd ordered online ?
   B: Last week I received the shipment __________ surface mail.
   (a) amid
   (b) via
   (c) at
   (d) in

6. A: How was your business trip to Hawaii?
   B: It was successful, and __________ the meeting, my boss and I toured the island.
   (a) finish
   (b) finished
   (c) being finished
   (d) having finished

7. A: I'm thinking of opening my own restaurant.
   B: Well, before deciding on that, you'd better consider __________.
   (a) how competitive the restaurant industry is
   (b) how the restaurant industry is competitive
   (c) how the competitive restaurant industry is
   (d) how is the restaurant industry competitive

8. A: The movie was very touching.

B: Yeah, the man who gave to the poor ___________ he had was like a saint.

(a) what the little money
(b) what of little money
(c) what little money
(d) little money what

9. A: Has the company completed construction of the bridge?

B: No, the heavy rain has made it impossible ___________ by the agreed time.

(a) completed
(b) to complete
(c) having completed
(d) to be completed

10. A: The textbooks ___________ since I graduated from high school. What should I do with them?

B: How about selling them at a second-hand bookstore?

(a) no longer are needed
(b) are no needed longer
(c) no needed are longer
(d) are no longer needed

11. A: You look so frightened. What made you so scared?

B: A man was walking along the hall with his hands ___________ a knife.

(a) hold
(b) held
(c) holding
(d) having held

12. A: What they've just sung is the song ___________ they are famous.

B: Wow, it is so good that I want to buy the album with that song.

(a) for which
(b) with whose
(c) with which
(d) for whose

13. A: I've called you several times this afternoon. Why didn't you answer my call?

B: Sorry, I didn't know since I kept my phone off while I ___________.

(a) study
(b) was studying
(c) have studied
(d) have been studying

14. A: How much was the hotel where you stayed in the Philippines?

B: It was quite reasonable. Fifty dollars ___________ quite a low rate, wouldn't you say?

(a) is
(b) are
(c) has
(d) have

15. A: When can you say the work will be done?

B: It ___________ by the time you're back from the conference next week.

(a) is done
(b) has been done
(c) will be doing
(d) will have been done

16. A: The customer that is getting a foot and body massage has visited our shop three times this week.

B: She __________ Jane's service.

(a) may have liked
(b) must have liked
(c) would have liked
(d) should have liked

17. A: The boy seems to have great potential to be a virtuoso.

B: I totally agree with you. He has lots of __________ for development.

(a) room
(b) the room
(c) rooms
(d) the rooms

18. A: Do you happen to know why James looked so depressed?

B: I heard that he attended the extra-class not __________ choice.

(a) by
(b) of
(c) for
(d) with

19. A: Did you make it to Ben's housewarming party?

B: No, I couldn't because of my severe headache. Without it, I __________.

(a) would
(b) would do
(c) would have
(d) would have done

20. A: What a relief! We've found a substitute for Mr. Hunt in time.

B: Right. Mr. Myers is __________ person for the job since he has similar experience in the same field.

(a) just
(b) just a
(c) just the
(d) the just

Part II Questions 21—40

Choose the best answer for the blank.

21. The revised storyline looks quite different from the original one, for a number of characters __________.

(a) added
(b) has added
(c) was added
(d) were added

22. York Library houses __________ as Barnet Library, which is why I go to the former rather than the latter.

(a) twice as many books
(b) twice more books
(c) as twice many books
(d) more books twice

23. The date when the war broke out was so important that the teacher asked that the students ___________ it.

(a) remember
(b) remembered
(c) are remembered
(d) were remembered

24. It was ___________ that Mr. and Mrs. Kim decided to skip work and enjoy themselves.

(a) so beautiful day
(b) a so beautiful day
(c) so beautiful a day
(d) so a beautiful day

25. The letter ___________ in the mailer tries to convince Healthy Life recipients that their benefits could be cut if the current health insurance reform plans are enacted.

(a) to be enclosed
(b) to enclose
(c) enclosing
(d) enclosed

26. A detective found that the victim had a few friends ___________ but none had contacted him lately.

(a) he had been close with before
(b) whom had he been close before
(c) whom he had before been close
(d) with whom he had been before close

27. The girl hurried to catch the plane, but when she arrived at the airport, the plane ___________ already.

(a) was taken off
(b) has taken off
(c) was been taken off
(d) had taken off

28. On July 5th, Death Valley is expected to reach 54 degrees Celsius, just 1 degree cooler than the highest temperature ___________ recorded.

(a) much
(b) quite
(c) even
(d) ever

29. You can only know how magnificent it is to be on the highest mountain ___________ you have been in the deepest valley.

(a) whether
(b) though
(c) in case
(d) only if

30. Alley witnessed such horrible things but, fortunately, at no time ___________ of post-traumatic stress disorder.

(a) did she complain
(b) she had complained
(c) she did complain
(d) had complained she

31. The boss hasn't decided ___________ he would assign Ms. Anderson to the new project since he hasn't been convinced of her ability to take on such a big job.

(a) if
(b) that
(c) what
(d) which

32. Recently, there are many pictures of famous celebrities in magazines ___________ styles teens want to follow.

(a) whom
(b) whose
(c) for whom
(d) with whom

33. One of the obstacles to selling the systems ___________ a lack of user trust; particularly about the security of those systems.

(a) has
(b) have
(c) is
(d) are

34. When I was young, I ___________ just watch my father talk to uncle Tom, because what he was telling dad was way beyond me.

(a) would
(b) had
(c) might
(d) ought to

35. They had to fix dinner very quickly, so ___________ they got home, they dashed to the kitchen to prepare a meal.

(a) provided
(b) considering
(c) as long as
(d) as soon as

36. It was a terrible pity that they didn't make it to the crime scene earlier. Otherwise, more victims ___________ saved.

(a) could
(b) could be
(c) could have
(d) could have been

37. It is of utmost importance to confirm all new information entering this system. So be sure ___________ it out constantly for any changes made.

(a) check
(b) checked
(c) to check
(d) checking

38. The volunteer group "Reachout" is very famous for its devoted volunteer works for the needy, ___________ to help the handicapped.

(a) not the least of which is
(b) the least of which is not
(c) of which the least is not
(d) not of which the least is

39. ___________ green, the roof of the house looks more idyllic than before.

(a) Painting
(b) Painted
(c) Being painting
(d) Having painted

40. The lawyer persuaded the accused that he should admit to ___________ the crime in order that his death sentence could be commuted.

(a) commit
(b) committed
(c) committing
(d) being committed

Part III Questions 41—45

Identify the option that contains an awkward expression or an error in grammar.

41. (a) A: Have you heard the news about what happened to Rick?
(b) B: No, I didn't hear anything today. What happened to him?
(c) A: The ship he was on board crashed and sank in the sea. He was close to drown when rescued.
(d) B: Oh my gosh, I hope no one else was hurt.

42. (a) A: I'd like another cup of black tea, please.
(b) B: This is your third cup. Aren't you going to have trouble sleeping tonight?
(c) A: No, I don't think so. Evidently caffeine seems to have no effect on me. Do you have difficulty sleeping after drinking several cups of black tea?
(d) B: I used to do, but I sleep well after having a few cups of black tea these days.

43. (a) A: You look exhausted. Did you have a bad day today?
(b) B: Well, when I got on the bus on the way home, I wanted to take a seat since I have been standing at work all day long.
(c) A: So, were you able to sit down at all?
(d) B: No, and that's why I got more worn out.

44. (a) A: So you came back from your first business trip abroad. How was it?
(b) B: Well, I was very busy preparing for and attending meetings that I had all lined up.
(c) A: Didn't you drop by some tourist attractions?
(d) B: Unfortunately, I hardly had no time to do it.

45. (a) A: Ron is running for the president of the Student Council.
(b) B: Wow, it's so unexpected, for he has been so shy that he has never seemed to be that to stand for election.
(c) A: That's what I'm saying.
(d) B: I'm curious what other students think about this.

Part IV **Questions 46–50**

Identify the option that contains an awkward expression or an error in grammar.

46. (a) Algerian writer Taos Amrouche will hold a book signing at YourMind bookshop this August. (b) The event will be a part of a nationwide tour to promote her latest memoir. (c) The book narrates Amrouche's coming of age story during the turbulent era of the Algerian Political Revolution. (d) Aside from being a fiction author, Amrouche is also wide known for hosting seminars and workshops on literature.

47. (a) A study of mutant bird flu strains is fueling fears of airborne H5N1. (b) Whether they could gather in one strain among many strains are now an urgent question. (c) Do the mutations represent a mechanism by which H5N1 could become contagious in humans? (d) And if they are directly relevant to human infections, do they represent a primary route, or one of many possible paths?

48. (a) Orange County received notice that the county would secure a total of $1,700,500 in local county aid, which is $69,101 more than last year. (b) Because of that, the county purchases can now include new computers for almost every department, and 10 mobile data computers. (c) Improvements to an outdated voicemail system will also be funded with the county aid. (d) The county can purchase three sheriff squad cars and replace some office equipments with the funds.

49. (a) Since the University of Minnesota Medical School opened its doors in 1950 under the leadership of Austin Wilson M.D., our faculty and staff have excelled in the fulfillment of our mission- to educate people and to provide a spectrum of comprehensive knowledge. (b) No dean fulfills this mission alone. (c) Our current dean, Bill Martin M.D., was appointed on July 1, 2010. (d) He shares responsibility for leading the school with the dedicated faculty sit on the Executive Committee.

50. (a) I was deeply moved by the group members who shared all the joys and sorrows with me. (b) Had it not for them, I would not have been able to make it. (c) They were always full of joy and hope, starting work early every morning and finishing late at night, without speaking a word of complaint. (d) Being with these people, how could I have had any negative thoughts?

This is the end of the Grammar section. Do NOT move on to the next section until instructed to do so. You are NOT allowed to turn to any other section of the test.

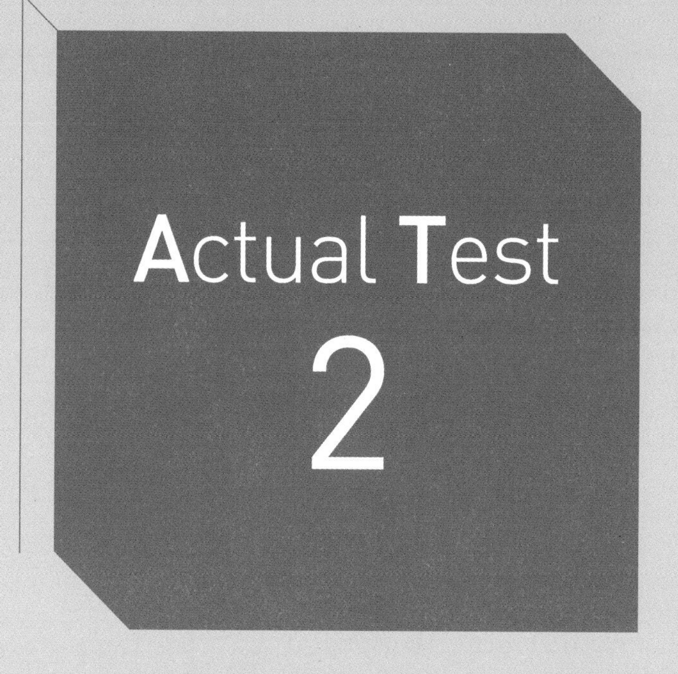

Grammar

DIRECTIONS

This part of the exam tests your grammar skills. You will have 25 minutes to complete the 50 questions. Be sure to follow the directions given by the proctor.

정답 P 56

Part I **Questions 1—20**

Choose the best answer for the blank.

1. A: Do you think we will finish on time?
B: We still have three days _________ the deadline.

(a) by
(b) until
(c) since
(d) from

2. A: What should I do on my family trip to the Maldives?
B: Terry has only just arrived from the Maldives. He could probably offer you _________ advice.

(a) some
(b) every
(c) an
(d) the

3. A: This year-end report needs double-checking.
B: I know. The statistics in there _________ considerably incorrect.

(a) are
(b) was
(c) has been
(d) have been

4. A: We don't have time to eat _________ before making the presentation.
B: In that case, let's just have some beverages.

(a) a light meals
(b) a light meal
(c) light meal
(d) little light meal

5. A: Did you get the bouquet of roses Tom sent you last week?
B: Yes, it was _________ considerate of him. Please give my thanks to him.

(a) most
(b) the most
(c) more than
(d) the more

6. A: I can't decide between these two universities: Cambridge and Oxford.
B: You will definitely get the best experience _________ one you choose.

(a) that
(b) which
(c) whichever
(d) whatever

7. A: Did you remember _________ milk and cheese?
B: Sorry, it slipped my mind. I will get it for you right away.

(a) to get
(b) getting
(c) to have gotten
(d) got

8. A: What are some of the requirements of the multinational corporation?
B: They want to find _________ social media advertising.

(a) tech-savvy experts familiar with
(b) familiar with tech-savvy experts
(c) familiar with experts tech-savvy
(d) experts with tech-savvy familiar

9. A: Where have you been? You almost missed the meeting.
B: Sorry, I ___________ all about it until Jordan reminded me.

(a) had forgotten
(b) have forgotten
(c) was forgetting
(d) am forgetting

10. A: What would you say if you were offered free accommodation?
B: I would accept it without ___________.

(a) hesitation
(b) all hesitation
(c) a hesitation
(d) the hesitation

11. A: Is my attendance at the seminar necessary?
B: Yes, the professor asked that almost all graduate students ___________ present.

(a) will be
(b) being
(c) are
(d) be

12. A: Do you or your roommate actively participate in school events?
B: No, neither of us ___________ to spend time doing that kind of thing.

(a) like
(b) likes
(c) is liking
(d) are liking

13. A: How was your physics class?
B: The lecturer ___________.

(a) spoke too fast and was very confusing
(b) was too confusing and fast spoke
(c) spoke too confusing and was very fast
(d) was too fast and spoke confusing

14. A: I don't believe Siena has not redeemed her student loan yet.
B: No way! She got a confirmation letter saying that she ___________.

(a) will
(b) does
(c) had
(d) has it

15. A: Jessica, how was your first mountain climbing? Was it good?
B: It was very tough. It even took a little longer than I ___________.

(a) thought it would do
(b) had thought it would
(c) did think it would
(d) would think it did

16. A: Are ___________ being aired on cable TV?
B: Yes. It's time to watch *X-factor*, a music competition. I'm an avid viewer.

(a) some good program
(b) good any program
(c) any good program
(d) any good programs

17. A: Don't you think this house is too stuffy?

B: Yes. The landlord ___________ the arched windows closed yesterday.

(a) can have left
(b) would have left
(c) may have left
(d) should have left

18. A: I have written ___________ about the Israel-Palestine conflict. Would you mind reading it?

B: Sure. I have plenty of time to read it since I turned in my report last week.

(a) any paper
(b) papers
(c) a paper
(d) paper

19. A: Mary, how long have you been working as a journalist?

B: By next month, I ___________ for 10 years as a journalist for *The New York Times*.

(a) have been served
(b) had been served
(c) will have served
(d) have served

20. A: I visited five university libraries, but many of the books ___________.

B: That's too bad. You should have visited them earlier.

(a) I want to checked out to read
(b) I checked out were wanted to read
(c) I want to read checked out
(d) I want to read were checked out

Part II **Questions 21–40**

Choose the best answer for the blank.

21. Halal food is a permissible and traditional dietary law ___________ the Islamic world.

(a) through
(b) throughout
(c) among
(d) though

22. This website contains ___________ including time departure, bus stop locations and last minutes offer.

(a) a wealths of information
(b) a wealth of information
(c) wealths of information
(d) wealth of information

23. ___________ you experience some inconvenience during your stay, please notify the concierge desk immediately.

(a) Could
(b) Should
(c) Would
(d) Might

24. ___________ people who go to Alaska in the summer are surprised that it is warmer than they expected.

(a) Most of
(b) The most
(c) Most of the
(d) The most of

25. We are hesitating to head to the mountains ___________.

(a) until an unpredictable thunderstorm approaching
(b) with an unpredictable thunderstorm approaching
(c) an unpredictable thunderstorm is approaching
(d) for the unpredictable thunderstorm to approach

26. The excellent social welfare and the great educational environment ___________ Denmark is known has attracted many international students and researchers.

(a) for which
(b) for what
(c) which
(d) in that

27. To cook for enjoyment is one thing, but to open a restaurant is ___________.

(a) another
(b) others
(c) the other
(d) the others

28. He ___________ the best director without the support of critics and moviegoers.

(a) could have been awarded
(b) didn't have been awarded
(c) couldn't have been awarded
(d) wouldn't have awarded

29. Two-thirds of St. Louise's population is black, ___________ the mayor is white, and so are the six City Council members.

(a) in spite of
(b) in effect
(c) and yet
(d) in case

30. Arianna, who is best known for her news website, is a multi-millionaire now, but only five years ago one-hundred dollars ___________ much money to her.

(a) were
(b) was
(c) has been
(d) have been

31. Jonathan joined the group as the newest member and found that every member ___________ for a perfect performance for some time.

(a) had been struggling
(b) have struggling
(c) was struggling
(d) struggles

32. Many exchange students said that they ___________ their papers in Korean.

(a) would rather not turn in
(b) rather than turn in
(c) was rather turning in
(d) would not rather turn in

33. At the parent-teacher conference, the head teacher maintained that no students were discriminated against ___________ gender or race.

(a) on behalf of
(b) on account of
(c) on the heels of
(d) on the brink of

34. ___________ of receiving a full-scholarship been better than they are this semester.

(a) Haven't my chances
(b) Have never my chances
(c) Were never my chances
(d) Never have my chances

35. The recommended check-in time is ___________ one hour before departure to European destinations, two hours for departure to the United States.

(a) no later than
(b) no less than
(c) not late than
(d) no more than

36. The more the supermodels only consume vegetables and water, ___________.

(a) the more likely they are to be underweight
(b) they are more likely to be underweight
(c) the more they are likely to be underweight
(d) they are likely underweight more

37. ___________ by many betrayals in past relationships, she found the return to normal campus life very difficult.

(a) Being traumatized
(b) Been traumatizing
(c) Having been traumatized
(d) Having traumatizing

38. Israel ___________ most countries in the Middle East and North Africa for almost five decades, with only the support of the US and EU.

(a) has been at odd with
(b) has been at odds with
(c) has at odd with
(d) has at odds with

39. Most of the confidential evidence ___________ by the time police began an investigation for money laundering.

(a) will have been disposed
(b) had been disposed of
(c) disposed of
(d) was to dispose

40. ___________ that he roared at the executives attending the meeting.

(a) Was so furious the stockholder
(b) So furious was the stockholder
(c) Was the stockholder so furious
(d) Was the stockholder furious so

Part III Questions 41—45

Identify the option that contains an awkward expression or an error in grammar.

41. (a) A: How long has it been since you had last seen your parents?
(b) B: Come to think of it, I haven't seen them over six months.
(c) A: Really? You must miss them very much.
(d) B: Yes, but in about a week I will be heading home.

42. (a) A: Do you think you chose both your university and your major wisely?
(b) B: I don't think so. It just doesn't suit me at all.
(c) A: Well, what do you want to major in?
(d) B: I will think over it with my friends and then visit school counselors.

43. (a) A: Don't you have to turn in your term paper by tomorrow?
(b) B: Fortunately, my supervisor gave me an extension.
(c) A: Good for you. Is there anything what I can help you with?
(d) B: It would be great if you could copy some materials for me.

44. (a) A: I heard that Brad finished doing his time in prison.
(b) B: I know. He was accused of tax evasion by concealing more than $1 million in sales.
(c) A: Being convicted of having a crime, he served a three-year sentence in prison.
(d) B: Three years was a short period of time compared to the crime he committed.

45. (a) A: Didn't Cloe move to New York after she got married?
(b) B: Yes, but I heard she often visited LA and got a part-time job as a legal assistant.
(c) A: I wonder why she chose such a tough job in LA, not New York even if she didn't need.
(d) B: She planned to go back to LA. It would be much better for her to continue to work in the field of law.

Part IV **Questions 46–50**

Identify the option that contains an awkward expression or an error in grammar.

46. (a) Being diagnosed with cancer is something very serious. (b) You may want to get a second opinion from another specialist. (c) However, if the two opinions are similar, there is no point going to see other specialists, as they are likely to tell you the same thing. (d) It is advisable that you would start on getting treated—the sooner, the better.

47. (a) Several IT companies are organizing long-term fund-raising events and actively supporting them. (b) The funds, intending to assist with computer and network facility acquisition, will be distributed to many non-profit organizations under the auspices of IT enterprises. (c) They will be also apportioned to some elementary schools in rural areas for computer lab facilities. (d) Funds will be allocated to many school districts and non-profit organizations over a one-year period.

48. (a) With the convergence of global communication and information technology, English language has started to play an important role in computer-mediated communication. (b) Computer-mediated communication is defined as "communication that takes place between human beings and the instrumentality of computers." (c) It has altered the ways which people communicate and share with one another, generating a purpose of learning. (d) Collaborative learning can take place through computer-mediated communication, offering a new context and increased opportunities.

49. (a) Many social networking services such as Twitter, Facebook and Instagram were once regarded as connecting people who share interests. (b) But now considering as an indispensable means for business, it plays a leading role. (c) Many companies have required advanced social media skills and creative thinking abilities. (d) Building proficiency in social media will be drastically crucial in the near future.

50. (a) Britain's five largest ethnic minorities are growing so fast that they could constitute more than a fifth of the total population by 2040. (b) The five minority groups are Indian, Pakistani, Bangladeshi, Black African and Black Caribbean. (c) It is said currently 14 percent of the UK population is from ethnic minorities. (d) Also, a majority of non-white Britons are described themselves as "British only."

This is the end of the Grammar section. Do NOT move on to the next section until instructed to do so. You are NOT allowed to turn to any other section of the test.

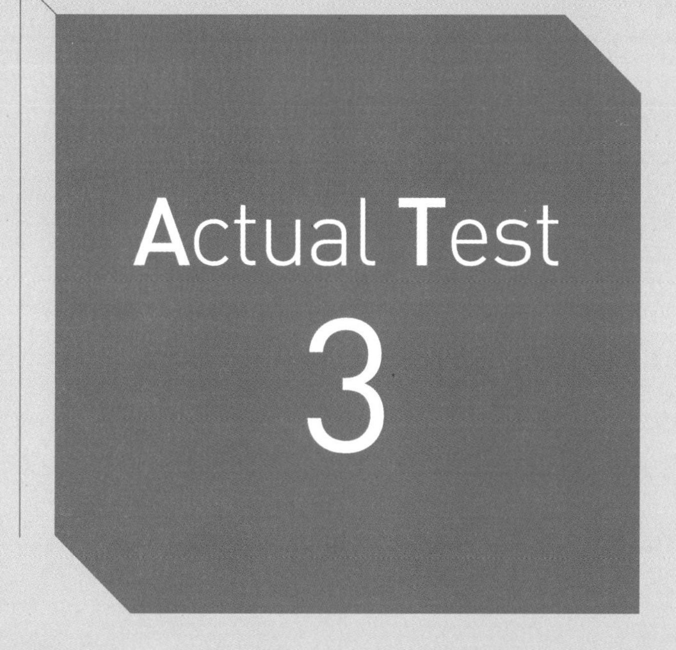

Grammar

DIRECTIONS

This part of the exam tests your grammar skills. You will have 25 minutes to complete the 50 questions. Be sure to follow the directions given by the proctor.

정답 P 65

Part I **Questions 1—20**

Choose the best answer for the blank.

1. A: Could you go through this report?
B: Sure, and I'll even have it ____________ as soon as I finish.

(a) submit
(b) submits
(c) submitted
(d) to submit

2. A: Do you think 100 dollars ____________ too much for one lesson?
B: I agree. I wouldn't pay it.

(a) is
(b) are
(c) was
(d) were

3. A: How is it going back to school after all these years?
B: It is as good as it ____________.

(a) used to
(b) used to do
(c) used to be
(d) used to be done

4. A: Is Julie pleased with the contribution of Danny and Jessie?
B: She ____________ with how it turned out.

(a) had been happy
(b) should have been happy
(c) couldn't be happier
(d) will have been happier

5. A: Will you be free on Friday?
B: No, I will visit some popular schools and the communities ____________ they serve.

(a) at which
(b) at where
(c) in which
(d) for what

6. A: It looks like you still don't know how to use this.
B: They didn't give ____________ of an explanation.

(a) any
(b) much
(c) such
(d) some

7. A: Did the students pass the test yesterday?
B: Half the students failed, as the grade postings show, ____________ in the reading section.

(a) improving
(b) to improve
(c) in improvement
(d) to be improved

8. A: Today's play by Shakespeare was really great.
B: I know. I wish my brother ____________ here today.

(a) is
(b) was
(c) were
(d) should be

9. A: Do students use many of those programs?
B: No. ___________ only a few are actually used.
(a) Of which
(b) At which
(c) By that
(d) In that

10. A: What are you two planning for the holiday?
B: I want us to go sailing ___________ my wife just wants to stay home.
(a) as though
(b) since
(c) whenever
(d) whereas

11. A: Your younger sister wasn't invited to the party tonight?
B: ___________ she nonetheless decided not to go.
(a) Inviting
(b) Being invited
(c) Has been invited
(d) Having been invited

12. A: It's about time you ___________ to see us!
B: Right. I haven't visited my hometown for a long time.
(a) come
(b) came
(c) will come
(d) will be came

13. A: Hey, do you know John Meyer by any chance?
B: Yes, I do since he was ___________ in Statistics last year.
(a) top at his class
(b) a top at his class
(c) top of his class
(d) a top of his class

14. A: I'm sorry, but Mr. Ford is still in a meeting.
B: When he comes out, tell him it's imperative that he ___________ Jay Oliver as soon as possible.
(a) call
(b) calls
(c) will call
(d) is calling

15. A: How was Carlo's guitar playing last night?
B: I loved it. It was ___________ the best.
(a) even
(b) by far
(c) still
(d) very

16. A: The problem ___________ had it not been for your action then.
B: Well, I only did what I had to do.
(a) could have resolved
(b) ought never to be resolved
(c) would never have resolved
(d) have never been resolved

17. A: Was every house in the area burglarized?

B: Not really. Just some of the houses seem to __________ into.

(a) break
(b) broke
(c) be broken
(d) have been broken

18. A: I'm very tired today. And tomorrow is going to be worse.

B: You'd better get back to the house for __________ nap.

(a) a couple of hours'
(b) a couple of hours
(c) a couple of hour
(d) a couple of hour's

19. A: Why was there a meeting yesterday?

B: The members wanted to help __________ to feel comfortable with the new procedures.

(a) each
(b) anyone
(c) one another
(d) ourselves

20. A: Could I confirm my hotel reservation?

B: I'll send you the hotel confirmation as soon as I __________ it

(a) receive
(b) will receive
(c) can receive
(d) have received

Part II **Questions 21–40**

Choose the best answer for the blank.

21. Urban areas are cultural and technological epicenters __________ from old municipalities to sprawling megacities.

(a) ranging
(b) ranged
(c) to range
(d) range

22. The government __________ about the impact of the global financial crisis on the Indian economy.

(a) has concerned
(b) was concerning
(c) has been concerning
(d) has become concerned

23. ___________ at the community center today is based on the classical tradition.

(a) Being what the majority is taught
(b) What is being taught of the majority
(c) The majority of what is being taught
(d) What the majority is being taught

24. This was welcome news to the Ministry of Education ___________ calls for greater participation in science learning.

(a) over
(b) with
(c) in
(d) amid

25. A compromise is an agreement whereby both parties get what ___________ of them wanted in full.

(a) either
(b) other
(c) neither
(d) whether

26. Many birds thrive at high altitudes ___________ environmental temperatures are low.

(a) of which
(b) which
(c) where
(d) that

27. ___________ that they even accused Sea Shepherd of deliberately causing an oil spill.

(a) So absurd was the Japanese claim
(b) The Japanese was absurd so claim
(c) The Japanese was so absurd claim
(d) So was the Japanese claim absurd

28. It is said that capitalism is ___________ to describe the cronyism of today's neo-liberal economics.

(a) a too good name
(b) too good a name
(c) too a good name
(d) good too a name

29. Local law enforcement officers said they would be willing to work with ___________ the governor decides to send.

(a) who
(b) whom
(c) whoever
(d) whomever

30. The dangerous misuse of antibiotics ___________ to catastrophic consequences.

(a) are led
(b) is led
(c) leads
(d) lead

31. To ancient and modern authors ___________, the owl's cry has sounded ominous and especially prophetic of death.

(a) alike
(b) like
(c) both
(d) as

32. No amount of ___________ will be beneficial until the threat is removed.

(a) the treatment solutions
(b) a treatment solution
(c) treatment solutions
(d) treatment solution

33. The vice-president will choose ___________ she thinks is competent enough to accomplish the task.

(a) whenever
(b) whatever
(c) whichever
(d) whoever

34. The Center is based in an old country house in Barcelona, parts of which are over 200 years old and ___________ several ghosts.

(a) it is said to be of
(b) said to be home to
(c) being said it is home for
(d) is home of be said to

35. When your plan for next year ___________, you will receive an email confirming whether or not it has been approved.

(a) check
(b) will check
(c) will be checking
(d) has been checked

36. The thieves stated that they ___________ the money if they had been in that situation.

(a) don't touch
(b) won't touch
(c) wouldn't touch
(d) wouldn't have touched

37. Among these books ___________ the first book written by Wilkinson which contains an extraordinary message of social progress.

(a) is
(b) are
(c) has
(d) have

38. The board of directors concluded that ___________ should be relocated to a safe working environment.

(a) thousands employees
(b) thousands of employee
(c) a thousand employees
(d) a thousand of employees

39. There will be ___________ for you to read the instructions and you will have a chance to check your work.

(a) the time
(b) time
(c) times
(d) any time

40. Scientific laws are different from political laws in that the latter are prescriptive; they tell us how we ___________.

(a) ought to
(b) would
(c) could
(d) might

GRAMMAR

Part III Questions 41–45

Identify the option that contains an awkward expression or an error in grammar.

41. (a) A: What are you going to do tomorrow?
(b) B: I wanted to go fishing, but I'm not sure if I can yet.
(c) A: Why? Are you busy with something else to do?
(d) B: No, but I had a work deadline coming up.

42. (a) A: I can't believe you're Crosby's daughter. You look nothing like him.
(b) B: How strange that is a thing to say. Why, don't you believe me?
(c) A: It's not that. You're just the spitting image of your mother.
(d) B: Actually, I get that a lot. But I still act like my dad sometimes.

43. (a) A: Look. There's another palace. Let's stop by there, too.
(b) B: Another one? Do we have to stop again?
(c) A: Well, let's see... According to this guidebook, this place is 200 years old!
(d) B: Can't we visit to some modern places like a theme park?

44. (a) A: You seem distracting. What's the matter with you?
(b) B: Well, I've been thinking about my future and what I'm going to do.
(c) A: What is there to think about? You're going to graduate school!
(d) B: Well, that's the problem. I haven't decided yet if I really want to.

45. (a) A: I am thinking of exercising every day after work to keep fit.
(b) B: That's a good idea. I used to exercise, but not anymore.
(c) A: Really? Did it do you any good?
(d) B: Of course. It felt great and I losted almost 10kg.

Part IV **Questions 46—50**

Identify the option that contains an awkward expression or an error in grammar.

46. (a) When European settlers first arrived in Australia in 1788, there were about 270 different aboriginal languages. (b) Today, only about 60 are spoken on a daily basis. (c) Of these, roughly half a dozen are being actively passed down from adults to their children. (d) These aboriginal languages, which have often been inadequately recorded and sometimes went unrecorded, often compare to Japanese and Latin in their linguistic traits.

47. (a) The consultant's final report on our company's work structure has come in. (b) In short, we are doing all right, but there is some room for improvement. (c) In particular, the consultant would like to recommend that we will optimize the workflow. (d) Doing so would apparently increase our productivity by as much as twenty percent and make things quicker as well.

48. (a) Acupuncture, previously considering a mystical treatment used in the Far East, has gained some ground in the West. (b) Especially as a complement to more traditional practices, acupuncture is being used as a therapeutic method in hospice care. (c) Patients suffering from chronic pulmonary disease, multiple sclerosis, or cancer may witness some relief from their symptoms. (d) For instance, it can help reduce the incidence of vomiting episodes brought on by chemotherapy.

49. (a) Scientists at Rutgers University have discovered a new type of supernova based on data from the Hubble Space Telescope. (b) This new Type 1ax supernova was first seen from a weak supernova called SN 2012Z which happened in 2005. (c) The white dwarf star accumulated an extra layer of hydrogen around it from a nearby star. (d) The resulting supernova blew away only half of the dwarf star, leaving a reduced core consisting oxygen and carbon.

50. (a) If you've ever had the desire to feel young again, I'd like to suggest to engage in daredevil activities. (b) For instance, have you ever been bungee jumping? (c) From a high altitude, you will fly through the air in an exhilarating free fall. (d) Though you may see your life flash before your eyes, afterwards that very life will seem more precious than ever before.

This is the end of the Grammar section. Do NOT move on to the next section until instructed to do so. You are NOT allowed to turn to any other section of the test.

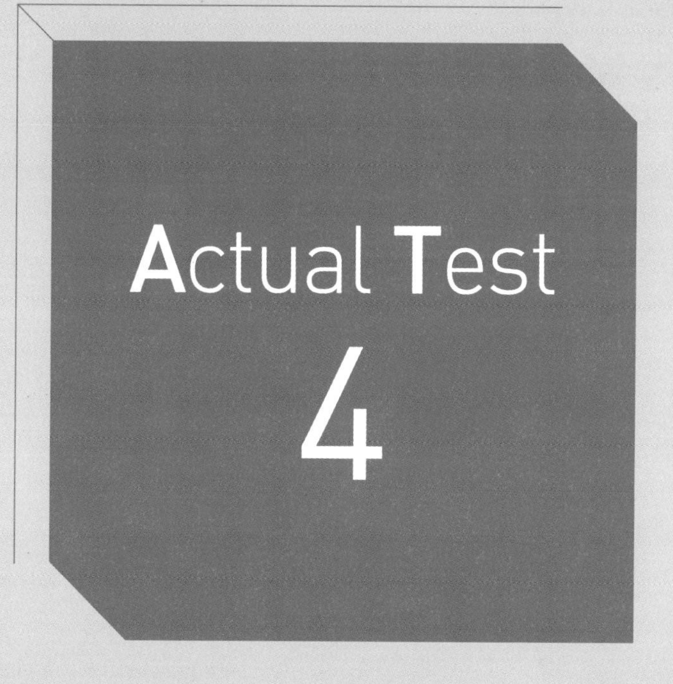

Grammar

DIRECTIONS

This part of the exam tests your grammar skills. You will have 25 minutes to complete the 50 questions. Be sure to follow the directions given by the proctor.

정답 P 75

Part I **Questions 1–20**

Choose the best answer for the blank.

1. A: Which dress should I wear for the prom party?

B: I think your black dress is by far ____________ one of your own.

(a) more stylish
(b) the most stylish
(c) stylish
(d) stylishly

2. A: Why don't you go on vacation after completing this project?

B: I don't think I ____________. I have to curtail my expenses.

(a) can afford to
(b) can afford to be
(c) can afford to do
(d) can afford to have

3. A: Did you go to Jane's restaurant opening party?

B: I ____________ her cooking before, so I declined the invitation.

(a) was eating
(b) have eaten
(c) had eaten
(d) have been eaten

4. A: Which student won the 100-meter sprint?

B: Kate turned out to be ____________ of the two.

(a) the fast
(b) of the fast
(c) the faster
(d) of the faster

5. A: When is your seventh album scheduled to come out?

B: It ____________ in a week.

(a) is being released
(b) has been released
(c) was released
(d) was being released

6. A: I can't stand Sera any more.

B: I think it's about time she ____________ her irresponsible behavior.

(a) changes
(b) changed
(c) will change
(d) be changed

7. A: Do you think the outdoor concert will start on time?

B: Due to the incessant raining, there is ____________ chance that it will start at all.

(a) many
(b) few
(c) little
(d) all

8. A: I wonder if there has been a decision about the vacant position.

B: We have yet to ____________ from the Personnel Department.

(a) get approved
(b) be getting it approved
(c) get it approved
(d) getting approved

9. A: This is a moist home-made carrot cake. Would you like some?

B: Actually, I just had a big dinner. __________, I could try it.

(a) Otherwise
(b) Nonetheless
(c) Whereas
(d) Meanwhile

10. A: How did Anne do in the final swimming competition last night?

B: Unfortunately, she cramped __________ at the final line.

(a) just as she was about to arrive
(b) just about to arrive as she was
(c) as she just was to arrive about
(d) as she was about to just arrive

11. A: Who brought my sparkling water? I bought 7 bottles yesterday.

B: Sorry. We finished up __________ water after running.

(a) half dozen of bottles
(b) half of a dozen bottles
(c) half a dozen bottles of
(d) half dozens bottles of

12. A: I accidently rear-ended your car. I __________ more notice of the signs.

B: Don't take it too hard. My car didn't get much damage.

(a) should have taken
(b) must have taken
(c) wouldn't have taken
(d) might not have taken

13. A: Do you know why so many people think highly of Christine Lagarde?

B: Because she is __________.

(a) the first woman to head the IMF
(b) a first woman headed the IMF
(c) the first IMF headed a woman
(d) a first IMF to head the woman

14. A: You looked pale when the airplane took off.

B: I admit to __________. I have panic disorder while traveling by airplane.

(a) be scared
(b) being scared
(c) been scared
(d) have been scared

15. A: I think many people don't visit their ancestral hometowns in Chuseok.

B: That's true. Chuseok is not what it __________.

(a) used to be
(b) used to
(c) used to have
(d) use to do

16. A: I bought this second-hand car just last month. But it is not working properly.

B: I'm sorry to hear that. But I know a good place __________.

(a) where you can have it fixed
(b) which you can have fixed it
(c) that you can have it fix
(d) which you can have it fix

17. A: How did the golf game go yesterday?

B: Didn't you hear the weather forecast? ___________, we decided to postpone it until next week.

(a) It so hard raining
(b) It raining so hard
(c) Rained so hard
(d) Being rained so hard

18. A: How was the economic situation in the EU last year?

B: ___________ saw economic growth in the last quarter.

(a) Two except all of countries
(b) All two but countries
(c) Except two of all countries
(d) All but two countries

19. A: A US journalist was beheaded by armed men in Syria.

B: ___________ as retaliation for something the US did.

(a) I can't help but to think
(b) I can't help to think of it
(c) I can't help but think of it
(d) I can't help but thinking

20. A: Do you still take part in a half-marathon on a regular basis?

B: Yes. It is ___________ a half-marathon as a 10 kilometer fun run.

(a) not so much
(b) not much than
(c) not much as
(d) not so much as

Part II **Questions 21–40**

Choose the best answer for the blank.

21. The porter had so ___________ that he could not carry it all at once.

(a) many baggages
(b) much baggage
(c) a lot baggages
(d) a few baggage

22. ___________ who signed up for the summer vacation lecture has been awarded extra credit.

(a) Everyone
(b) Those
(c) All
(d) Any

23. Several of the United States' top leaders ___________ in China to forge a stronger military relationship.

(a) are converged
(b) is converged
(c) has been converged
(d) converge

24. In ___________ his rebellious and bratty behavior, Justin lost his popularity.

(a) justifying
(b) justified
(c) being justified
(d) having been justifying

25. Janet felt extremely tired after she ___________ her brother's wedding all day.

(a) has been catering for
(b) had been catering for
(c) has catered for
(d) had been catered for

26. ___________ any overdue record, you will be eligible for an interest-free student loan for 4 years.

(a) Barring
(b) With
(c) Granted
(d) In Case

27. There is ___________ that moderate alcohol consumption can protect against colds.

(a) some evidences
(b) some evidence
(c) any evidences
(d) any evidence

28. Sleeping pills may be helpful for insomnia ___________, but, in general, the medications only worsen the problem.

(a) when taken as directing
(b) when taken as directed
(c) when directed as taken
(d) when directing as taken

29. Scarcely ___________ her in-depth interview when her voice started trembling with fear.

(a) was as she
(b) had she begun
(c) was she begun
(d) did she begin

30. It is recommended that all applicants ___________ his or her application materials well before the deadline.

(a) mails
(b) mail
(c) have mailed
(d) is mailing

31. Amsterdam has more than one hundred kilometers of gorgeous canals, some of ___________ are placed on the UNESCO World Heritage List.

(a) whose
(b) that
(c) where
(d) which

32. Sitting for no more than 30 minutes at a time with a two-minute walking break may decrease risk of heart disease ___________ 50%.

(a) for
(b) to
(c) by
(d) in

GRAMMAR

33. The Philippines ___________ of more than 7,000 islands that are broadly divided into three main geographical divisions; Luzon, Visayas and Mindanao.

(a) consist
(b) consists
(c) is consisted
(d) are consisted

34. Among the issues discussed at last week's meeting ___________ the need for market research for the new product.

(a) is
(b) are
(c) were
(d) was

35. The management said the contract needs to be finalized no matter ___________.

(a) how many hours it takes
(b) how to take many hours
(c) how its hours take many
(d) how many it takes hours

36. The government is determined to reconstruct several dilapidated buildings in the central business district, which ___________ in recent years due to lack of money.

(a) are neglected
(b) neglected
(c) have been neglected
(d) have neglected

37. Under no circumstances ___________ anywhere in school buildings throughout campus.

(a) should be left their belongings unattended
(b) their belongings maybe left unattended
(c) unattended their belongings maybe left
(d) should their belongings be left unattended

38. For years, we have been told that exercise improves sleep unless you work out close to bedtime, ___________ it can have the opposite effect.

(a) which in case
(b) in case what
(c) in which case
(d) in what case

39. The non-profit environment organization received ___________ from individual supporters and business tycoons.

(a) quite a large donation
(b) quite large a donation
(c) a quite large donation
(d) quite a donation large

40. The rising cases of plagiarism among university students are ___________ tertiary educators.

(a) of great concern to
(b) of great to concern
(c) to concern of great
(d) to concern great of

Part III **Questions 41—45**

Identify the option that contains an awkward expression or an error in grammar.

41. (a) A: So, what do you think is wrong with my computer?
(b) B: Well, the longer you use your computer, the slower you get. You had better buy a new one.
(c) A: That's easy for you to say. But I can't afford a new computer.
(d) B: Then, you may consider leasing one or to purchase hardware.

42. (a) A: I heard Julie screwed up her job interview after the first ridiculous question.
(b) B: The terrible interview must be the reason why she looked so down in the dumps.
(c) A: I really hope she can find a decent position which she will be satisfied.
(d) B: Me, too. Let's try to think of something we can do to cheer her up.

43. (a) A: Is it true that you don't use the shoe shop no longer?
(b) B: Yes. The store owner is so rude. And, I always get ripped off.
(c) A: But, this shop is the only place we can drop off in our neighborhood.
(d) B: I know. But I would rather use other shops near from my workplace than that one.

44. (a) A: Have you completed the online questionnaire?
(b) B: No. I haven't had time to check.
(c) A: You can just click on the blank. It will take only 3 minutes to finish it.
(d) B: Okay. I can make it first and change priority.

45. (a) A: Can you help me look for my laptop bag?
(b) B: How does it look like?
(c) A: It's a striped black one, crafted from nylon and emblazoned with a logo.
(d) B: Isn't it the one over there?

GRAMMAR

Part IV **Questions 46–50**

Identify the option that contains an awkward expression or an error in grammar.

46. (a) If you are stuck into a cramped space on a long flight with little chance to move around, a leg massager comes in handy. (b) It gives a fabulous calf massage, operates on two AAA batteries, and turns off after 10 minutes, when it is time to change legs. (c) The Air-Gym is a much efficient exerciser that requires you to move your legs. (d) Also, I highly recommend to wear medical compression stockings to prevent blood clots that can form in legs on long flights.

47. (a) We are proud to announce that Kendall Jackson is now America's top- selling America white and red wine. (b) We created new Kendall-Jackson to address the growing thirst of Korean wine lovers for America's wines. (c) Its crisp and rich taste comes from the best choice fruit we use from the cool California's renowned coastal regions, for which our vineyard sit atop mountains, ridges and hillsides. (d) Try this amazing wine today and discover why it is number one.

48. (a) From the earliest times, herbs have prized for their pain-relieving and healing abilities, and today we still rely on the curative properties of plants in about 75% of our medicines. (b) Over the centuries, societies around the world have developed their own traditions to make sense of medicinal plants and their uses. (c) Some of these traditional and medicinal practices may seem strange, others appear rational and sensible. (d) But all of them are attempts to overcome illness and suffering, and to enhance quality of life.

49. (a) The potential use of asynchronous collaborative writing tool can facilitate the rapid and successful growth of ideas. (b) For example, the students are encouraged to engage in discussion, exchange ideas, and cooperate with peers. (c) In particular, the use of blogs and wikis allows students to discuss ideas, add and edit content easily. (d) They have access same documents online to collaborative write, revise, store and publish documents on the Web.

50. (a) According to research, one in four people suffered from insomnia at some point, with more than 50 percent of the US population regularly having trouble sleeping. (b) Running can not only help you fall asleep at night, but also improve the quality of your sleep. (c) Sleep is brought about by chemicals released in the body, which are a by-product of burning sugar for fuel; so the more active you are, the better you will snooze. (d) According to experts at the Harvard University School of Medicine, 20-30 minutes of jogging every other days helped improve the quality of sleep.

This is the end of the Grammar section. Do NOT move on to the next section until instructed to do so. You are NOT allowed to turn to any other section of the test.

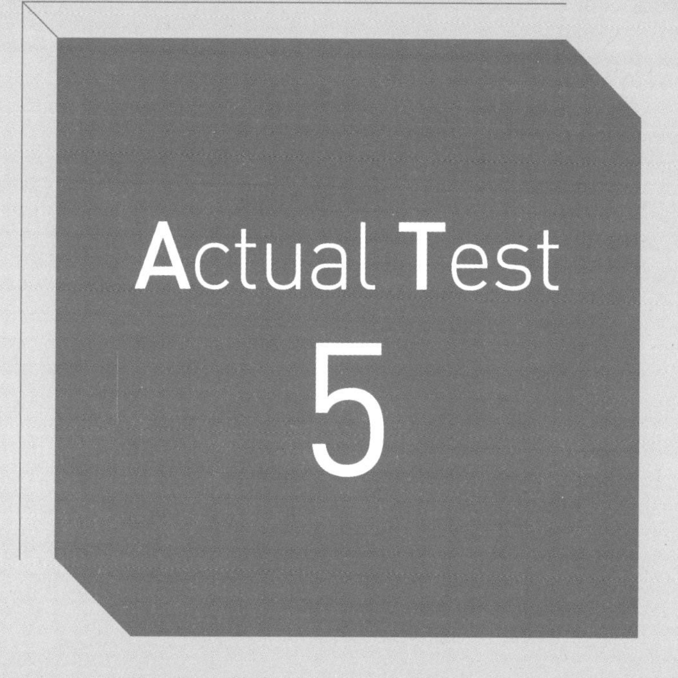

Grammar

DIRECTIONS

This part of the exam tests your grammar skills. You will have 25 minutes to complete the 50 questions. Be sure to follow the directions given by the proctor.

Part I **Questions 1–20**

Choose the best answer for the blank.

1. A: Where do you want to go for our vacation?

B: I'd like to go to a place __________ I could enjoy a beautiful beach.

(a) where
(b) how
(c) which
(d) what

2. A: Why did the library call you?

B: You know the DVD I borrowed. I returned it yesterday and they said it __________ damaged.

(a) will have been
(b) has
(c) had been
(d) is being

3. A: These peanut butter cookies are for Sherry's birthday. I hope she likes them.

B: Didn't you know? She is allergic __________ peanuts.

(a) of
(b) to
(c) with
(d) in

4. A: How do you know so much about Gauguin?

B: When I was little, my mom ________.

(a) had me exposed to as much art as she could
(b) exposed me have to as much art as she could
(c) had exposed to as much as she could art
(d) exposed to have me as she could much as art

5. A: How did his job interview go?

B: He didn't get it. __________, he would have been hired, I think.

(a) Had more experience
(b) Had he had more experience
(c) If he has more experience
(d) Having more experience

6. A: Look at my new headphones. They only cost me $18.

B: They look just like mine and I bought them for $35. I __________ have been overcharged.

(a) should
(b) ought to
(c) must
(d) cannot

7. A: You put the floor lamp on the right side of the bookshelf like we talked about.

B: __________ your advice, now I have a more spacious living room.

(a) Having followed
(b) Followed
(c) Had I followed
(d) Have following

GRAMMAR

8. A: Have you finished the book I bought you for your birthday?

B: Sorry. It was hundreds of pages long, so I gave up ___________ it quite a while ago.

(a) finish
(b) finishing
(c) to finish
(d) finished

9. A: You can see the whole park and the nearby mountains from up here.

B: Yes, look over there! You can see part of the river, too. This is ___________.

(a) amazing so a view
(b) a view amazing so
(c) so amazing a view
(d) a so amazing view

10. A: We should discuss the contract and makes some changes before we send it to the boss.

B: I have to go out now but why don't we meet ___________ at 4 p.m.?

(a) late
(b) later
(c) lately
(d) latest

11. A: You have been working on your report for a week. What is it about?

B: It is about why ___________ of this city is slowly decreasing.

(a) population
(b) a population
(c) the population
(d) populations

12. A: Can you come here and help me with the computer?

B: ___________ I'd like to help you, I'm just too busy at the moment.

(a) Much as
(b) Despite
(c) For
(d) Besides

13. A: I'm worried about how I'm going to support myself through college.

B: You should look for a scholarship. There are various organizations offering financial help to ___________ needs it.

(a) whom
(b) who
(c) whomever
(d) whoever

14. A: Do you know exactly what happened between Kevin and Leslie?

B: Not really, but they ___________ an argument when I entered the door.

(a) are having
(b) were having
(c) have had
(d) have been having

15. A: It is taking longer than we thought to make this dish.

B: That's mostly because the cloves of garlic ___________ well.

(a) don't peel
(b) are not peeled
(c) is not peel
(d) hadn't peeled

16. A: I still haven't found a decent job for this summer.
B: You should ask Paul about it. ___________ he got an internship at a large company downtown.

(a) Rumor has it that
(b) That has rumor it
(c) It has rumored to
(d) Rumor it that has

17. A: It is way past lunch time. I'm starving.
B: We don't have enough time to go out. Let's get some food ___________.

(a) deliver
(b) delivered
(c) delivering
(d) to deliver

18. A: Finally, they started the construction.
B: Yes, it took longer than expected. The plan to build this park came near to ___________ due to the lack of funds.

(a) cancel
(b) cancelling
(c) be cancelled
(d) being cancelled

19. A: Who does this jacket belong to?
B: I think Jamie took it off and put it there. I believe it is ___________.

(a) he
(b) him
(c) his
(d) himself

20. A: How do you like living in this neighborhood?
B: I love it. One of the things I like about it is that it has ginkgo trees on ___________ side of the street.

(a) few
(b) both
(c) either
(d) less

Part II **Questions 21—40**

Choose the best answer for the blank.

21. Many sayings have profound meanings ___________ they can sometimes be misleading.

(a) because
(b) nevertheless
(c) even though
(d) however

22. Neither his parents nor his doctor ___________ his occasional consumption of junk food to be harmful.

(a) considers
(b) consider
(c) are considering
(d) have considering

23. ___________ criticizing the technology as an invasion of privacy.

(a) After several years only did people start
(b) Only several years started people
(c) After several years only people started
(d) Only after several years did people start

24. The brochure provides important information ___________ booklovers can tell which bookstore is giving a special offer on a particular day.

(a) of which
(b) what
(c) which
(d) with which

25. Factories and cars in the city emit a lot of pollution every day ___________ a massive scale.

(a) of
(b) by
(c) on
(d) for

26. Since he had been losing a lot of weight, his mother insisted that he ___________ breakfast any more.

(a) not skip
(b) didn't skip
(c) skipped
(d) doesn't skip

27. ___________, Lorri realized that her mother must be worried about her.

(a) Not told her mother having where she was
(b) Having not told her mother where she was
(c) Not having told her mother where she was
(d) Told her mother not where she was

28. Troy was surprised to find out that his friend's notes were quite different from ___________ of his.

(a) those
(b) these
(c) that
(d) this

29. When she took his son to the zoo for the first time, he went around with his eyes ___________ with amusement.

(a) twinkle
(b) twinkled
(c) twinkling
(d) to twinkle

30. No matter how much work you have, try to relax during the evening ___________ get stressed out.

(a) so not to as
(b) not to so as
(c) not so as to
(d) so as not to

31. ___________, they will stamp the receipt for you to get in the building.

(a) As soon as you will show them the items and the receipts
(b) When you show them the items and the receipts
(c) So you show them the items and the receipts
(d) Once you will show them the items and the receipts

32. Once he started talking about his problems, the issues I was having seem ___________.

(a) insignificancy
(b) insignificant
(c) insignificantly
(d) insignificance

33. Teachers say that getting good grades is ___________.

(a) much than easier it used to
(b) very easier than it used to
(c) very easier than it used to be
(d) much easier than it used to be

34. During the survey, the participants who have never been to a foreign country ___________ what scares them most.

(a) have been asked
(b) have asking
(c) has asked
(d) have been asking

35. If you don't have the time or money to have your teeth professionally whitened, other natural alternatives such as peppermint are considered useful ___________ they contain enough acid to whiten your teeth.

(a) despite
(b) by which
(c) in that
(d) as soon as

36. Building a good relationship with your children is hard because they will most likely ___________ playing video games to talking to you.

(a) preferring
(b) to prefer
(c) preferred
(d) prefer

37. Giving public praise to people who crave recognition ___________ their productivity in a positive way.

(a) affecting
(b) to affect
(c) affect
(d) affects

38. Rachel has always been afraid of heights so ___________, she prefers taking the train to flying.

(a) all being equal other things
(b) all other things being equal
(c) other things be all equal
(d) other all equal being things

39. If Amanda had taken my advice last month, she ___________ any trouble traveling to Europe now.

(a) had not had
(b) would not had
(c) would not have
(d) would not had had

40. ___________ that there were some technical problems with the plane.

(a) Not until the in-flight announcement did the passengers realize
(b) Until the in-flight announcement the passengers not realize
(c) Not until the in-flight announcement the passengers did not realize
(d) Until the in-flight announcement did the passenger realized

Part III **Questions 41—45**

Identify the option that contains an awkward expression or an error in grammar.

41. (a) A: How was your weekend? Did you see the movie you were talking about?
(b) B: No, it didn't work out. My friend was supposed to meet myself at the theater, but she got stuck in traffic.
(c) A: So what did you do?
(d) B: We went to an art gallery instead.

42. (a) A: Look at my new bag!
(b) B: It looks expensive. It must have cost a fortune.
(c) A: Actually, I have bought it at a second-hand store last week. 60% Off!
(d) B: You saved a lot. Someone else might have owned it, but it looks brand-new.

43. (a) A: These chairs will look good with our new table. They are 50 dollars each.
(b) B: That sounds appropriately. How many should we buy?
(c) A: Four will be enough. They also charge delivery fee.
(d) B: Okay. I'll pay with my credit card.

44. (a) A: The movers are coming tomorrow and we've got so much to do tonight.
(b) B: Relax. They'll pack up everything. It is their job. Let me just check my email.
(c) A: You can't. I cancelled the Internet service. We will have the Internet available in our new house.
(d) B: There are some documents for me to look at. I would have checked it at the office if I have known that.

45. (a) A: What are you doing, Grace?
(b) B: I'm moving some of the boxes upstairs. My mom sent me some stuff from home.
(c) A: They look heavy. Do you need a help?
(d) B: Would you? That would be great!

Part IV Questions 46–50

Identify the option that contains an awkward expression or an error in grammar.

46. (a) In order to stay healthy, it is essential to have a balanced diet every day, which means eating a wide variety of fruits and vegetables. (b) These days, however, not only children but also adults eat less fruits and vegetables, and this could lead to serious health problems. (c) Try to eat fruits and vegetables of many colors since colors show what kind of vitamins are contained. (d) Please remind that experts recommend five servings a day.

47. (a) Now we are going to share some tips to how to extend the life of your clothes. (b) First, since bleach contains strong chemicals that can weaken fibers, avoid bleach as much as possible. (c) Second, heat fades colors, so hang your clothes to dry instead of using the dryer. (d) Finally, get rid of stains immediately because if you let them set, they are much harder to remove.

48. (a) Rejecting a new idea is considered normal. (b) By doing so, however, you step on the other person's ego and they are likely to react defensively. (c) In order to prevent this from happening, you should try to say good things about their ideas before saying anything negative. (d) When your supporting remarks outweigh the critical those, the other person is more likely to be receptive to what you say.

49. (a) We all take on a wide variety of roles and titles throughout our lives such as a father or mother, a son or daughter, an employee or boss. (b) Each of these roles bring with it certain responsibilities and obligations. (c) But to be good at these roles, we must first become an individual with a stable internal foundation. (d) Without this inner strength, we can't have a positive effect on those around us.

50. (a) Between 166 AD and 266 AD, two separate plagues hit hard the people of Rome. (b) Treating the illnesses within the family was common. (c) Some Romans used age-old remedies, many of them were passed down from parents and grandparents. (d) Others who got desperate with no successful results from these herbal cures decided to turn to their gods and goddesses like Salus, the goddess of health.

This is the end of the Grammar section. Do NOT move on to the next section until instructed to do so. You are NOT allowed to turn to any other section of the test.

Test of English Proficiency Seoul National University

문법 Grammar

Actual Test 1									
1	a	b	c	d	26	a	b	c	d
2	a	b	c	d	27	a	b	c	d
3	a	b	c	d	28	a	b	c	d
4	a	b	c	d	29	a	b	c	d
5	a	b	c	d	30	a	b	c	d
6	a	b	c	d	31	a	b	c	d
7	a	b	c	d	32	a	b	c	d
8	a	b	c	d	33	a	b	c	d
9	a	b	c	d	34	a	b	c	d
10	a	b	c	d	35	a	b	c	d
11	a	b	c	d	36	a	b	c	d
12	a	b	c	d	37	a	b	c	d
13	a	b	c	d	38	a	b	c	d
14	a	b	c	d	39	a	b	c	d
15	a	b	c	d	40	a	b	c	d
16	a	b	c	d	41	a	b	c	d
17	a	b	c	d	42	a	b	c	d
18	a	b	c	d	43	a	b	c	d
19	a	b	c	d	44	a	b	c	d
20	a	b	c	d	45	a	b	c	d
21	a	b	c	d	46	a	b	c	d
22	a	b	c	d	47	a	b	c	d
23	a	b	c	d	48	a	b	c	d
24	a	b	c	d	49	a	b	c	d
25	a	b	c	d	50	a	b	c	d

Actual Test 2									
1	a	b	c	d	26	a	b	c	d
2	a	b	c	d	27	a	b	c	d
3	a	b	c	d	28	a	b	c	d
4	a	b	c	d	29	a	b	c	d
5	a	b	c	d	30	a	b	c	d
6	a	b	c	d	31	a	b	c	d
7	a	b	c	d	32	a	b	c	d
8	a	b	c	d	33	a	b	c	d
9	a	b	c	d	34	a	b	c	d
10	a	b	c	d	35	a	b	c	d
11	a	b	c	d	36	a	b	c	d
12	a	b	c	d	37	a	b	c	d
13	a	b	c	d	38	a	b	c	d
14	a	b	c	d	39	a	b	c	d
15	a	b	c	d	40	a	b	c	d
16	a	b	c	d	41	a	b	c	d
17	a	b	c	d	42	a	b	c	d
18	a	b	c	d	43	a	b	c	d
19	a	b	c	d	44	a	b	c	d
20	a	b	c	d	45	a	b	c	d
21	a	b	c	d	46	a	b	c	d
22	a	b	c	d	47	a	b	c	d
23	a	b	c	d	48	a	b	c	d
24	a	b	c	d	49	a	b	c	d
25	a	b	c	d	50	a	b	c	d

Actual Test 3									
1	a	b	c	d	26	a	b	c	d
2	a	b	c	d	27	a	b	c	d
3	a	b	c	d	28	a	b	c	d
4	a	b	c	d	29	a	b	c	d
5	a	b	c	d	30	a	b	c	d
6	a	b	c	d	31	a	b	c	d
7	a	b	c	d	32	a	b	c	d
8	a	b	c	d	33	a	b	c	d
9	a	b	c	d	34	a	b	c	d
10	a	b	c	d	35	a	b	c	d
11	a	b	c	d	36	a	b	c	d
12	a	b	c	d	37	a	b	c	d
13	a	b	c	d	38	a	b	c	d
14	a	b	c	d	39	a	b	c	d
15	a	b	c	d	40	a	b	c	d
16	a	b	c	d	41	a	b	c	d
17	a	b	c	d	42	a	b	c	d
18	a	b	c	d	43	a	b	c	d
19	a	b	c	d	44	a	b	c	d
20	a	b	c	d	45	a	b	c	d
21	a	b	c	d	46	a	b	c	d
22	a	b	c	d	47	a	b	c	d
23	a	b	c	d	48	a	b	c	d
24	a	b	c	d	49	a	b	c	d
25	a	b	c	d	50	a	b	c	d

Actual Test 4									
1	a	b	c	d	26	a	b	c	d
2	a	b	c	d	27	a	b	c	d
3	a	b	c	d	28	a	b	c	d
4	a	b	c	d	29	a	b	c	d
5	a	b	c	d	30	a	b	c	d
6	a	b	c	d	31	a	b	c	d
7	a	b	c	d	32	a	b	c	d
8	a	b	c	d	33	a	b	c	d
9	a	b	c	d	34	a	b	c	d
10	a	b	c	d	35	a	b	c	d
11	a	b	c	d	36	a	b	c	d
12	a	b	c	d	37	a	b	c	d
13	a	b	c	d	38	a	b	c	d
14	a	b	c	d	39	a	b	c	d
15	a	b	c	d	40	a	b	c	d
16	a	b	c	d	41	a	b	c	d
17	a	b	c	d	42	a	b	c	d
18	a	b	c	d	43	a	b	c	d
19	a	b	c	d	44	a	b	c	d
20	a	b	c	d	45	a	b	c	d
21	a	b	c	d	46	a	b	c	d
22	a	b	c	d	47	a	b	c	d
23	a	b	c	d	48	a	b	c	d
24	a	b	c	d	49	a	b	c	d
25	a	b	c	d	50	a	b	c	d

Actual Test 5									
1	a	b	c	d	26	a	b	c	d
2	a	b	c	d	27	a	b	c	d
3	a	b	c	d	28	a	b	c	d
4	a	b	c	d	29	a	b	c	d
5	a	b	c	d	30	a	b	c	d
6	a	b	c	d	31	a	b	c	d
7	a	b	c	d	32	a	b	c	d
8	a	b	c	d	33	a	b	c	d
9	a	b	c	d	34	a	b	c	d
10	a	b	c	d	35	a	b	c	d
11	a	b	c	d	36	a	b	c	d
12	a	b	c	d	37	a	b	c	d
13	a	b	c	d	38	a	b	c	d
14	a	b	c	d	39	a	b	c	d
15	a	b	c	d	40	a	b	c	d
16	a	b	c	d	41	a	b	c	d
17	a	b	c	d	42	a	b	c	d
18	a	b	c	d	43	a	b	c	d
19	a	b	c	d	44	a	b	c	d
20	a	b	c	d	45	a	b	c	d
21	a	b	c	d	46	a	b	c	d
22	a	b	c	d	47	a	b	c	d
23	a	b	c	d	48	a	b	c	d
24	a	b	c	d	49	a	b	c	d
25	a	b	c	d	50	a	b	c	d

출제 원리에 철저하게 맞춘 전략형 텝스 문법

텝스 실전 800

테스 김 지음

정답 및 해설

문법편

TEPS 문법의 최신 경향과 전략 분석 ● 실전 모의고사 Actual Test 5회분 수록 ● TEPS 고득점의 감을 확실하게 잡아 주는 상세한 해설

NEXUS Edu

How to TEPS

출제 원리에 철저하게 맞춘 전략형 텝스 문법

텝스 실전 800

정답 및 해설

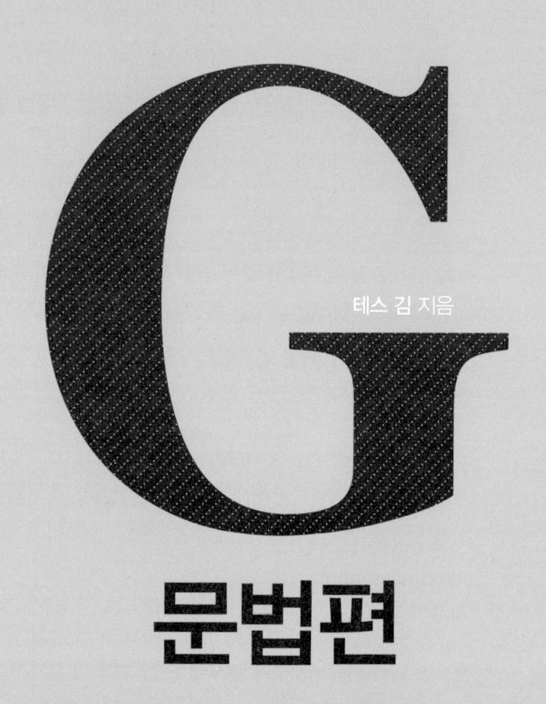

테스 김 지음

문법편

NEXUS Edu

UNIT 01

도치 구문

Exercise

본책 / 29p

1 should you be
2 did I know
3 has the facility
4 has the organic food company started
5 No sooner had the cellist finished
6 stands a steel-framed concrete building
7 made possible a variety of opportunities to young talents
8 so has the service
9 was
10 do

1. 부정부사에 의한 도치문으로, no라는 부정어가 포함된 부사구가 문장 앞에 나와 있으므로 뒤에 나오는 you should가 도치되어야 한다.

어떤 경우라도 학회에 늦어서는 안 된다.

under no circumstances 어떤 경우라도

2. 〈not until+시간의 명사구+조동사+주어〉는 '(시간)이 되어서야 비로소 ~하다'라는 의미이다.

다음 주가 되어서야 비로소 그가 말없이 떠난 것을 알았다.

3. hardly, rarely, seldom과 같은 부정부사들은 not의 의미를 내포하고 있다. 이 부사들이 문두에 오면 주어와 조동사가 도치된다.

일 년 전에 화재가 난 이후 그 시설은 거의 사용된 적이 없다.

4. only 부사구[절]가 문두에 오는 경우 주어와 조동사가 도치된다.

최근에서야 유기농 식품 회사는 흑자 경영을 하기 시작했다.

operate in the black 흑자 경영을 하다

5. 〈no sooner[hardly/ scarcely] had+주어+p.p. ~ than[before/ when]+주어+과거 동사〉는 '~하자마자 …하다'라는 의미이며, 부정어가 문두에 있기 때문에 부정어 뒤의 어순이 도치되었다.

그 첼로 연주가가 연주를 끝내자마자 관객들이 기립 박수를 보냈다.

standing ovation 기립 박수

6. 장소를 나타내는 부사구가 문두로 나갈 경우 조동사가 아닌 동사가 주어 앞으로 나간다. 일반적으로 be동사나 stand, lie, remain 등의 자동사가 동사로 나올 때 부사구가 문두로 오는 경우가 많다.

언덕 위에 철근 콘크리트 건물 빌딩이 서 있다.

steel-framed 철근으로 된

7. 5형식의 〈목적격 보어+목적어〉 도치 문장이다. 목적어로 온 명사에 긴 수식어가 붙는 경우, 문장 구조를 명확히 하기 위해 목적격 보어를 목적어 앞으로 도치한다. 이 문장에서는 목적격 보어 possible이 앞으로 도치되었다.

IT의 출현은 젊은 인재들에게 다양한 기회들을 가능하게 만들었다.

advent 출현, 도래

8. 〈so+조동사+주어〉 도치는 '~ 역시 그러하다'의 뜻이며, 조동사는 앞의 has deteriorated와 같이 has가 된다.

서울 호텔이 가장 고급스러운 호텔들 중의 하나임에도 불구하고 호텔의 방 상태는 저하되었고 서비스 역시 그렇다.

deteriorate 악화되다

9. Among ~ month's meeting 부사구가 문두로 온 도치 구문이므로 이 문장의 주어는 the need이다. 주어가 3인칭 단수이므로 was가 적절하다.

지난달 회의에서 논의된 안건들 중에는 공공 치안 강화에 대한 필요가 있었다.

agenda 의제, 안건 public security 공안, 공공의 안녕

10. 부정문 뒤의 〈neither+조동사+주어〉 도치 구문이며, help는 일반동사이며 주어는 painkillers이므로 do가 맞다.

내 근육통은 너무 심해서 다리에 얼음찜질하는 것은 도움이 되지 않고, 진통제 또한 도움이 되지 않는다.

Practice Test

본책 / 30p

1 (c) 2 (a) 3 (a) 4 (b) 5 (b) 6 (b) 7 (a) 8 (b)
9 (b) I did think → did I think
10 (b) Not only improves it your posture → Not only does it improve your posture

1. 강조를 위해 부정어 never가 문장 앞으로 오면서 〈조동사+주어〉 순서로 도치되므로 (c)가 정답이다.

A: 클레어에게 내가 충동적인 사람이라고 말했니?
B: 아니. 그런 식으로 그녀에게 말한 적 없는데.

impetuous 성급한, 충동적인

2. as가 though, although와 같은 양보의 의미로 사용되는 경우 〈형용사+as+주어+동사〉의 어순이 된다.

A: 바네사가 영어에서 우수한 성적을 받다니 믿을 수 없어.
B: 이상하게 들리겠지만, 그게 사실이야.

distinction 우수한 성적, 우등상

3. The shareholders said so에서 부사 so가 문두로 가고, 그로 인해 〈주어+동사〉가 도치되었다.

A: 회사 임원진들이 정말로 다음 달에 직원 수를 줄이는 것을 고려하고 있나요?
B: 소문에 의하면 주주들이 그렇게 말했다고 하네요.

downsize 축소하다 shareholder 주주

4. such가 문장 맨 앞으로 올 때 주어와 동사가 도치되어 〈such+동사+주어〉의 어순이 된다. 순서를 쉽게 바꾸면 Its popularity was such that ~이 된다.

A: 연극 〈쥐덫〉 표를 구했어요?

B: 네, 저는 운이 정말 좋았어요. 연극의 인기가 너무 대단해서 극장이 만원이었고, 몇몇 사람들은 문 앞에서 되돌아갔어요.

5. I didn't realize that I was on the wrong train until I had reached the platform에서 not until 부정부사절이 문두에 오면서 주절의 주어와 조동사가 도치되었다. 과거 시제이므로 정답은 (b)이다.

A: 언제 기차를 잘못 탔다는 것을 아셨나요?

B: 기차 승강장에 도착하고 나서야 알게 되었어요.

6. not only가 문두로 오면서 주어와 조동사가 도치된 문장이다. 조동사 do가 있으므로 주어 뒤에는 동사원형 appear가 와야 한다.

흡연자들은 비흡연자들보다 숙면하는 시간이 더 짧을 뿐만 아니라, 최근 연구에서는 그들의 총 수면 시간은 담배 한 개비당 2분까지 줄어들었다.

7. rarely, seldom, hardly 부정부사 도치이다. 수동태이므로 be동사 was가 주어 앞으로 온다.

그 재벌은 세금 탈세 혐의로 기소되었던 게 드러난 이후로 대중 앞에 거의 모습을 보이지 않았다.

mogul 거물, 중요 인물 tax evasion 탈세

8. 〈Scarcely+had+주어+p.p. ~ when+주어+과거 동사〉 구문으로, 부정어인 scarcely가 문두로 가면서 도치된 구문이며 '~하자마자 …하다'라는 의미이다. 이때 when절의 동사는 과거형이라는 것을 알아 둔다.

뮤지컬이 시작하자마자 전기가 나가버려서 한 시간 동안 모든 학생들이 어둠에 갇혀 있었다.

9. (b) I did think → did I think

부정어구 never in my wildest dreams가 문두로 오면서 〈조동사+주어+동사원형〉의 형태가 이어진다.

(a) A: 에단이 꽤 명성 있는 문학상을 수상했다는 게 믿겨지니?

(b) B: 나는 꿈에서도 그가 상을 탈 것이라고 생각하지 못했어.

(c) A: 그의 끊임없는 노력이 드디어 대가를 받았다고 생각해.

(d) B: 맞아. 꼭 서점에 가서 그의 책을 사서 읽어야겠어.

prestigious 명망 있는 pay off 성과를 올리다

10. (b) Not only improves it your posture → Not only does it improve your posture

부정부사에 의한 도치문으로서 〈Not only+조동사+주어〉 형태로 '~일 뿐만 아니라'라는 의미이다. improves가 3인칭 단수 일반동사 현재형이므로 조동사는 does가 되고 주어 뒤의 동사는 원형이 되어야 한다.

(a) 필라테스는 많은 이유로 인기를 얻고 있다. (b) 자세 향상과 과도한 운동이 없는 근육 강화 및 코어 안정화 유지뿐만 아니라, 자신의 신체에 대한 인식을 높여 준다. (c) 몸이 어떻게 움직이는지, 긴장을 해야 하는 부분이 어딘지, 이상적인 자세 정렬은 어디에 두어야 하는지 알 수 있다. (d) 필라테스는 많은 운동 형식들과 통합될 수도 있으며 균형 잡힌 방식을 제공해 준다.

excess 과도한 core 핵심 stability 안정(성) tension 긴장 상태 postural 자세의 alignment 가지런함 integrate 통합시키다

UNIT 02

빈출 어순 표현

Exercise

본책 / 35p

1 loudly enough
2 There exist several different forms of
3 No one with any common sense
4 to choose which dress to wear
5 Many of the most widely acclaimed
6 three times the height of
7 too extravagant a purchase
8 may otherwise miss in the broadcast
9 so much unhelpful information as to be
10 almost doubled in size

1. enough가 다른 품사와 함께 쓰였을 때의 어순은 〈형용사[부사]+enough〉이다.

행위 예술가들은 길거리에서 사람들의 이목을 끌 정도로 충분히 큰 소리로 공연을 했다.

2. 가주어 There 뒤에 오는 〈진주어+동사〉는 도치된다. 동사는 뒤에 도치된 진주어와 수 일치를 시킨다.

많은 사람들이 앓는 여러 가지 다양한 형태의 정신 질환이 있다.

3. 문맥상 상식을 가진 사람이 여행하지 않을 것이다라는 내용이므로 올바른 어순은 No one with any common sense이다. with any common sense는 one을 수식한다.

상식이 있는 사람이라면 치명적인 에볼라 바이러스 발병으로 인해서 아프리카를 여행하지 않을 것이다.

outbreak 발생, 발발

4. 〈의문사+to부정사〉구가 포함된 어순을 찾는 문제이다. 어떤 옷을 입을지 고르는 것이므로 which dress to wear가 choose의 목적어구이다.

나는 조희의 파티에 초대받았지만, 어떤 옷을 입어야 할지도 아직 고르지 않았다.

have yet to+**동사원형** 아직 ~하지 않다

5. many와 most 둘 다 주어가 될 수 있다. widely acclaimed는 앞에 최상급을 나타내는 부사 the most의 수식을 받을 수 있는 반면, 형용사인 many는 widely acclaimed 사이에 들어갈 수 없다.

역사를 통틀어 가장 널리 호평을 받은 작가들 중 대다수는 그들이 죽은 후에야 비로소 유명해졌다.

tremendously 엄청나게

6. 〈배수사+정관사+단위 명사+of〉 순서를 주의해야 하는 어순 문제이다. 단위 명사를 배수사와 사용했을 경우 정관사와 함께 사용해야 하는 것을 주의한다.

불길은 마을에서 가장 큰 빌딩인 ABC 타워 높이의 3배만큼 높이 치솟았다.

7. 〈too+형용사[부사]+a(n)+명사〉의 어순을 묻는 문제이다. 〈such+a(n)+형용사+명사〉의 어순과 혼동하지 않도록 한다.

경제 불황에 새 차를 산다는 것은 터무니없는 일이야.

extravagant 사치스러운, 터무니없는 economic recession 경제 불황

8. otherwise는 부사이므로 항상 동사를 자연스럽게 수식해 주어야 한다. 따라서 〈조동사+동사원형〉인 may otherwise miss in the broadcast로 표현하는 것이 적절하다.

유가족들의 말에 귀를 기울이면, 그렇지 않을 경우에 방송에서 놓칠지도 모르는 심각한 상황들을 이해할 수 있을 것이다.

9. 어순에 매우 주의해서 풀어야 하는 문제이다. 〈so ... as+to부정사〉는 '너무 ~해서 …하다'라는 뜻이다.

캠퍼스 지도는 도움이 되지 않는 정보들이 너무 많아서, 캠퍼스 · 기숙사 투어 중에 소용이 없다.

10. 동사 double을 이용해 '규모가 거의 두 배가 되다'라는 내용이 알맞다. almost는 부사 역할을 하여 일반동사 앞에서 수식한다.

빠르게 퍼지는 산불은 많은 캘리포니아 주거지들을 위협했고 금요일 이후로 규모가 거의 두 배가 되었다.

dwelling 주거, 주택 double 두 배가 되다

Practice Test

본책 / 36p

1 (a) 2 (a) 3 (c) 4 (a) 5 (a) 6 (c) 7 (b) 8 (b)
9 (b) returning → to return 10 (a) equivalent almost to → almost equivalent to

1. 빈도부사의 위치에 주의해서 have ever seen이 가장 적절하고, 한정사와 함께 사용하는 〈형용사+명사〉의 어순도 주의해야 한다. 따라서 this many students 순서가 알맞다.

A: 강당이 신입생들로 꽉 찼네.
B: 이렇게 많은 학생들을 본 적이 없는 것 같아.

2. '적임자'를 뜻하는 the right man 다음에 '곧, 머지않아'를 뜻하는 부사구 soon enough가 와야 한다. enough가 부사와 함께 쓰일 경우 부사의 뒤에 온다.

A: 자격이 잘 갖추어진 인재를 찾기가 너무 어렵네요.
B: 걱정하지 마요. 곧 제대로 된 적임자를 찾게 될 거예요.

well-qualified 자격이 충분한

3. '조금도 ~하지 않다'라는 의미의 not the least bit의 어순을 알아 둔다.

A: 그는 회사에서 강등된 것에 대해서 어떤 느낌을 가지고 있을까?
B: 그는 조금도 동요하지 않았어. 그저 자기 실수들을 인정하더군.

demote 강등시키다 perturb 동요하게 하다

4. 시간을 나타내는 부사가 겹칠 경우, 더 작은 개념을 먼저 쓴다. '오늘 저녁'의 '나중'이므로 later on this evening이 알맞다.

A: 온종일 미국에서 배달이 오기를 기다릴 건가요?
B: 네. 오늘 저녁 늦게 주문한 물건이 도착할 거라는 확인 이메일을 받았어요.

later on 나중에

5. '3일'을 의미하는 three days 앞에 the next가 와서 수식하는 구조이다.

A: 이번 주말에 사파리에 갈 거야?
B: 응. 앞으로 3일 동안 끝없는 평원을 즐길 수 있는 세렝게티 국립 공원에서 지낼 거야.

6. 목적절의 적절한 어순을 고르는 문제이다. '어느 정도까지'라는 의미의 to what extent 뒤에 주어 high motivation이 오고 목적절의 동사인 impacts가 오는 것이 적절하다.

런던 지식 센터 연구팀들은 높은 동기 부여가 외국어 습득에 어느 정도 영향을 끼치는가에 대해 연구하고 있다.

acquisition 습득

7. 〈It is+판단 형용사+that절〉에서 that절의 어순을 묻는 문제이다. 주어 a step-by-step instructions 뒤에 should가 생략되면서 be followed가 쓰인다는 것을 알고 있어야 한다.

오븐 구이 스파게티를 성공적으로 만들기 위해서는 단계별 지시 사항을 따르는 것이 필수적이다.

imperative 필수적인 instruction 지시 사항

8. 〈no matter how[however]+형용사[부사]+주어+동사〉의 어순을 묻는 문제이다. 이 문장에서는 두 개의 형용사가 왔다.

스티븐 스필버그는 아무리 줄거리가 복잡하고 비현실적이더라도 공상 과학 영화와 모험 영화를 쓰고 감독하는 것을 좋아했다.

9. (b) returning → to return

(b)에서 〈expect+목적어+to부정사〉 구문이 쓰이고 있다. expect 뒤에는 to부정사가 와야 하므로 동명사 형태인 returning을 to return으로 고쳐야 한다.

(a) A: 사고가 난 지 3일 만에 거의 모든 학생들이 학교로 복귀했어.
(b) B: 그러게. 그 애들이 이렇게 금방 학교로 돌아올 줄은 예상하지 못했어.
(c) A: 그 애들이 부상에서 완전히 회복되었다고 생각하지 않아.
(d) B: 나도 동의해. 하지만 매우 책임감 있고 자기 주도적인 학생들임이 분명해.

autonomous 자주적인

10. (a) equivalent almost to → almost equivalent to

부사는 수식하는 형용사 앞에 위치한다. '~와 대등한'이라는 의미로 equivalent to를 쓴다는 것도 알아 둔다.

(a) 다 자란 혹등고래의 무게는 7~9마리의 완전히 자란 코끼리의 무게와 거의 같다. (b) 가슴지느러미는 몸 길이의 1/3이고, 그래서 다른 고래들과 구분된다. (c) 고래 꼬리의 뒤편의 흰색과 검은색의 패턴은 인간의 지문만큼 매우 독특해서 이것을 통해 과학자들은 개개의 고래를 구별할 수 있다. (d) 수컷 혹등고래는 가장 활동적이고 묘기를 잘 부리는 고래종 중의 하나이다.

humpback whale 혹등고래 equivalent 동등한 pectoral fin 가슴지느러미 distinguish 구별하다, 구분 짓다 acrobatic 곡예의

UNIT 03

생략 및 대용 표현

Exercise

본책 / 41p

1 senior management had	2 if any	3 does so	4 can
5 would be	6 not	7 was	8 intend to
9 Once accustomed to	10 didn't		

1. senior management 뒤에 이어져 반복되는 had spent much more money on fundraising for the company는 조동사를 남기고 생략한다. 따라서 정답은 senior management had이다.

나는 내가 회사 고위 관리직보다도 더 회사를 위해서 모금 활동에 많은 돈을 썼다는 것을 깨달았다.

senior management 간부직, 고위 관리직

2. if there is any chance의 생략 구문이다. 주어와 동사 there is가 생략되었으며, 조건절에서 명사 chance를 수식하는 any가 적절하다.

그가 심각한 우울증으로부터 회복될 가능성은 혹시나 있다고 하더라도 거의 없다.

3. 주어를 제외한 반복되는 동사구 releases a new book을 does 또는 does so로 대신한다.

제시가 또 새 책을 출간했어. 그녀는 시간이 날 때마다 그렇게 해.

spare time 여가 시간

4. 앞의 동사가 다시 언급되면 조동사까지만 반복하고 그 이후는 생략한다. 따라서 can까지만 써야 한다.

기차가 더 일찍 도착한다면, 그녀는 가능한 한 빨리 올 것이다.

5. 앞 절로 미루어 보아 and로 이어지는 문장은 I thought it would be awarded이다. 일반동사가 아니므로 would do가 아닌 would be가 되어야 한다.

내 공연이 2014년 에든버러 축제에서 1등을 했는데, 나도 그럴 것이라 생각했다.

6. 앞 문장에서 heard의 목적절 전체를 반복하는 대용 표현으로서 be동사까지 쓴다. 앞 내용에 부정의 의미를 추가하는 경우에는 be 뒤에 not까지 써 준다.

그들이 환영 파티에 올 거라고 들었어. 하지만 나는 그들이 안 왔으면 좋겠어.

7. 확신하지 못하는 것은 '그녀가 새로운 찻집을 운영할 준비가 되었다'라는 것이다. 따라서 she was ready to run the new tea shop에서 be동사 was까지만 쓰고 나머지는 생략한다.

메리는 새로운 찻집을 운영할 준비가 되었다고 생각했지만, 그녀의 부모는 그녀가 그렇다고 확신하지 못했다.

convinced 확신하는

8. and I intend to get a check-up에서 반복되는 get a check-up을 생략하고 to까지만 써야 한다.

남편은 지난주에 건강 검진을 받았고, 나도 다음 주에 받으려고 생각 중이다.

9. 시간, 조건, 양보의 부사절에서 주절과 부사절의 주어가 같은 경우 부사절의 주어와 be동사는 생략한다. 따라서 여기서는 Once you are accustomed to에서 you are가 생략된 형태인 Once accustomed to가 정답이다.

일단 아이슬란드의 기후에 익숙해지면, 그 나라의 자연미를 즐길 수 있을 것이다.

10. 동사구 생략 문제로서 원래 문장은 most of them didn't manage to overcome ~이다. 한 문장에서 한 번 언급된 동사구가 다시 사용될 때는 보통 그대로 되풀이되지 않고, do나 be동사까지만 남기고 나머지는 생략한다.

어떤 사람들은 어떻게 해서든 암울한 상황을 극복하려 했지만, 대부분이 그러지 않았다.

bleak 암울한, 절망적인

Practice Test

본책 / 42p

1 (a) 2 (c) 3 (d) 4 (a) 5 (a) 6 (a) 7 (d) 8 (b)
9 (d) did → was 10 (c) not studying → not

1. 의미상 I am not able to go out for pasta and steak에서 to 이후에 나온 어구는 생략하여 불필요한 반복을 피한다.

A: 톰의 식당에 파스타와 스테이크를 먹으러 가자.
B: 엄격한 식이요법 때문에 갈 수 없어.

2. The plants on your desk need light and water to blossom as well에서 일반동사 need 이하가 반복되므로 need를 대신하는 do가 와야 한다.

A: 정원에 있는 식물들이 다시 꽃 피기 위해서 빛과 물이 필요해.
B: 너의 책상에 있는 화분 또한 그래.

blossom 꽃 피다, 개화하다

3. A의 말을 근거로 why 뒤를 완성하면 why we don't have complimentary coffee가 된다. 의문사 why 뒤에 앞서 언급한 내용이 부정어로 반복될 때 not으로 대신할 수 있다.

A: 책상 위에 있는 무료 커피를 마셔도 될까요?
B: 당연하죠.

complimentary 무료의

4. A의 말을 근거로 B 문장을 완성하면 Even if I wanted to apply for free summer courses at UCL college ~이며, 앞서 나온 어구가 to부정사로 반복되므로 이를 to로 대신한 (a) wanted to가 정답이다.

A: 너는 UCL 대학에서 하는 무료 여름 수업을 등록해야 해.
B: 비록 내가 그러기를 원했다고 해도, 그 수업은 이미 마감되었을 거야.

5. I'm afraid ~는 '유감이지만 ~하다'를 의미하는데, 그 뒤는 앞 문장 전체를 그대로 쓰는 것이 아니라, so와 not으로 표현한다. so는 '그래서 유감이다'를 의미하고, not은 '그렇지 못해서 유감이다'를 의미한다. 오즈 박사가 이번 주에 예약이 꽉 차 있다는 내용이므로 A를 볼 시간이 없음에 대한 유감을 나타내는 (a)가 정답이다.

A: 오즈 박사님께 정말 할 말이 있어요. 그가 저를 짬을 내어 봐 주실 시간이 있을까요?
B: 안 될 것 같아요. 박사님은 이번 주에 예약이 꽉 차 있어요.

squeeze ... in ~을 위한 짬을 내다

6. 〈advise+목적어+부정어+to부정사〉 형식으로, 빈칸에 들어갈 내용은 not to buy the digital camera이다. 여기서 buy the digital camera가 반복되므로 to 이하를 생략한다.

제프리는 사진가가 구매하지 말라고 충고해서 그 디지털 카메라를 사지 않았다.

7. 반복어구를 대신하는 so를 채우는 문제이다. 앞에 나온 형용사나 부사를 반복하는 대신 so로 나타낼 수 있다.

비록 감독은 자신의 작품이 복잡하다고 주장하지만, 〈터미네이터 4〉는 그렇기에는 이야기 전개가 충분하지 않다.

8. 동료에 대한 분노와 미움을 극복하려 했지만 그럴 수 없었다는 내용으로 no matter how hard he tried to overcome ~이 알맞다. try와 같이 독립적으로 흔히 쓰이는 표현은 뒤에 to부정사가 오면 to를 포함한 to부정사구를 모두 생략할 수 있다.

제이미는 아무리 열심히 노력해도, 그의 동료에 대한 분노와 미움을 극복할 수 없었다.

indignation 분노 animosity 증오감

9. (d) did → was

대동사는 일반동사가 쓰인 문장을 받을 때는 do를 쓰지만, be동사가 쓰인 문장을 받을 때는 be동사 그대로 쓴다. (d)의 did는 she was injured seriously를 받는 것이므로 was로 바꾸어야 한다.

(a) A: 네 여동생이 자전거 사고를 당했다는 소식을 들었는데 정말 안됐어.
(b) B: 학교에 가는 도중에 자전거에 치였어.
(c) A: 뭐? 심하게 다치지 않았기를 바라.
(d) B: 심하게 다쳤어. 꽤 오랫동안 병원에 입원할 것 같아.

run over (사람 · 동물을) 치다

10. (c) not studying → not

(c)의 but 이하는 they were actually not seeing the same pictures로, be동사와 부정의 not까지 남기고 반복된 어순은 모두 생략한다.

(a) 오랫동안 경찰은 범죄의 목격자가 범인을 찾는 데 대단한 도움이 된다고 생각했다. (b) 유명한 심리학자 다니엘 리처드는 40명의 학생들을 대상으로 범죄가 일어나고 있는 장면을 보여 주는 사진들을 보게 하는 실험을 했다. (c) 모든 학생들은 그들이 같은 사진들을 보고 있다고 생각했지만 실제로는 그렇지 않았다. (d) 그리하여 그는 목격의 증거는 잘못될 수 있다는 것과 외부 영향들이 잘못된 기억들을 키울 수 있다는 것을 발견했다.

eyewitness 증인, 목격자 culprit 범인 run an experiment 실험을 실시하다 testimony 증거

UNIT 04

수 일치

Exercise

본책 / 48p

1 includes	2 is	3 personnel	4 has	5 is
6 has	7 consume	8 have been	9 seek out	10 are

1. each로 시작하는 주어에는 항상 단수 동사가 온다.

각 챕터는 개별 독자들이 개념을 그들의 교실에 적용할 수 있도록 도울 문제들을 포함하고 있다.

2. 동명사 drawing을 주어로 하므로 단수 동사가 맞다.

사실적이고 정확하게 초상화를 그리는 것은 습득하기 매우 힘든 기술이다.

3. personnel은 단수와 복수의 형태가 같은 명사로, 복수를 나타낼 때도 personnel을 쓴다.

인사부에는 가장 많은 수의 직원이 있다.

4. liberalism이 주어이므로 단수 동사 has가 적절하다.

네덜란드 문화의 자유주의는 타락이라기보다는 인간 본성과 그 가치를 받아들이는 것과 더 관련이 있다.

liberalism 자유주의 depravity 타락, 부패

5. 〈the number of+복수 명사〉는 항상 단수 동사를 쓴다.

브라질을 여행하는 한국인 여행객 수가 30퍼센트 증가할 것으로 예상된다.

6. five years라는 시간을 하나의 덩어리로 보고 복수 형태이지만 단수로 취급한다.

독일에서 5년이라는 시간으로 나는 다문화주의를 더 알 수 있었다.

appreciate 올바르게 인식하다 multiculturalism 다문화주의

7. 〈percentage+of+명사〉, 〈숫자+of+명사〉의 경우에는 of 뒤에 나오는 명사에 수를 일치시킨다. 따라서 patients에 수를 일치시켜야 하므로 복수형인 consume이 정답이다.

많은 당뇨병 환자들은 적당한 양의 사탕을 섭취한다.

diabetes 당뇨병 moderate 보통의, 중간의

8. half of 뒤에 나오는 명사 cameras가 복수이므로 복수형인 have been이 정답이다.

통계에 의하면 중고 카메라의 절반이 고장이 난 적이 있다고 한다.

9. 〈숫자+of+명사〉의 경우 of 뒤에 나오는 명사가 주어이고 그 명사에 수를 일치시킨다.

수백만 명의 유럽인들이 침술사를 찾는데, 이는 그들의 전통적인 의학으로는 자신들의 병을 고치지 못했기 때문이다.

acupuncturist 침술사 conventional 전통적인

10. 문장에서 진짜 주어는 the effects이고 the volcano eruption will have on diverse ecosystems는 the effects를 꾸며주는 수식어 역할을 하고 있다. 따라서 복수형인 are가 적절하다.

화산 폭발이 다양한 자연 생태계에 미칠 영향이 큰 걱정거리이다.

eruption 폭발

Practice Test

본책 / 49p

1 (d)　2 (b)　3 (a)　4 (b)　5 (c)　6 (a)　7 (d)　8 (d)
9 (a) becomes → become　10 (c) 13 miles are → 13 miles is

1. 주어 자리에 each가 나오면, 그 뒤에 students처럼 복수 명사가 와도 항상 단수 취급한다.

A: 왜 이 학교에 딸을 보내기로 하셨나요?
B: 거기에 있는 각 학생들이 자기주도적인 생각을 할 좋은 기회를 준다고 믿기 때문이에요.

autonomous 자율[자주]적인

2. 〈many a(n)+단수 명사+단수 동사〉 형식을 알고 있어야 한다. many a feminist는 '많은 페미니스트들'이라는 복수의 의미이나 단수 취급한다.

A: 페미니즘의 문제점이 무엇일까?
B: 많은 페미니스트들이 남성처럼 행동함으로써 성차별을 없앨 수 있다고 생각하는 것 같아.

eradicate 근절하다, 뿌리뽑다 gender difference 성차별

3. neither of 뒤에는 항상 복수 명사가 오고 동사는 단수 동사가 온다.

A: 흡연실을 원하세요?
B: 아니요. 저희 둘 다 담배를 피우지 않아요.

4. 주어 yours는 앞서 언급된 screenplay를 가리키므로 단수로 취급해야 한다.

A: 이 영화 대본에 대해서 어떻게 생각해?
B: 네 대본이 훨씬 낫고 좀 더 상상력이 풍부한 것 같아.

screenplay 영화 대본 imaginative 창의적인, 상상력이 풍부한

5. hundred, thousand, million 등이 명사 앞에서 특정 숫자를 나타낼 경우에는 two와 같은 수량 형용사 뒤에 단위 형용사로 사용된 것이므로 복수형을 쓰지 않는다. 따라서 정답은 (c) two thousand dollars이다.

A: 얼마나 많은 보증금을 내야 하는 거야?
B: 보증금은 없어. 그런데 우리는 학교 기숙사에 2천 달러를 미리 지불해야 해.

deposit 보증금, 착수금

6. 〈the number of+복수 명사+단수 동사〉 공식이다. 빈칸 앞의 that 절은 sports programs를 수식한다. the number에는 항상 단수 동사를 쓰는 반면, 〈a number of+복수 명사〉는 항상 복수 취급을 한다.

어른들과 십 대들을 겨냥한 스포츠 프로그램의 수가 점차적으로 증가해 왔다.

steadily 꾸준히

7. neither A nor B의 구문에서는 B에 동사의 수를 일치시킨다. B는 Michael이므로 3인칭 단수형이 적절하다. 〈be expected to+동사원형〉 구문이므로 (d) was expected to가 정답이다.

크리스나 마이클 누구도 패션쇼에 나타날 것이라고 기대하지 않았다.

8. committee는 집합명사로 사용되면 단수 취급하고, 군집명사로 사용되면 집합체의 구성원을 개별적으로 보는 경우이므로 형태는 단수형이지만 복수 취급을 한다. 여기서는 위원회를 하나의 집합체로 해석하는 것이 적절하므로 단수형인 wants가 적절하다.

위원회는 각 잠재력이 있는 총학생회장 후보자들의 추천서를 검토하기를 원한다.

potential 가능성 있는 candidate 후보 student body president 총학생회장

9. (a) becomes → become

(a)의 동사 becomes의 주어는 a large number of disabled students이다. a number of가 주어로 온 경우 반드시 복수 동사가 되므로 becomes는 become이 되어야 한다. a large number of는 a lot of와 같은 표현이며, the number of와 혼동하지 않도록 주의해야 한다.

(a) A: 많은 장애 학생들이 쉽게 낙담하고 학교를 중퇴하고 있다고 들었어.
(b) B: 많은 학교들이 장애 학생들에 대한 나쁜 의견을 갖고 있어. 우리는 그들을 사랑과 관심으로 대해야 해.
(c) A: 학교를 중단하지 않기 위해 각 학교는 장애 학생들을 위한 상담 서비스와 시설을 가지고 있어야 한다고 생각해.
(d) B: 나도 동의해. 가장 중요한 것은 모든 학생들이 편견 없이 그들과 어울리는 거야.

disabled 장애를 가진 drop out of ~에서 중도 하차하다 suspend 유예[중단]하다 prejudice 편견

10. (c) 13 miles are → 13 miles is

거리 단위를 나타내는 명사 mile(s)이 주어로 올 경우에는 단수 동사를 쓴다. 13마일이라는 거리를 하나의 덩어리로 보고 단수로 취급하는 것이다.

(a) 이 대회는 초보자와 경험이 있는 마라톤 주자 모두에게 좋은 하프마라톤이다. (b) 하프마라톤은 풀코스 마라톤과 같은 코스의 경로로 열리는데, 이는 많은 응원이 있다는 것을 의미한다. (c) 비록 거리는 풀코스 마라톤의 절반밖에 안되지만, 13마일은 특히 초보자에게는 달리기에 매우 긴 거리이다. (d) 일단 하프마라톤을 마치면, 모든 참가자들은 영감을 받고 감정을 자극하는 순간을 경험하는 성취감을 느낀다.

seasoned 경험이 많은 endurance 인내, 참을성 accomplishment 성취감 inspirational 영감을 주는

UNIT 05

수동태

Exercise

본책 / 55p

1 consists of	2 allow	3 It was said that	4 declined
5 would be made	6 is peeling	7 to reach	8 need to be made
9 are being filled with		10 has been dedicated	

1. consist of는 수동태를 사용하지 않는 자동사이므로 is consisted of와 같은 수동태 표현으로 사용하지 않는다.

정상 회담은 전 세계 27명의 대표자들로 구성되었다.

summit meeting 정상 회담 representative 대표(자)

2. 주체가 National Museum이며 visitors가 목적어로 나왔으므로 능동형으로 써야 한다. visitors가 주어로 나온다면 수동태 〈be not allowed+to부정사〉가 된다.

국립 미술관은 방문객들에게 사진을 찍거나 비디오로 녹화하는 것을 허락하지 않곤 했다.

3. 사고, 기대, 판단 등을 의미하는 동사들은 that절을 목적어로 취할 때 〈가주어 it+be+p.p.+that절〉의 수동태 문장으로 표현할 수 있다.

미시건 호에 괴물이 산다고 전해졌지만 그것은 단지 미신이었다.

myth 신화, 근거 없는 믿음

4. decline은 자동사로 수동태로 쓰이지 않으므로 능동태가 알맞다.

경기 침체 몇 년 동안 연간 사망률이 감소했다.

decline 감소하다 downturn 경기 침체

5. 결정하는 주체는 사람인데 문장의 주어는 '결정'이므로 동사는 수동태가 적절하다.

오늘 예정된 회의 후에 최종 결정이 이루어질 것이다.

6. 동사 peel은 수동의 의미가 포함되어 있으므로 능동태로 쓴다.

지난 주말에 해변에 갔고 지금 나의 등은 벗겨졌다.

7. to부정사 다음에 a final agreement라는 목적어가 있으므로 to부정사의 능동형인 to reach가 적절하다.

의학 전문가들은 최종 합의를 이룰 수 없었다.

8. 〈need+동명사〉는 '~할 필요가 있다'라는 뜻으로 need to be p.p.로 바꿀 수 있다. '예약이 될 필요가 있다'라는 의미이다.

투어가 매우 인기 있어서 예약을 해야 한다.

9. 주어인 제품들이 다양한 특징들로 '채워지고' 있으므로 수동태를 써야 한다. are being filled with는 수동태 현재진행 시제이다.

제품들은 디지털 카메라와 MP3 플레이어와 같은 유용한 기능들로 매년 채워지고 있다.

10. 경력이 연구 발전에 '헌신된' 것이므로 수동의 표현을 써야 한다.

스티븐슨 교수의 경력은 국제적인 연구를 발전시키는 데 바쳐졌다.

be dedicated to ~에 헌신하다 foster 발전시키다

Practice Test

본책 / 56p

1 (b) 2 (a) 3 (b) 4 (b) 5 (a) 6 (b) 7 (a) 8 (c)
9 (d) leave → left 10 (c) locked in → been locked in

1. 주어가 the award이고 상이 네이마르 선수에게 주어진 것이므로 정답은 (b) was given to이다. 동사 give는 간접목적어가 뒤로 도치되면 전치사 to와 함께 사용한다.

A: 누가 일등이야? 결국 메시가 MVP 상을 받았어?
B: 아니. 상은 네이마르에게 주어졌어.

2. you가 주어이고 주어의 감정이 매우 기쁜 것이 확실하므로 수동형을 사용한다. 따라서 정답은 (a)이다.

A: 마침내 다음 주에 석사 학위를 받을 거야.
B: 축하해. 아주 기쁘겠구나.

exhilarate 아주 기쁘게 만들다

3. 형태는 능동태이지만 수동의 의미를 지니고 있는 동사이다. sell은 이미 수동의 의미가 포함된 경우이며, 보통 easily, well과 같은 부사와 자주 사용된다.

A: 이 새로운 신발은 너무나 인기가 많은 것 같아.
B: 맞아. 그 신발은 저스틴 비버가 신은 후에, 너무나 잘 팔려.

4. 주의해야 할 수동태로서, 주어가 어떤 일을 당하는 것을 나타내는 표현이다. 〈동사 want+목적어+목적격보어 delivered〉 형태로서, 피자가 배달되는 것이므로 수동태를 사용해야 한다. 따라서 정답은 (b) delivered이다.

A: 어디로 피자를 배달할까요?
B: 저의 직장으로 배달해 주세요.

5. need 다음에 to be p.p.나 –ing 형태와 결합해서 수동의 의미를 나타낸다. 주어가 your presentation이므로 (a) needs to be recorded가 적절하다.

A: 네 발표는 내일 아침까지 녹음 되어야 하고 나중에는 온라인으로 이용 가능해야 할 것 같아.
B: 알아. 일을 빨리 마치려고 최선을 다할 거야.

6. 주어인 the strike, 즉 파업이 취소가 된 상황이므로 능동이 아닌 수동의 표현으로 사용해야 한다. 따라서 정답은 (b) has been called off이다.

우리는 파업이 취소가 되었고 모든 비행이 스케줄대로 운행하기 시작할 것을 알려 드리게 되어서 너무 기쁩니다.

call off 취소하다

7. 많은 그림들이 도난 당한 것이므로 수동태의 표현이 적절하다. 따라서 (a) were stolen이 적절하다.

도난을 당한 많은 그림 가운데 한 개는 백만 유로 이상의 가치가 있는 잭슨 폴록의 작품이었다.

8. '고대 중국 예술은 ~라고 말해진다'라는 뜻이므로 수동 표현이 와야 한다. It is said that ~에서 the ancient Chinese art가 주어로 나와서 만들어진 수동태 문장이다. 따라서 정답은 (c) is said to have이다.

고대 중국 예술은 스트레스를 줄이고 더 나은 숙면을 향상시키기 위해서와 같은 다양한 건강의 이로움을 가지고 있다고 전해진다.

9. (d) leave → left

(d)는 if it is left untreated에서 it is가 생략된 구문이다. '치료되지 않은 채 남겨지면'이라는 의미이므로 수동 표현이 적절하다. leave가 left로 고쳐져야 하므로 정답은 (d)이다.

(a) A: 이 흉터는 어떻게 된 거야? 너의 무릎에 흉터투성이야.
(b) B: 야간 산행을 하다가 발을 헛디뎌서 넘어졌어.
(c) A: 예방을 위해서 파상풍 주사를 맞는 게 어떠니?
(d) B: 그럴 거야. 치료되지 않은 채 남겨지면, 더 악화될 거야.

10. (c) locked in → been locked in

해석하면서 주어와 동사의 관계를 제대로 파악해야 하는 문제이다. 승객들이 놀이기구를 탔을 때 단단히 묶였기 때문에 과거완료 수동형을 사용해야 한다. 따라서 (c)의 locked in이 been locked in으로 수동태가 되어야 한다.

(a) 전기 고장으로 인해서 롤러코스터 가장 윗부분에서 멈췄을 때, 30명의 사람들이 거꾸로 매달려져 있었다. (b) 승객들은 30분 동안 50피트에서 꼼짝 못한 채로 있었다. (c) 놀이공원 담당자는 승객들이 단단히 묶여 있었고 위험한 상황은 아니라고 했다. (d) 많은 사람들이 피해에 관한 돈은 모든 승객들에게 보상되어야 한다고 동의했다.

UNIT 06

다양한 때를 나타내는 중요 시제들

Exercise

본책 / 61p

1 will have saved 2 had planned 3 will increase
4 tied the knot 5 have been thinking 6 arrive
7 have decreased 8 won 9 had been
10 will have been teaching

1. 미래의 특정한 시점 이전에 시작되어 by next year라는 미래의 시점에 완료되는 동작은 미래완료 시제 will have saved를 사용해야 한다.

우리는 충분한 돈을 저축해서 내년쯤이면 더 큰 집을 가지게 될 거예요.

2. 눈이 온 시점 이전에 놀이공원을 가려고 계획한 사실을 나타내기 위해서 과거완료 시제 had planned를 쓴다.

그녀와 그녀의 데이트 상대는 놀이공원을 가려고 계획했었지만, 눈이 왔다.

date 데이트 상대 amusement park 놀이공원

3. 주절이 과거 시제(told)이더라도, 이 문장이 언급되고 있는 현재 시점 이후(next year)에 가격이 상승할 예정이라면 미래 시제(will increase)가 쓰일 수 있다. by next year과 같이 〈by+미래 표시 어구〉가 나오면 미래완료 시제를 사용할 수 있다.

그 집주인은 세입자들에게 보증금이 내년에 오를 것이라고 말했다.

landlord 주인, 임대주 tenant 세입자 rent deposit 보증금

4. 명확한 과거를 나타내고 있는 Saturday night이 있기 때문에 정답은 과거 시제 tied the knot이다.

10년 동안 사귄 후 지난 겨울에 약혼을 했던 톰과 그의 여자친구는 토요일 저녁에 캘리포니아에서 결혼을 했다.

tie the knot 결혼을 하다

5. 학업 중단을 10월부터 현재까지 생각하고 있는 중임을 나타내고 있다. 이처럼 과거의 어느 시점부터 현재까지 일어나고 있는 반복적인 동작은 현재완료진행 시제 have been thinking을 쓴다.

나는 지난 10월 이래로 대학 학업을 중단할 것에 대해서 생각해 왔다.

6. By the time은 시간 부사절이므로 미래가 아닌 현재 시제 arrive를 사용해야 한다.

그 소방관들이 화재 현장에 도착할 쯤, 그 갤러리는 타서 재가 되었을 것이다.

7. for the past six months가 단서로, '지난 6개월 동안'이므로 기간의 개념이다. 따라서 현재완료 시제를 써야 한다.

가격이 급상승한 결과로 에어컨 판매가 지난 6개월 동안 30퍼센트 감소하였다.

8. at the Sundance film festival이 있는 것으로 보아, 과거에 열린 그 영화제에서 상을 받지 못했다는 문맥을 만드는 과거 시제가 빈칸에 필요하다. 따라서 과거 시제 won이 정답이다.

그 다큐멘터리 영화가 선댄스 영화제에서 최고 작품상을 받은 것은 놀랍지도 않다.

9. thinking 다음의 절에 would not have been이 왔다. 따라서 테스의 부모가 등록금과 생활비를 대줄 형편이 아니라고 테스가 생각했던 시점이 과거이므로, 테스가 대학에 지원하기를 망설였던 시점이 과거 또는 과거 이전임을 알 수 있다. 따라서 과거 이전 시점을 나타내는 과거완료 시제 had been이 정답이다.

테스는 그의 부모님이 등록금과 생활비를 대줄 형편이 아니라는 생각에, 사립 대학에 지원하는 것에 결정을 내리지 못했다.

tuition 수업료, 등록금

10. 어느 시점 이전에 시작한 미래의 어느 시점까지 계속 진행되는 상황은 미래완료 진행형을 써야 하므로 will have been teaching이 정답이다.

런던으로 떠날 때쯤이면 피오나는 대학에서 5년을 가르친 셈이 된다.

Practice Test

본책 / 62p

1 (b)　2 (a)　3 (d)　4 (b)　5 (c)　6 (b)　7 (a)　8 (d)
9 (c) has already started → will have started
10 (a) didn't register → have not been registered

1. 노력하는 것(tried to pretend)보다 더 이전에 이미 울고 있었으므로 과거완료진행 시제 (b) had been crying이 가장 알맞다.

A: 어제 병문안을 갔을 때 캐서린은 어땠니?
B: 그녀는 병이 완치될 수 있는 척하려고 노력했지만 울고 있었다는 것을 알 수 있었어.

2. 두 사람이 대화를 나누는 시점에서 A가 B에게 얘기하자고 말한 것는 이미 과거의 일이므로 과거 시제를 쓴 (a)가 정답이다.

A: 안녕, 톰. 얘기할 만한 시간 좀 있니?
B: 미안해. 때가 좋지 않을 때 만났구나. 나 지금 정말 바빠.

3. '지금까지'를 의미하는 until now가 있으므로 과거부터 현재까지 전시를 본 적이 없다고 말하는 현재완료 형태가 알맞다.

A: 뭉크의 전시는 어땠어요?
B: 환상적이었어요! 지금까지 그의 그림을 미술 박물관에서 직접 본 적이 없었거든요.

4. 현재완료로 물었지만 특정한 과거를 나타내는 부사 in 2012가 있으므로 과거 시제를 써야 한다.

A: 아일랜드에 가 본 적 있니?
B: 응, 2012년에 가족과 함께 더블린에 가 봤어.

5. 완료 시제와 현재/ 현재진행 시제가 모두 나오므로 까다로워 보이지만 and now와 대조되므로 빈칸에는 과거 시제가 필요하다.

A: 에바가 대학을 중퇴한 후에 뭘 하는지 궁금해.
B: 내가 듣기로는 여러 가지 일을 하다가 요즘에는 유모를 하고 있대.

6. 마라톤을 완주한 것은 집에 돌아올 무렵보다 앞선 일이므로 대과거 had finished를 쓴다.

제시카와 그녀의 동료들은 마라톤 완주를 마쳤었기 때문에 집으로 돌아갔을 때쯤 완전히 지쳐버렸다.

be dead on one's feet 녹초가 되어 있다

7. by the next quarter는 미래 시제이며 그 시점까지 계속 증가하는 것이므로 미래완료 시제를 써야 한다.

한국 경제 연구기관에 따르면 상류층 소득 수준은 다음 분기까지 증가할 것이다.

8. not long A before B는 'B하기 오래 전에 A한 것은 아니다'라는 뜻으로 'A하고 나서야 비로소 B하다'의 의미이다. 의미상 A는 B 이전에 일어난 일이므로 A는 B보다 앞선 시제로 나타낸다. before 이하의 시제가 과거이므로 빈칸의 시제는 대과거인 had p.p.가 알맞다.

우리는 결혼한 후 얼마 되지 않아서 시애틀에 살기 위해 왔다.

9. (c) has already started → will have started

미래 특정 시점 이전에 시작되어서 미래 특정 시점에 완료되는 일을 나타낼 때는 미래완료 시제를 쓰므로 (c) has already started는 will have started로 고쳐야 한다.

(a) A: 뮤지컬이 8시에 시작하는데 벌써 7시 40분이나 되었어!
(b) B: 택시 대신에 지하철을 탔어야 했어.
(c) A: 맞아. 극장에 도착할 때쯤이면 이미 영화는 시작했을 거야.
(d) B: 지금 서두르면 우리는 처음 몇 분만 놓칠 거야.

10. (a) didn't register → have not been registered

정확한 과거의 시점을 나타내는 when you withdrew와 since January와 같은 계속적인 표현이 있는 경우에는 현재완료 have not been registered가 문맥상 가장 적절하다.

(a) 당신이 학교를 중단한 2014년 1월 이후로 재등록을 하지 않은 것을 저희가 알게 되었습니다. (b) 제프리 교수님께서 당신이 이번 학기에 어떠한 수업도 등록하지 않았다고 확인하셨습니다. (c) 이번 여름학기를 위한 재등록을 어전히 희망하는지를 저희에게 알려 주면 좋을 것 같습니다. (d) 그리고 우리가 이 정보를 받을 때까지 당신이 등록했다는 편지를 써 줄 수는 없습니다.

UNIT 07

틀리기 쉬운 조동사

Exercise

본책 / 67p

1 than　2 couldn't　3 need not　4 could have gone
5 wouldn't have been　6 should　7 might　8 Need
9 may well　10 cannot be

1. would rather A than B는 관용적인 표현으로 'B하는 것보다 차라리 A하는 것이 더 낫다'라는 의미이다.

빈둥거릴 바에야 나는 나의 일을 하겠다.

2. 차가 정비소에 있다는 근거가 나오므로 강한 부정적 추측을 의미하는 couldn't have p.p.가 자연스럽다.

너는 주차장에서 내 차를 보았을 리가 없어. 그건 정비소에 있거든.

3. need와 dare 모두 부정문이나 의문문에서 조동사로 사용이 가능하며, 조동사로 쓰일 경우에는 뒤에 항상 동사원형이 온다. 여기서는 문맥상 '~할 필요가 없다'는 의미의 need가 알맞다.

학생들은 어제 기말 리포트 마감 기한을 지켰기 때문에 꾸물거림에 대해 죄책감을 느낄 필요가 없다.

procrastination 꾸물거림, 지연

4. could have p.p.는 자주 출제되는 〈조동사+have p.p.〉의 형태로서 '~할 수도 있었다'라는 의미로 문맥상 가장 잘 어울린다.

그녀는 케임브리지 대학에 갈 수도 있었지만 미국의 브라운 대학을 선호했다.

5. '~하지 않았을 수도 있다'라는 의미를 지니고 있으며 without 구절과 함께 쓰이면서 가정법의 종속절의 역할에 나오는 〈would+현재완료〉 형태로 사용되었다.

많은 사람들의 도움이 없었다면 이 책은 불가능했을 것이다.

6. 주장을 나타내는 경우에는 조동사 should가 적절하다.

흉터들이 잘 제거되기를 원한다면, 하루에 두 번씩 연고를 발라야 합니다.

ointment 연고

7. 배터리를 닳게 했을지도 모른다는 추측의 문맥이므로 불확실한 추측을 나타내는 조동사 might가 정답이다.

밤새 휴대폰으로 음악을 재생한 것이 배터리를 닳게 했을지도 모른다.

run out of ~을 다 써버리다, ~이 없어지다

8. need는 의문문에서는 그 자체가 조동사로 사용될 수 있다. 주어 뒤에 동사원형이 나오므로 be동사는 적절하지 않다.

제가 물리학 수업이나 수학 수업을 듣는 것을 내일까지 중단해야 하나요?

9. 조동사의 관용적 표현으로 '~하는 것도 당연하다'라는 의미의 may well이 문맥상 자연스럽다. may as well은 '~하는 편이 낫다'라는 의미이다.

나의 엄격한 식단과 운동이 매우 성공적이어서 친구들이 나를 알아보지 못하는 것도 당연하다.

10. 문맥상 문장 끝의 enough로 보아 '아무리 ~해도 지나치지 않다'라는 뜻이 되어야 하므로 cannot be가 정답이다.

박물관에서 시끄럽고 불쾌하게 구는 것은 아무리 심하게 비판을 받아도 지나치지 않는다.

obnoxious 아주 불쾌한 harshly 엄격히, 엄하게

Practice Test

본책 / 68p

1 (a) 2 (a) 3 (d) 4 (b) 5 (c) 6 (a) 7 (b) 8 (a)
9 (b) wouldn't → shouldn't 10 (b) should take → takes

1. 유통 기한 날짜를 확인했냐고 물었을 때 No라고 대답한 후 확인하지 않은 행동에 대한 후회가 오는 것이 자연스러우므로 should have checked가 정답이다. 동사 checked는 생략 가능하다.

A: 냉장고에 있는 우유팩에 쓰여 있는 유통 기한 날짜를 확인했어?
B: 아니. 확인했어야 하는데.

milk carton 우유팩

2. would rather A than B는 'B보다는 A가 낫다'라는 의미이므로 문맥상 (a)가 적절하다.

A: 나는 너와 미술관에 갈 수 없어. 그런데 멜리사는 가능해.
B: 멜리사랑 갈 바에야 예약을 취소하는 것이 더 나을 것 같아.

3. 배상금으로 2만 달러를 지급하라는 판결이 있었다고 하므로 그녀가 소송에서 이겼다고 확신하는 내용이 적절하다. 그러므로 '~했음이 틀림없다'라는 뜻의 must have p.p.가 가장 자연스럽다.

A: 올리비아가 자동차 사고 소송에서 승소한 것이 틀림없어요.
B: 맞아요. 판사가 손해 배상금으로 2만 달러를 그녀에게 지급하라고 판결했어요.

lawsuit 소송 damages 손해 배상금

4. could have p.p.는 '~했을지도 모른다, ~했을 수도 있다'라는 뜻으로 실제로 행위가 이루어지지 않은 경우나 행위가 이루어졌는지 여부가 불명확한 경우에 사용한다. 뒤에 by mistake로 보아 문맥상 가장 적절한 것은 (b)이다.

A: 사무실에 내 서류들을 찾을 수가 없어. 본 적이 있니?
B: 네가 실수로 그것들을 내 차에 두었을지도 몰라.

5. 과거에 당연히 했어야 했는데 하지 않아서 후회가 되고 매우 아쉽다는 의미이므로 문맥상 '~했어야 했다'를 의미하는 (c)가 정답이다.

A: 우리는 바르셀로나에서 축구 경기 표를 구할 수 없었어.
B: 너는 온라인으로 예약했어야 했어.

6. need not have p.p.는 '~할 필요가 없었는데 (그렇게 해서 매우 유감이다)'라는 의미로, 과거 사실에 대한 유감을 표현할 때 사용한다.

A: 데이터를 살펴보느라 한숨도 못 잤어.
B: 오, 그럴 필요가 없었는데. 안드레아가 우리의 데이터를 분석하고 컴퓨터에 저장해 두었어.

not sleep a wink 한숨도 자지 않다 sort through ~을 자세히 살펴보다 retain 보유하다

7. 조동사의 관용적인 표현인 cannot ... enough[to]는 '아무리 ~해도 지나치지 않다'라는 의미로, enough를 통해 cannot을 쉽게 선택할 수 있다.

온전한 정신을 위해 균형 잡힌 신체를 유지하는 것의 중요성은 아무리 강조해도 지나치지 않다.

emphasize 강조하다 well-balanced 균형이 잡힌

8. 어떤 이론은 가능성을 이야기하는 것이므로 비행기의 납치 등의 상황을 추측하는 맥락이 적절하다. 따라서 '~였을 수 있다'는 강한 추측을 나타내는 (a)이다.

사라진 비행기에 대한 새로운 이론은 비행기가 납치나 조종권을 장악하기 위해 휴대폰을 이용한 방해였을 수 있다는 것이다.

hijack 납치하다 sabotage 방해하다 take over 인계받다, 탈취하다

9. (b) wouldn't → shouldn't

섬에 태풍이 올 예정이므로 (b)에서 여행 일정을 바꾸는 것이 낫겠다고 충고하고 있으므로 wouldn't가 아니라 '~하면 안 된다'는 의미의 shouldn't가 적절하다.

(a) A: 이번 주말에 오키나와로 여행할 계획이야.
(b) B: 그러면 안 돼. 여행 일정표를 바꾸는 것이 낫겠어.
(c) A: 왜? 이미 호텔과 비행기 표를 다 예약해 버렸어.
(d) B: 기상청에서 태풍이 이번 주 오키나와를 강타할 거라고 경고했어.

itinerary 여행 일정표

10. (b) should take → takes

(b)의 should take some time은 '시간이 걸려야 한다'라는 의미이므로 문맥상 어색하다. 조동사 should를 삭제하고 일반적인 사실을 나타내는 현재 시제 takes로 바꾼다.

(a) 많은 사람들은 외국에 처음 도착했을 때, 아무리 오랫동안 사람들이 해외에 거주했을지라도, 문화적 충격과 마주한다. (b) 그것은 그렇게 충격적이지도 않고, 그렇게 오래 연장되지 않지만 새로운 관습들과 규칙들에 적응하는 것은 약간의 시간이 걸린다. (c) 문화적 충격의 증상들은 다른 시간들과 다른 수준으로 몇 단계에 걸쳐서 나타날 수 있다. (d) 우리 모두는 우리가 어떻게 대처할 지에 대해 결정하는 것을 도와줄 수 있는 다른 성격들과 경험들, 배경들을 갖추고 있다. 그러나 결국에 새로운 문화를 대처하고 받아들이는 것은 인생을 형성하는 경험이 될 수 있다.

encounter 맞닥뜨리다 come equipped with ~가 장착되다 cope 대처하다

UNIT 08

가정법 시제 및 if 이외의 가정법 표현

Exercise

본책 / 74p

1 would	2 had gone	3 do
4 had not saved	5 wouldn't answer	6 had been
7 would have made	8 be	9 had studied
10 be evacuated		

1. 현재 사실의 반대를 의미하는 가정법 과거 문제로, if절에 과거 시제 동사가 왔으므로 주절에는 would가 알맞다.

네가 우리에게 한 가지 충고를 줘야 한다면, 어떤 것일까?

2. 〈would rather (that)+주어+동사의 과거형〉은 '~하는 편이 낫겠다'라는 의미이다. yesterday라는 시제로 인해서 그 이전의 시제를 사용하는 것이 알맞으므로 과거가 아닌 과거완료가 문맥상 잘 어울린다.

그들이 어제 박물관에 갔더라면 더 좋았을 텐데.

3. 제안을 나타내는 동사 suggest 다음에는 〈that+주어+(should)+동사원형〉의 형태가 나와야 한다. 이때 should는 생략 가능하므로 동사원형 do가 정답이다.

의사는 환자들이 매일 다양한 종류의 신체활동을 할 것을 제안했다.

4. if절에 과거완료, 주절에 과거 시제를 쓰는 혼합가정법 문제이다. if절에 있는 at that time과 주절에 있는 now가 힌트이다. if절과 주절의 시제도 차이가 있어야 한다. if절이 가정법 과거완료이므로 주절은 가정법 과거이다. 그러므로 정답은 had not saved이다.

그 당시에 저축하지 않았으면, 지금도 여전히 빚더미 속에 있을 거야.

5. 가정법 과거 문제이다. if절에 were가 있는 것으로 보아, 현재 사실의 반대를 주장하는 가정법 과거 문제이다. 따라서 정답은 〈would+동사원형〉 형태의 wouldn't answer이다.

내 상사가 전화해도, 나는 주말에는 받지 않을 것이다.

6. 가정법을 사용하는 또 하나의 표현이 있는데, as if로 '마치 ~인 것처럼'이라는 의미이다. 〈as if+가정법 과거완료〉로서 과거의 어느 시점까지의 경험의 반대를 가정하고 있다.

조시는 마치 나와 오랫동안 가까운 동료로 지내온 것처럼 말했다.

7. 과거 사실에 대한 가정이므로 과거완료를 사용해야 한다. if절에 had arrived가 있으므로 가정법 과거완료의 문장이다. 따라서 종속절에는 would have made가 와야 한다.

구급차가 일찍 도착했었다면, 자동차 사고 희생자는 살았을 것이다.

8. demand 요구를 의미하는 동사 다음에 that절이 나오면 그 안의 시제는 《(should)+동사원형》을 쓴다.

힌두 카스트제도의 계급적 성질은 특정한 특권층을 위해서 기꺼이 모든 것을 희생하려는 낮은 계층들을 요구했다.

hierarchical 계급[계층]에 따른 privilege 특전, 특권

9. if절에 가정법 과거완료 시제가 올지 과거 시제가 올지를 묻는 문제이다. 의미상 대학에서 공부를 해 온 과거의 일이 현재에 영향을 주는 것이므로 과거완료 시제가 알맞다. 종속절에 과거 시제가 왔다고 해서 studied를 고르면 안 되며, now 등의 단서를 통해 혼합가정법 문제임을 파악하도록 한다.

내가 대학에서 법을 공부했더라면 지금 훨씬 돈을 많이 벌 텐데.

10. if절의 were로 보아 가정법 과거 문장이므로 주절에는 〈could+동사원형〉이 와야 한다. 따라서 정답은 be evacuated이다.

만약 태풍에 대한 경고 시스템이 있다면, 지역주민들이 안전하게 피난할 수 있을 텐데.

evacuate 피난시키다

Practice Test

본책 / 75p

1 (c) 2 (b) 3 (a) 4 (a) 5 (b) 6 (b) 7 (a) 8 (c)
9 (c) summits → (should) summit 10 (d) paid → had paid

1. 현재나 미래에 대한 이룰 수 없는 소망을 나타내고 있으므로 wish 다음에 가정법 과거를 써서 I wish he could로 표현해야 한다.

A: 에바는 주말에 희재의 송별파티에 오니?
B: 그러면 좋겠는데 오늘 밤 알래스카로 떠나.

2. 〈would rather+주어+가정법 과거[과거완료]〉의 어순을 묻는 문제이다. 과거 시제가 오지만 현재 사실에 대한 반대를 의미한다는 점을 알아 둔다.

A: 히터를 꺼도 될까요?
B: 끄지 않는 것이 낫겠어요.

3. 혼합가정법 문제이다. 과거의 일(earlier today)에 대한 가정이기 때문에 가정법 과거완료가 와야 한다.

A: 아직도 보고서를 못 끝냈니?
B: 아직 못했어. 오늘 더 일찍 시작했더라면, 지금쯤 테니스를 칠 수 있을 텐데.

4. wish 가정법 문제이다. last week에서 과거 시점을 명시하고 있으므로 가정법 과거완료 시제를 써야 한다.

A: 회의에 뭐 입을 거야?
B: 회색 양복을 입고 싶지만 양복을 드라이해서 다림질을 하는 게 필요해. 드라이 클리닝점에 지난주에 드라이 클리닝점에 갔었더라면 좋았을 텐데.

5. if가 생략되어서 도치가 된 가정법 과거완료의 형태를 찾는 문제이다. 종속절에 would never have been solved가 왔으므로 과거완료 형태가 와야 하므로 정답은 (b)이다.

자세한 조사가 없었더라면, 그 사건은 결코 해결되지 못했을 것이다.

6. had canceled가 과거완료이므로 가정법 과거완료를 써야 하지만 주절에 now라는 시간부사가 있으므로 혼합가정법 문제라는 것을 알 수 있다. 따라서 과거 시제인 (b) would be가 정답이다.

보험을 해약했었다면, 지금도 치료비로 빚더미 속에 있을 거야.

7. 이성적 판단을 나타내는 형용사(crucial) 뒤에는 〈that + 주어 + should + 동사원형〉을 사용해야 한다. 여기서 should는 생략될 수 있으므로 동사원형 (a) have가 정답이다.

모든 학생이 동일한 문화와 교육 기회를 가지는 것이 중요하다.

8. 가정법 미래 구문 If you should have에서 If가 생략되었고 주어와 동사가 도치되어 Should you have 어순이 되어야 한다.

이 호텔에서 서비스에 대한 어떤 궁금한 사항이 있으시면, 주저하지 마시고 우리에게 연락하세요.

9. (c) summits → (should) summit

의무를 나타내는 이성적 판단 형용사 important가 나왔으므로, 종속절에는 〈should + 동사원형〉이 와야 한다. 따라서 summits를 (should) summit으로 바꾸어야 한다.

(a) A: 왜 요셉은 그 지원서를 쓰는 데 그렇게 오래 걸리니?
(b) B: 그는 제출하기 전에 검토 중인 것 같아.
(c) A: 응, 그가 그 3시까지 온라인으로 제출하는 것이 필수야.
(d) B: 알았어. 제시간에 맞추라고 그에게 꼭 상기시켜 줄게.

application form 지원서 remind 상기시키다 imperative 필수적인

10. (d) paid → had paid

(d)의 if절은 문맥상 과거의 일을 나타내므로 과거완료 시제가 와야 한다. 주절의 today는 일종의 함정으로, 현재의 경험의 내용을 말하고 있으므로 혼합가정법 문장이라는 것을 알 수 있다. 따라서 if절을 가정법 과거완료로 사용하여 if the company had paid로 써야 한다.

지난 6개월 동안 K-마트에서 일하는 10명의 판매직원들이 하지정맥 증상으로 치료를 받아 왔다. 그들은 짧게 서 있는 시간과 충분한 휴식시간과 같은 좀 더 나은 직업 환경을 위해서 목소리를 높여 왔으나 경영진에 의해서 거절당했다. 노조는 서서 일하는 시간을 요구하는 직업들이 하지정맥 발병의 위험을 증가시킬 수 있다고 말하고 있다. 또한, 그들은 회사가 직원들에게 건강에 대해서 좀 더 주의 깊은 관심을 가졌었더라면, 오늘날 직원 부족 현상을 경험하지는 않았을 거라고 말하고 있다.

varicose vein 하지 정맥 labor union 노조

UNIT 09

형태에 주의해야 할 분사구문

Exercise

본책 / 80p

1 Accused
2 injured
3 With his eyes closed
4 depriving
5 comforting
6 offered
7 related
8 There being
9 All things considered
10 fixed

1. 체포되기 전에 혐의가 제기된 것이므로 Having been accused가 가장 적절하다. 분사구문에서 Having been은 문두에 왔을 때, 생략할 수 있으므로 정답은 Accused이다.

ABC 가게에서 2개의 핸드폰을 훔친 혐의로, 그 노숙자는 어젯밤에 체포되었다.

accuse 고발하다, 혐의를 제기하다 arrest 체포하다

2. 5명의 사람들이 다침을 당한 것이므로 수동의 의미인 과거분사 injured가 적절하다.

그 공격은 10명의 사람들을 죽게 했고 5명의 사람들을 다치게 했다.

3. 〈with+(대)명사+분사〉 표현이다. 눈이 감겨지는 것이므로 분사 자리에 과거분사 closed를 사용해야 하다.

눈을 감고, 그는 어떻게 어머니의 마음을 바꿀 지 생각했다.

4. 쉼표 뒤에는 동시 상황을 보여 주는 분사구문이 와야 하므로 and it deprives로 표현하거나 접속사와 주어를 생략한 후 동사 뒤에 -ing를 사용한 depriving이 정답이다.

뇌졸중은 산소를 빼앗아 가면서, 뇌로 가는 피의 흐름이 차단될 때 일어난다.

5. 그가 내린 결정(his decision)이 주어이고 결정 자체가 부인에게는 매우 편안한 상황이었으므로 능동형인 comforting이 적절하다.

그의 현재 회사에서 머물려는 그의 결정은 그의 부인에게는 매우 편안한 것이었다.

6. 주체가 advice이므로 수동 의미의 과거분사를 사용한다. 여기서 문장의 동사는 was ignored이므로 advice를 꾸며주는 offered의 형태가 가장 적절하다.

그에게 제공되는 모든 충고는 그는 단지 들으려 하지 않기 때문에 무시되었다.

7. 문맥상 주어인 컴퓨터가 '관련된' 일들을 할 수 있다는 내용이 자연스러우므로 과거분사 형태인 related with가 적절하다.

수를 계산하는 것뿐만 아니라, 컴퓨터는 일반적으로 인간의 의사 결정과 관련된 몇몇 일들을 할 수 있다.

8. Because there is no seats에서 접속사를 생략한 형태이며, 주어가 다르기 때문에 There는 남아 있다. 또한, 시제가 같으므로 be동사는 그대로 남아 현재분사 -ing로 표현한다. 따라서 정답은 There being이다.

교실에는 앉을 자리가 없기 때문에, 나는 강의 내내 줄곧 서 있어야 했다.

9. All things considered는 '모든 것을 고려해 봤을 때'라는 의미의 관용적인 표현이므로 꼭 기억해 둔다. considering이 아닌 considered가 쓰이는 것이 중요하다.

모든 일들을 고려해 봤을 때, 나는 겨울에 인도를 여행하는 것이 낫다.

10. alarm이 고쳐지는 것이므로 과거분사를 사용해야 한다. 따라서 fixed가 정답이다.

A: 내 알람이 갑자기 울리지 않아.
B: 너무 걱정하지 마. 내가 내일까지 고쳐 줄 수 있어.

Practice Test

본책 / 81p

1 (b) 2 (a) 3 (b) 4 (a) 5 (b) 6 (a) 7 (d) 8 (b)
9 (d) Having had not → Not having had 10 (a) cross → crossed

1. putting it simply는 '쉽게 말해서'라는 의미를 지닌 독립분사구문의 표현이다.

A: 나는 그를 이해할 수가 없어. 그는 우리가 시간이 많지 않다는 것을 알아. 그런데 그는 절대로 일들을 서두르지 않아.
B: 간단히 쉽게 말해서, 네가 그에게 더 압력을 줄수록 그는 더 저항할 거야.

2. As it was as messy as could be를 분사구문으로 바꾼 문장인데 접속사는 생략이 가능하고 주절과 주어가 다르므로 거실을 나타내는 it은 그대로 사용해야 한다.

A: 와우. 정말 아름다운 거실이구나.
B: 거실이 너무 지저분해서, 3시간 동안 청소를 했어.

messy 지저분한

3. Because I am introverted이므로 접속사를 생략하고 주절과 같은 주어 I도 생략이 가능하다. 따라서 정답은 (b) Being이다.

A: 이번 주말에 스터디 그룹에 참여하는 게 어때?
B: 내성적이라서, 저는 혼자 공부하는 것이 그룹으로 공부하는 것보다 더 나아요.

introverted 내성적인

4. 분사구문의 관용적인 표현 중 하나인 judging from '~으로 판단하건대'가 쓰였으므로 정답은 (a)이다.

A: 그녀는 영어가 모국어인 사람이니?
B: 그녀의 악센트로 판단하건대, 그녀는 영국인이야.

5. Once they are merged의 문장인데, 접속사 Once는 문장에서 생략하지 않았고 두 문장의 주어가 일치해서 they are는 자연스럽게 생략이 가능하므로 정답은 (b) merged이다.

A: 노스 아틀란틱 항공사가 아이슬란드 택배 회사를 인수할 거라는 것이 사실이야?
B: 맞아. 두 회사가 합병되면 이익이 있을 거야.

merge 합병하다 take over 인수[합병]하다

6. 주절의 주어가 the shopping mall이므로 스스로 짓는 것이 아니라 지어진 것이다. 따라서 수동의 의미를 가진 분사구문인 (a) Built가 정답이다.

매우 최근에 세워졌지만, 그 쇼핑몰은 붕괴될 위험이 있다.

collapse 붕괴되다, 무너지다

7. 그 충돌 사고는 많은 사람들을 갇혀 두게 했으므로 현재분사 causing이 적절한 형태이다.

다중 충돌 사고가 50번 고속도로에서 일어났고, 많은 사람들이 몇 시간 동안 교통체증으로 갇히게 되었다.

multi-vehicle collision 다중 자동차 충돌

8. 인터뷰를 망친 것은 그녀가 채용된다는 희망을 포기한 것보다 더 이전의 시제이므로 완료분사구문을 사용해야 한다. 따라서 Having screw up이 적절하다.

최종 취업 인터뷰를 망쳐버렸기 때문에, 그녀는 채용된다는 희망을 포기했다.

screw up (일을) 망치다

9. (d) Having had not → Not having had

분사구문의 부정형을 쓸 때는 분사 앞에 not을 사용하고, 아직 인도에 가 본 경험이 없었던 시점이 더 이전이므로 분사구문의 완료형 having p.p.가 쓰였다.

(a) A: 친구들과 여행을 떠날 날짜를 맞출 수 없을 때는 무엇을 했었니?
(b) B: 여행사를 찾았어. 그들은 솔로 여행객들에게 여행 동반자를 제공해.
(c) A: 정말? 비슷한 생각을 가지고 있는 여행객들과 함께 짝을 지어주는 건 정말 좋은 생각이구나.
(d) B: 맞아. 혼자 인도에 방문한 경험이 없어서, 나는 그들에게 그러한 사람을 요청했어.

10. (a) cross → crossed

(a)의 sitting with your legs cross에서 다리는 동작을 받는 수동의 입장이므로 과거분사 crossed로 표현되는 것이 맞다. 〈with+분사구문〉은 '~한 상태로', '~하면서'라는 의미로 부대 상황을 나타낼 때 사용하는 표현이다.

(a) 사람들이 많은 시간 다리를 꼰 채로 앉아 있으면 혈액순환 감소, 정맥류, 요통과 고혈압과 같은 건강 문제를 일으킬 수 있다. (b) 만성적으로 다리를 꼬는 사람들은 아마도 앉아 있는 사무직이거나 운동 부족일 수 있다. (c) 특히, 다리를 꼬는 것은 등의 근육에 균형이 맞지 않은 긴장을 준다. (d) 그리고 배근을 긴장시키는 동안 복근을 세게 잡아당겨서 후에 더 많은 문제를 야기할 수 있다.

circulation (혈액) 순환 varicose veins 정맥류 chronic 만성적인 sedentary 주로 앉아서 하는 disproportionate 균형이 안 맞는 lumbar 요추의 back muscle 배근 abdominal muscles 복근 down the road 장래에

UNIT 10

동명사와 to부정사 비교

Exercise

본책 / 87p

1 to help　2 never to sleep　3 having spent　4 confess to having
5 considering　6 not to take　7 to be endured　8 to hit
9 to use　10 there being a blackout

1. offer는 to부정사를 목적어로 취하는 동사로 '~하겠다고 제의하다'라는 의미이다.

여배우는 학교 점심값을 지불할 수 없는 학생들에게 약 백만 달러를 기부함으로써 도와주겠다고 했다.

2. <make it a rule to+동사원형>은 '~하기로 정하다'라는 의미이며, 부정어는 to부정사 앞에 붙는다.

학기 중에 나는 낮에 잠을 자지 않는 것을 규칙으로 삼았다.

3. 이미 돈을 써 버렸으므로 문장의 시제보다 동명사의 시제가 더 이전일 경우에 사용하는 완료형 동명사 표현 having p.p.가 와야 한다.

주식과 펀드에 그 많은 돈을 다 투자해 버렸던 것이 후회스럽다.

4. confess to 뒤에는 동명사가 오며, '~을 고백하다'라는 의미이다.

그 전과자는 범죄를 저지른 사실을 자백하기를 거부했다.

ex-convict 전과자

5. consider는 동명사를 목적어로 취하므로 전치사 of는 쓰지 않는다.

우리는 〈뉴욕 타임즈〉를 정기 구독할까 고려하고 있다.

subscribe to ~을 정기 구독하다

6. decide는 to부정사를 목적어로 취하는 동사이다. 또 to부정사를 부정할 때는 to부정사 앞에 not이나 never를 붙인다.

주의 깊은 고심 후, 앨리사는 런던 마라톤에 참가하지 않기로 했다.

7. 명사를 수식하는 to부정사의 형용사적 용법이다. 직역하면 '여성에 의해 견뎌내지는 어려움'을 뜻하기 때문에 to부정사가 쓰였다.

남성 중심의 사회에서는 여성이 견뎌야 할 많은 어려움들이 있다.

hardship 어려움　endure 견디다　male-dominated 남성 주도[우위]의

8. 〈expect+목적어+to부정사〉의 수동태는 〈주어(목적어)+be expected+to부정사〉의 형태이다.

거센 바람과 폭우가 주말까지 런던과 브라이튼을 강타할 것으로 예상된다.

9. 동사 warn은 〈warn+목적어+to부정사〉의 형태로 쓰이므로 to use가 정답이다.

정형외과 의사는 나에게 인체 공학적으로 디자인된 의자를 사용하라고 경고했다.

orthopedist 정형외과 의사 ergonomically 인체 공학적으로

10. 전치사 despite의 목적어로 명사 역할을 하는 동명사(구)가 와야 한다. 문장 전체의 주어는 most students로 동명사의 주어와 다르기 때문에 의미상의 주어인 there를 동명사 앞에 써야 한다. 전치사 뒤에 〈주어+동사〉로 이루어진 절은 올 수 없다.

건물 내부에 정전이 있었음에도 불구하고, 대부분의 학생들은 건물을 나가지 않고 교실에서 공부를 계속했다.

blackout 정전

Practice Test

본책 / 88p

1 (b) 2 (a) 3 (a) 4 (d) 5 (d) 6 (a) 7 (b) 8 (a)
9 (b) of buying → to buy 10 (d) to be implementing → to be implemented

1. forget은 목적어로 동명사가 올 때와 to부정사가 올 때의 의미가 다른 동사이므로 해석을 통해 빈칸에 적절한 것을 골라야 한다. '~할 것을 잊었다'는 내용이므로 to부정사가 정답이다. 시제가 다를 이유가 없으므로 완료형 to부정사인 (a)는 옳지 않다.

A: 약 상자 가져왔니?
B: 이런. 챙기는 걸 잊었네. 깜박했어.

slip one's mind 잊어 버리다

2. recommend는 동명사를 목적어로 취하는 동사이며, 뒤에 that절이 올 경우 주어와 동사가 모두 갖추어져야 한다. (d)는 과거 시제이므로 적절하지 않다.

A: 우리는 이번 겨울 런던에 갈 거예요. 조언할 게 있나요?
B: 자연사 박물관에 가는 것을 강력히 추천해요. 볼 것이 아주 많거든요.

3. there is chance of –ing의 관용적인 표현의 어순을 묻는 문제이다. 동명사 happening의 의미상의 주어 that은 of 뒤에 온다.

A: 내가 SAT 시험에서 가장 높은 점수를 받은 것 같아.
B: 이봐. 그 일이 발생할 가능성은 거의 없어.

4. 동사 expect는 다른 동사를 목적어로 할 경우 to부정사 형태로 취한다. 빈칸 뒤에 pass의 목적어인 it이 있으므로 능동태가 되어야 한다.

A: 테리가 내일 기말시험에서 어떨 것 같아?
B: 그가 쉽게 통과할 거라 예상하고 있어.

5. anticipate는 목적어로 동명사를 취한다.

A: 음. 칠레는 최상위인 스페인과의 월드컵 예선전에서 최선을 다했어요.
B: 이미 질 거라고 예상은 했지만 이렇게 큰 차이로 패할 줄은 몰랐어요.

qualifier 예선전 anticipate 예상하다

6. 문맥상 '잇몸을 강화하기 위해서'라는 의미가 되어야 하므로 목적을 나타내는 부사적 용법으로 쓰인 to부정사구가 적절하다.

일부에서는 스케일링이 치아를 약하게 한다고 주장하지만, 대부분의 치과 의사들은 충치 예방을 위해 스케일링을 권장한다.

scaling 스케일링 tooth decay 충치

7. to부정사의 관용적 표현 〈have no choice but+to부정사〉를 묻는 문제이다. 문맥상 '~할 수밖에 없었다'라는 의미로, but 뒤에 동명사가 아닌 to부정사가 와야 한다.

중요한 정보들을 빠트렸기 때문에 제프리는 제안된 합병과 인수 건에 대한 그의 발표를 연기할 수밖에 없었다.

merger 합병 acquisition 인수

8. hesitate는 뒤에 to부정사를 취하는 동사이며, 주어인 앤드류가 제니에게 데이트를 신청하는 것이므로 수동형은 적절하지 않다.

앤드류는 제니에게 데이트를 신청하는 것을 망설였는데, 그녀가 남에게 자기 얘기를 너무 안 하는 사람처럼 보였기 때문이다.

ask … out ~에게 데이트를 신청하다

9. (b) of buying → to buy

〈remember+to부정사〉는 '(앞으로) ~할 것을 기억하다'이고 〈remember+-ing〉는 '(과거에) ~했던 것을 기억하다'라는 뜻이다. 문맥상 붓과 롤러를 살 것을 기억했는지 묻는 것이므로 remember to buy가 적절하다.

(a) A: 오늘 밤 벽에 페인트칠을 시작할 수 있을까요?
(b) B: 할 수 있어요. 페인트 붓이랑 롤러 사는 것 잊지 않았지요?
(c) A: 그럼요. 이미 페인트칠을 위한 모든 것을 준비했어요.
(d) B: 고마워요. 이제 물을 타서 페인트를 묽게 만들자구요.

thin down 묽게 하다

10. (d) to be implementing → to be implemented

to부정사의 형태가 틀린 문장을 찾는 문제이다. 문맥상 편리한 대중교통이 '시행되는' 것이 요구되었다는 의미가 알맞으므로 to부정사의 수동형을 사용해야 한다.

(a) 동대문 쇼핑 단지는 현대적인 디자인과 최첨단 기술을 서울에 가져다 주었다. (b) 그 혁신적인 프로젝트는 세계적으로 유명한 도시 건축가 알 자하라에 의해 설계되었다. (c) 이런 웅장한 계획을 위한 건설비는 거의 4,900억 원에 이르렀다. (d) 또한, 관광객을 끌기 위해서 24시간 내내 이용하기 쉬운 대중교통 시행이 요구되었다.

cutting-edge 최첨단의 landscape architect 조경사 scheme 계획 implement 시행하다

UNIT 11

비교 구문

Exercise

본책 / 95p

1 much	2 cities	3 no more than
4 by far	5 as rigorously as	6 are much more likely to
7 all the Brazil politicians	8 my	9 drinks
10 the second largest		

1. 빈칸 뒤에 비교급이 나오므로 비교급을 강조하는 표현을 고르는 문제이다. 비교급 강조 부사는 much이며 very는 원급을 강조한다.

아침을 먹는 사람들은 일반적으로 그들의 체중을 통제하기가 쉽고, 아침을 먹지 않은 사람들보다 훨씬 날씬한 경향이 있다.

2. 〈one of the+최상급+복수 명사〉 형태로 쓰이는 최상급 표현이다.

세계에서 가장 역동적인 도시들 중 하나인 홍콩은 고대와 근대가 잘 혼합된 삶의 방식으로도 알려져 있다.

blend 섞다

3. 비교급의 관용적 표현을 묻는 문제이다. no more than은 only와 같은 의미로 '단지'라는 뜻이다.

일주일에 한 번 붉은 고기를 500그램만 섭취하고 가공된 고기는 완전히 피하세요.

processed 가공된

4. 최상급을 표현하는 부사이다. 최상급은 by far/ much/ quite 등을 써서 강조할 수 있다.

이것은 나에게 일어났던 일들 중에서 가장 멋진 경험이다.

5. as ... as 사이에 들어가는 형용사 또는 부사를 선택하는 문제이다. 일반동사 follow를 뒤에서 수식하는 것은 부사만 가능하다.

제시카는 패션 산업의 어느 모델보다도 최신 유행을 엄격하게 따랐다.

fad 유행 rigorously 엄격히

6. 비교급을 사용한 어순을 묻는 문제이다. be more likely to는 '~할 가능성이 높다'라는 의미이다. 〈be likely to+동사원형〉에 much more가 들어가는 위치를 주의해야 한다.

젊은 여자와 결혼하는 나이 많은 남자가 더 오래 살 가능성이 높다는 새로운 연구가 나왔다.

7. 〈최상급+of all the+복수 명사〉의 관용적 표현을 묻는 문제이다. politician이 복수형이 되어야 한다는 것에 주의한다.

룰라 다 실바는 종종 브라질의 모든 정치인들 중에서 가장 훌륭한 인물로 간주된다.

8. 최상급 앞에 정관사 the를 붙이지 않은 관용적 표현을 묻는 문장이며, the 대신 소유격을 쓴 my가 적절하다.

우크라이나의 피난민에 대해서 보도한 것이 기자로서 가장 큰 성취였다.

cover 취재[보도]하다 refugee 난민

9. 〈one of the most+복수 명사〉 형태이므로 drinks가 정답이다.

이 맛있는 차는 독특한 건강 혜택 덕분에 사람들이 가장 많이 찾는 음료 중 하나이다.

sought-after 수요가 많은, 인기 있는

10. 〈the+서수+최상급〉은 '~번째로 가장 …한'이라는 의미의 관용 표현이다.

나이지리아는 국내 총생산 1,500억 달러인, 아프리카에서 세계 2위의 경제 대국으로 남아 있다.

GDP 국내 총생산

Practice Test

본책 / 96p

1 (b) 2 (a) 3 (a) 4 (c) 5 (d) 6 (c) 7 (a) 8 (c)
9 (c) greater → the greater
10 (d) the quite slowest route → quite the slowest route

1. way는 '훨씬, 아주 큰 차이로'라는 의미이며 too much를 앞에서 꾸며 준다. 일반적으로 way too much로 함께 사용되므로 알아 둔다.

A: 어젯밤 무도회는 너무나 소란스러웠어요.
B: 네. 학생들과 파트너들이 너무 수다를 떨었어요.

prom 무도회 rowdy 소란스러운

2. no later than은 '늦어도 ~까지는, ~보다 결코 늦지 않게'라는 의미로, 빈칸에는 (a)가 가장 적절하다.

A: 보통 몇 시에 당신의 사무실에 도착하나요?
B: 늦어도 12시까지는 도착합니다.

3. the same을 수식하는 부사는 much이다. '~와 같은'을 나타내는 원급 표현은 the same as를 사용한다.

A: 필리핀의 경제 상황은 어때요?
B: 다른 나라들과 마찬가지로 좋지 않아요.

in bad shape 불황인

4. 비교급을 이용한 최상급 표현으로, 〈비교급+than any other+단수 명사〉 형태이다. 따라서 candidate는 복수형이 아닌 단수형이 되어야 한다.

A: 크리스티나가 어젯밤에 보궐 선거에 이겼다는 소식 들었어?
B: 응. 나는 그녀가 다른 후보자들보다 더 자격이 있다고 생각해 왔어.

assembly 의회 by-election 보궐 선거

5. 형용사나 부사의 원급을 꾸며 주는 표현으로는 nearly/ almost/ just가 있다. 빈칸 뒤에 than이 왔으므로 빈칸에는 〈배수사+비교급+than〉의 형태가 와야 한다.

A: 네 새 차는 얼마니?
B: 네 차보다 거의 2배가 더 비싸.

6. 비교하는 대상이 있을 때 비교급과 함께 than을 쓴다. 또 much는 비교급을 강조해 주는 표현으로 비교급 앞에 온다.

말레이시아 항공의 비행사들은 다른 분야보다 훨씬 더 많은 임금 인상을 요구하고 있다.

pay raise 임금 인상

7. than ever before는 '이전보다 더'라는 의미로 비교급과 함께 사용되는 표현이다.

최근 연구에 의하면, 전보다 더 많은 사람들이 아시아에서 취업의 기회를 찾고 있다.

8. 〈the + 비교급 + 주어 + 동사, the + 비교급 + 주어 + 동사〉는 '~하면 할수록 더욱 …하다'라는 의미로, 〈the+비교급〉이 있어야 〈the+비교급+주어+동사〉 형식이 완성된다.

대출금이 빨리 상환될수록, 당신의 신용 등급은 향상될 겁니다.

credit rating 신용 등급

9. (c) greater → the greater

비교급에서 the를 쓰는 경우에 관한 문제이다. of the two처럼 범위가 명시되어 두 대상을 비교할 경우에는 비교급 앞에 the를 쓴다.

(a) A: 내 쌍둥이 자매 클레어와 제니는 수학과 물리에서 좋은 점수를 받았어요.
(b) B: 잘 됐어요! 그들이 시험에서 열심히 했다고 들었어요.
(c) A: 물론이죠. 둘 중에서 클레어의 점수가 더 훌륭해요. 다음 학기에 부분 장학금도 받을 거예요.
(d) B: 당신 가족에게 정말 좋은 소식이네요.

10. (d) the quite slowest route → quite the slowest route

최상급을 강조하는 quite는 〈the+최상급〉 앞에 온다.

(a) 스페인 기차 네트워크는 유럽에서 가장 크고 현대적이며 지속적으로 확장하고 있다. (b) 초고속 서비스인 AVE 기차는 3시간 이내로 마드리드와 스페인의 모든 주요 도시들을 연결해 주는데, 이로 인해 점심은 발렌시아에서 먹고 다시 오페라를 보기 위해서 마드리드로 돌아오기 쉽게 한다. (c) 열정적인 여행자들은 스페인 기차 카드를 사고 싶어할 것인데, 이 카드로 스페인에 거주하지 않는 사람들은 한 달 안에 10번 이상을 전국을 갈 수 있다. (d) AVE 기차는 당신을 스페인의 주요 도시에 들를 수 있게 하지만, 당신은 가장 느린 경로를 선택하고 운행 중에 자주 멈추는 것을 선택할 수도 있다.

avid 열심인 non-resident 비영주권자, 거주하지 않는 사람 hop around 팔짝팔짝 뛰다

UNIT 12

관계대명사와 관계부사

Exercise

본책 / 102p

1 which	2 which	3 what	4 to whom
5 many of which	6 of which	7 where	8 whoever
9 for which	10 that		

1. he believes는 삽입된 절이고, 뒤에 동사 will result in이 이어지므로 주어가 없는 불완전한 문장이다. 따라서 관계대명사 which가 적절하다.

사장은 탄력 근무를 시행했고, 그것이 좀 더 책임감 있고 자기주도적인 근무 환경을 가져올 것이라고 믿었다.

implement 시행하다 flexible 신축성 있는 autonomous 자치의, 자율적인

2. 선행사 뒤에 콤마(,)가 나오는 계속적 용법의 관계대명사 문제이다. 관계대명사 뒤에 동사 are로 시작하는 불완전한 문장이 오므로 관계대명사 which가 정답이다.

자코비는 포르투갈어와 스페인어를 구사할 수 있는데, 이는 그가 남미에서 온 외국인 고객들과 일할 때 좋은 이점이 된다.

Portuguese 포르투갈어

3. 빈칸 앞에 선행사가 없으므로 선행사를 포함하는 관계대명사 what(=the thing which)을 써야 한다.

많은 아파트 단지 건설로 인해 내가 사는 지역은 예전 같지가 않다.

apartment complex 아파트 단지

4. 〈전치사+관계대명사〉 형태이다. be delivered to는 '~에게 배달되다, 발송되다'라는 의미이므로 to가 관계대명사 앞으로 이동한 to whom이 정답이다.

그는 소포가 발송된 고객에게 전화를 할 것이다.

patron 후원자, 고객

5. 문맥상 many of는 선행사인 hundreds of beautiful parks를 수식한다. 수식어가 수량 표현(many of)이므로 빈칸에 that은 올 수 없다. 따라서 정답은 many of which이다.

런던은 수백 개의 아름다운 공원이 있는데, 그것들 중 다수는 북쪽 지역에 위치하고 있다.

district 지역, 구역

6. You don't understand the meanings of any awkward words에서 선행사와 같은 any awkward words가 관계대명사 which로 바뀌고 전치사 of가 함께 절 앞으로 나간 형태인 of which가 정답이다.

이해하기 힘든 애매한 단어들을 만날 때마다 원어민들에게 질문해라.

awkward 어색한

7. The Brazilian club Santos를 선행사로 하는 관계부사를 고르는 문제이다. 관계절이 Luise belongs이므로 to which 또는 전치사 to를 포함한 관계부사 where가 정답이다.

루이스가 속해 있는 브라질 산토스 클럽은 매우 유명한 축구팀이다.

8. 문맥상 '헌혈하는 모든 분에게'가 적절하므로 사람을 가리키는 목적격 복합관계대명사 whoever가 정답이다.

헌혈하는 모든 분에게 무료 영화표가 제공될 것입니다.

complimentary 무료의

9. 동사 apply는 for와 함께 쓰여 '~에 지원하다'라는 뜻으로 쓰이며 이 문장에서 전치사 for가 관계대명사 which 앞으로 이동한다.

대학생들은 그들의 능력과 기술이 자신들이 지원하는 인턴십 프로그램에 어울리는지 확실히 해야 한다.

10. 선행사 delegate는 '대표'라는 의미이고 사람을 뜻하므로 사람/ 사물/ 동물 모두 올 수 있는 관계대명사 that이 적절하다.

사임하고 싶어 하는 어느 대표든 위원회에게 한 달 전에 통보해 주어야 한다.

delegate 대표 resign 사임하다

Practice Test

본책 / 103p

1 (a) 2 (b) 3 (d) 4 (d) 5 (a) 6 (c) 7 (d) 8 (a)
9 (b) which → during which 10 (d) which → to which

1. 선행사가 the only의 수식을 받는 경우 관계대명사 that만 올 수 있다.

A: 너 물리학을 망쳤다며.
B: 그래. 하지만 이 과목만 망친 것이 아니야.

flunk 낙제하다 screw up 망치다

2. 방법을 나타내는 관계부사 문제이다. the way나 how는 함께 쓰지 않고, 둘 중 하나를 생략한다. That's the way it goes로 표현할 수도 있다.

A: 나는 이거 포기할래. 더 이상 견딜 수가 없어.
B: 너무 좌절하지 마. 다 그렇지 뭐.

3. 빈칸 앞에 선행사가 없으므로 선행사를 포함하는 관계대명사로서 what이 필요한 자리이다.

A: 저는 매우 관심이 있는 것에 몰두해요.
B: 저도 그래요.

absorbed 몰두한

4. 빈칸 뒤가 완전하므로 관계부사를 고르는 문제이다. 선행사인 the office가 장소이므로 관계부사 where가 적절하다.

A: 수인이가 일하는 사무실에 들르는 게 어떨까?
B: 알았어. 거기서 만나서 어디로 갈지 정하자.

5. 선행사가 a selective private school이고 빈칸 뒤의 문장이 불완전하기 때문에 들어갈 관계대명사 which가 정답이다.

영국의 그래머 스쿨은 11~18세 학생들을 가르치는 까다로운 사립 학교이다.

6. 〈전치사 + 관계대명사〉 문제이다. 동사 refer는 전치사 to와 함께 쓰며 '~에 대해 언급하다'라는 뜻이다. 관계대명사절을 이끄는 whom 앞으로 to가 이동한 경우이다.

네가 말하는 사람은 우리 부서의 새로운 보좌관이야.

executive assistant 비서, 보좌관

7. 계속적 용법으로 사용되는 〈수량 표현+of+관계대명사〉를 찾는 문제이다. 앞에서 언급한 두 개의 사물 모두를 가리키므로 (d) both of which가 정답이다. and both of them으로도 표현할 수 있다.

백화점에 새 프린트와 잉크 카트리지를 구입했는데, 그 둘 다 할인 중이었다.

8. 〈전치사+관계대명사〉 문제로, 관계대명사절의 come은 전치사 from과 짝을 이루어서 '~의 출신이다'라는 뜻으로 쓰인다. 따라서 전치사 from이 관계대명사 앞에 온 (a)가 정답이다.

프랑스와 독일에는 이민자 수가 많고, 그들의 출신 국가들도 훨씬 다양하다.

9. (b) which → during which

(b)의 선행사 all week와 뒤의 형용사절의 관계를 볼 때, I will go shopping and enjoy spa treatment during all week가 되므로 전치사 during이 which 앞에 와야 한다.

(a) A: 너 요즘 우울해 보여. 방콕으로 출장 갈 때 같이 가자.
(b) B: 좋은 생각이야. 너는 일주일 내내 일하는 데에만 집중하는 것이 나을 듯하고, 그동안 나는 쇼핑하고 스파 치료를 즐길 거야.
(c) A: 좋아. 네가 스트레스와 우울한 기분을 풀 수 있는 완벽한 시간이 될 거야.
(d) B: 함께 가고 싶어. 당장 짐을 싸야겠어.

10. (d) which → to which

(d)에서 선행사가 the cause이고 빈칸 이후의 문장이 완전하기 때문에 관계부사가 오거나 which 앞에 전치사가 와야 한다. 형용사절의 동사 dedicate는 전치사 to와 어울리므로 which 앞에 to가 오는 것이 자연스럽다.

(a) 마가렛 대처는 20세기 영국에서 가장 오랫동안 정치를 한 여자 수상이었다. (b) 그녀는 3번 연속의 임기 동안, '철의 여인'이라는 별명이 붙은 논란이 많은 명목상의 지도자였다. (c) 그녀는 국영 기업을 민간화하고, 사회복지 지출을 줄이는 것을 옹호하는 사람이었다. (d) 불안한 영국 경제 상황으로부터 그녀의 놀라운 리더십 도전과 타협하지 않은 정치는 마가렛 대처가 그녀의 삶을 바친 대의명분이었다.

figurehead 표면상의 대표 advocate 지지자 privatize 민영화하다 uncompromising 타협하지 않는 unstable 불안정한 cause 대의, 목적

UNIT 13

가산 명사와 불가산 명사

Exercise

본책 / 108p

1 letters	2 is	3 postage and packing
4 small change	5 a dinner	6 garlic
7 a legacy	8 some mail	9 a great success
10 three hundred people		

1. letter가 복수형 letters로 쓰이면 '문인'이라는 의미이다.

소설가인 에릭 오르세나는 그가 살던 시대에서 가장 뛰어난 문인들 중의 한 사람이었다.

distinguished 유명한, 성공한

2. furniture는 셀 수 없는 명사이므로 단수 동사 is가 와야 한다.

귀하께서 3일 전에 주문한 가구가 오늘 배달될 예정입니다.

3. '운송료와 포장료'라는 의미의 postage and packing은 단수로 쓴다.

이 가격에 운송료와 포장료가 포함되어 있지 않습니다.

4. change가 '잔돈, 거스름돈'을 뜻할 때에는 셀 수 없는 명사이기 때문에 부정관사나 복수형을 쓰지 않는다. 따라서 정답은 small change이다.

그녀가 동전 주머니에서 잔돈을 한 움큼 꺼내자 점원은 잔돈을 받는 것을 꺼려했다.

fistful 한 움큼 reluctant to ~을 주저하는

5. '저녁 식사'를 뜻할 때는 관사를 붙이지 않지만, '공식 만찬'을 의미할 때는 a dinner를 쓴다. 문맥상 교수의 퇴직을 위한 공식 만찬이 열리는 것이므로 정답은 a dinner이다.

그 교수가 대학에서 25년간 일한 후 퇴직했을 때 그를 축하하기 위한 공식 만찬 행사가 열렸다.

in one's honor ~을 기념하여, ~을 축하하여

6. garlic은 불가산 명사이므로 부정관사 a(n)와 함께 쓰지 않고 복수형으로도 쓰지 않는다.

매일 마늘을 먹는 사람이 암에 걸릴 가능성이 더 적다는 연구 결과가 밝혀졌다.

reveal 밝히다

7. legacy는 셀 수 있는 명사이므로 a legacy 또는 legacies로 쓸 수 있다.

그들은 우리 할아버지의 유언장에 따라 십만 달러의 유산을 물려받았다.

bequeath 후세에 남기다 legacy 유산 will 유언(장)

8. 명사 mail은 '우편물'을 의미하는 불가산 명사이므로 정답은 some mail이다. 한정사 some은 가산 명사와 불가산 명사 앞에 모두 사용할 수 있다.

모든 선발된 학생들은 교육 기관으로부터 우편물을 받았다.

9. 추상명사가 형용사의 수식을 받으면서 구체적인 사례가 되는 맥락일 경우 부정관사가 붙어 보통명사처럼 쓰인다.

그 자선 콘서트는 기부 목표에 도달하며 큰 성공을 거두었다.

10. hundred는 앞에 특정 숫자가 있으면 단수형, 없으면 복수형을 쓴다.

약 300명의 사람들이 세미나에 참석했다.

Practice Test

본책 / 109p

1 (d) 2 (c) 3 (a) 4 (a) 5 (a) 6 (b) 7 (c) 8 (c)
9 (a) good flight → a good flight 10 (c) mean → means

1. trash는 셀 수 없는 명사이므로 정관사와 함께 사용할 수 없고 복수형도 만들 수 없다.

A: 톰의 기숙사는 엉망이고 쓰레기로 가득해.
B: 바로 그게 그가 어떤 룸메이트와도 살 수 없는 이유야.

2. company가 '손님'이라는 뜻으로 쓰일 때 집합적인 의미로 불가산 명사가 된다.

A: 주말에 손님방을 제공해 주지 못해서 너무 미안해요.
B: 손님이 있는 줄을 몰랐네요.

3. news는 -s로 끝나지만, 셀 수 없는 명사이다. 나머지 few/ a few는 모두 셀 수 있는 명사 앞에 붙는다.

A: 에밀리, 너에게 좋은 소식이 있어!
B: 뭔데? 그 프로그램 신청에 관한 거야?

4. damage는 단수형으로 쓰일 때와 복수형으로 쓰일 때 뜻이 달라지는 명사이다. 복수형 damages로 쓰일 때는 '손해 배상금'이라는 의미이므로 문맥상 (a)가 알맞다.

A: 그 뺑소니 사고는 어떻게 되었어요?
B: 손해 배상금을 받기 위해 성공적으로 그 사람을 고발했어요.

hit-and-run 뺑소니의 sue 고소하다

5. thousands of protesters나 a thousand protesters의 형태로 써야 한다.

A: 거리에 큰 규모의 시위가 있어서 차가 막히네요.
B: 알고 있어요. 수천 명의 시위자들이 시장이 나타나기를 기다리고 있는 중이에요.

rally 집회 **be backed up** 꽉 막히다 **protester** 시위자

6. side effect는 가산 명사이므로, 앞에 부정관사가 오거나 복수형으로 쓸 수 있다. 부작용이 이전에 언급한 적이 없는, 즉 이미 정해진 부작용을 의미하지 않고, 일반적인 부작용을 말하므로, 관사가 붙지 않은 side effects가 정답이다.

의사들은 새로운 약을 처방받은 대로 복용하지 않으면, 부작용이 있을 수 있다고 말한다.

prescribe 처방하다

7. '(전) 직원'을 뜻하는 명사 personnel은 집합명사로 -s를 붙이지는 않지만 all/ both처럼 수량을 표현하는 수식어와 함께 쓰일 수 있다. 집합명사이므로 동사는 복수 형태를 취한다.

모든 직원이 올해 판매에 뛰어난 성과를 이뤘다.

8. baggage는 복수로 쓰거나 앞에 부정관사를 쓸 수 없는 명사이다. the를 쓸 수는 있으나 앞에 소유격 your가 오므로 정답은 (c)이다.

항공사 규정에 의하면 당신의 손상된 수하물에 대하여 천 달러까지 보상을 청구할 수 있다.

file a claim 청구하다

9. (a) good flight → a good

flight는 '여행 항공편, 날기'라는 의미이다. 한 번의 좋은 비행 경험을 말할 때는 a good flight라고 하므로 (a)의 good flight를 a good flight로 바꿔야 한다.

(a) A: 비행기 여행은 좋았어요?
(b) B: 환상적이었어요. 하늘에서 가장 사치스러운 생활 공간이었어요.
(c) A: 장거리 여행이 즐거웠다니 다행이에요.
(d) B: 기대했었던 것보다 서비스가 훨씬 좋았어요. 비할 데 없는 편안함이었어요.

long-haul 장거리의 **unparalleled** 견줄 데 없는

10. (c) mean → means

'평균, 중용'을 의미하는 단수 mean이 복수형으로 '수단', '방법'이라는 의미가 된다. 문맥상 '고통 완화의 수단으로서'가 적절하므로 복수형이 되어야 한다. as a means of를 '~의 수단으로서'로 암기해 두도록 한다.

(a) 침술은 약 3,500년 동안 중국에서 시술되어 왔다. (b) 그러나 전통적인 마취의 대체물로서 침술의 사용에 대한 언론 보도가 돌풍을 일으켰을 때인 1970년대가 되어서야 서양에서 널리 알려지게 되었다. (c) 의사들은 고통 완화의 수단으로서 살균한 날카로운 바늘을 몸의 특정 부분에 삽입한다. (d) 현재 가장 알려지고 가장 널리 받아지고 있는 동양의 치료법들 중 하나인 침술은 점점 서양의 의사들에 의해서 좀 더 간소화된 형태로 실행되고 있다.

acupuncture 침술 **alternative** 대안 **anesthesia** 마취 **press coverage** 언론 보도 **sterile** 살균 소독한 **practitioner** 의사 **simplified** 간소화한

UNIT 14

고유명사와 관사

Exercise

본책 / 115p

1 were
2 The Netherlands
3 such a surprise
4 A high proportion
5 a small change
6 stand a good chance of
7 in a pickle
8 the greatest
9 a migraine headache
10 the only country

1. his는 his lectures를 받는 소유격 대명사이므로 복수형인 were가 와야 한다.

지난겨울에 나는 그의 수업을 들었다. 그의 수업들 대부분은 이해하기가 가장 어려웠다.

2. 일반적으로 국가의 이름에는 the를 사용하지 않는다. 그러나 여러 주가 모여서 연방국가 또는 군도로 구성되는 네덜란드와 같은 경우에는 the를 붙인다.

네덜란드는 공식적인 국가명이고 홀란드는 단지 한 지방의 이름이다.

province 주, 지방

3. surprise는 불가산 명사이이지만 such a surprise to ~는 '~하게 되어 매우 놀라운'이라는 뜻의 관용적인 표현이다.

강의실에서 세계적으로 유명한 배우를 보게 되어서 너무 놀랍다.

4. proportion은 불가산 명사이지만 a proportion of로 사용되는 경우에는 복수 명사와 결합할 경우 복수 동사가 올 수 있다. 여기서 동사 show가 복수형이므로 A high proportion이 알맞다.

높은 비율의 당뇨병 환자들이 지나치게 갈증을 느끼고 소변을 자주 본다.

diabetic 당뇨병의 excessive 지나친, 과도한 urination 배뇨

5. change는 '잔돈, 거스름돈'이라는 의미로 쓰일 때 셀 수 없는 명사이며, '변화'라는 의미일 때는 셀 수 있는 명사로 쓰인다. 문맥상 부정관사 a와 함께 쓰여야 한다.

계절의 변화와 함께 공기에 약간의 변화가 있었다.

6. stand a good chance of는 '~을 할 가능성이 충분하다'라는 의미이다.

어떤 팀과 싸우든 간에 글래스고 팀이 이길 가능성은 충분할 것이다.

7. in a pickle은 '곤란한 상황에 처한'이라는 뜻의 관용적 표현이다.

당신의 극단적이고 공격적인 행동 때문에 나는 곤란한 입장에 있다.

drastic 격렬한 aggressive 공격적인

8. among herbal remedies라는 한정하는 구문이 왔으므로 최상급이 와야 의미가 자연스럽다. 최상급 앞에는 정관사 the가 온다.

약초 치료 중에서, 민들레가 가장 약효가 뛰어난 것으로 여겨진다.

dandelion 민들레

9. 일반적으로 질병 앞에는 관사를 사용하지 않는다. 그러나 headache/ toothache와 같이 -ache로 끝나는 가벼운 병명에는 부정관사를 쓴다. cancer와 같은 병은 관사를 쓰지 않는다.

편두통이 있다면 다운로드할 가치가 있는 몇 개의 좋은 앱이 있다.

migraine headache 편두통

10. only가 명사를 수식할 때는 정관사 the와 함께 사용한다.

사우디 아라비아는 여자들이 운전하는 것을 금지하는 유일한 나라이다.

forbid 금하다

Practice Test

본책 / 116p

1 (d) 2 (a) 3 (c) 4 (c) 5 (b) 6 (b) 7 (a) 8 (a)
9 (a) during weekend → during the weekend
10 (b) some jargons → some jargon

1. 식사명 앞에는 원칙적으로 관사를 쓰지 않지만, 식사명 앞에 형용사가 올 때는 부정관사를 사용한다. 여기서는 free라는 수식어가 붙어 부정관사가 쓰일 수 있으며, 동사가 복수형인 것으로 보아 여러 인분의 식사를 의미하므로 free lunches가 알맞다.

A: 이번 주말에 뭐 할 거야?
B: 교회 근처에 있는 공원에서 무료 점심 식사가 있을 거야.

2. choice는 가산 명사로서 관사와 같은 한정사가 필요하다. 여기서는 재계약에 다시 사인을 하는 것과 하지 않는 것 중에서 선택해야 하므로 정관사 the와 함께 사용한다.

A: 그 회사와의 1년 연장 계약에 사인을 해야 할까?
B: 응. 그게 옳은 선택인 것 같아.

contract extension 계약 연장

3. education은 학교 교육이나 경험을 뜻할 때 셀 수 있는 명사가 된다. university는 철자가 u로 시작될지라도 발음은 자음으로 시작하므로 a를 써야 한다.

A: 대학 교육은 여전히 시간과 돈을 들일 가치가 있는 것일까?
B: 그럼. 여전히 삶에서 귀중한 자산이야.

asset 자산

4. 〈all of+한정사〉가 오고 명사가 이어진다. 한정사로는 the/ its/ his/ her/ their가 있다.

A: 지금 우리 애들은 전부 어디에 있어요?
B: 캠핑장에서 당신이 도착하기를 기다리고 있습니다.

5. 〈관사+명사+of+소유대명사〉를 묻는 문제이다. a friend of mine과 같은 구조로, 3인칭의 소유격 –'s가 붙는다.

A: 누가 저 발표를 하고 있는지 아니?
B: 알아. 그녀는 그레이스의 상사야.

6. 명사 people의 수식어구 who study in this institute에 의해 한정되었을 때는 앞에 정관사 the를 붙이므로 정답은 (b) Almost half of the people이다.

이 기관에서 공부하는 학생들 중 거의 절반은 캐나다와 미국 출신이다.

hail from ~의 출신이다

7. 단위를 나타낼 때는 by the를 사용하므로 (a)가 정답이다. 〈by the+단위를 나타내는 무게 또는 시간 단위〉 형태를 익혀 둔다.

그 변호사는 주급으로 받곤 했다. 그러나 지금은 연봉으로 급여를 받는다.

8. same의 용법을 묻는 문제이다. 보기에 주어진 형용사 same이 명사를 수식할 경우에는 항상 정관사 the와 함께 쓰인다.

그녀는 이전처럼 대단한 음악가는 아니다. 그녀는 전성기를 지났다.

pass one's prime 전성기를 지나다

9. (a) during weekend → during the weekend

during은 특정 기간을 나타내는 전치사로, 〈during+the+명사〉의 형태로 쓰인다. 따라서 during 뒤에 관사 없이 weekend가 오면 틀린 문장이 된다.

(a) A: 주말에 숙박하면 게스트룸의 가격이 얼마인가요?
(b) B: 주말 요금은 1박에 100달러 입니다.
(c) A: 알겠습니다. 편의 시설에 수영장과 세탁 시설이 포함되어 있다고 들었어요.
(d) B: 네. 저희는 모든 투숙객들에게 그것들을 제공합니다.

rate 요금 amenities 편의 시설

10. (b) some jargons → some jargon

jargon은 불가산 명사이다. 따라서 some jargons를 some jargon으로 바꿔야 한다. some은 가산 명사 및 불가산 명사 앞에 모두 사용한다.

(a) 거의 모든 환자들이 의학적 충고를 이해하기 어려워하는데, 이는 그런 충고가 그들에게 이해하기 힘든 것인 이유가 크다. (b) 많은 공중 보건 전문가들은 약간의 전문 용어와 복잡한 의학적 표현을 환자에게 쓴다. (c) 그것은 환자와 의사의 잘못된 의사소통을 유발하고, 결과적으로 효과적이지 못한 의학 치료를 야기한다. (d) 공무원들은 이제 의사들에게 환자와 소통할 때 좀 더 단순한 말을 쓸 것을 매우 권고하고 있다.

incomprehensible 이해할 수 없는 jargon 전문 용어

UNIT 15

접속사와 전치사의 구별

Exercise

본책 / 121p

1 unless	2 despite	3 over	4 even if	5 albeit
6 throughout	7 within	8 behind	9 while	10 Though

1. 문맥상 '~하지 않는다면'이라는 조건을 나타내는 접속사 unless가 적절하다.

미납인 상태의 연체료를 지불하지 않는다면, 도서관 열람 카드와 계좌를 다시 회복할 수 없다.

reinstate 복귀시키다, 회복시키다 outstanding 미결제의

2. 양보의 뜻을 가진 전치사와 접속사를 구분하는 문제이다. 뒤에 there 뒤에 동명사가 나오고, 동명사의 의미상의 주어로서 there가 삽입이 되었다.

그 남자는 그의 유죄를 보여 주는 증거가 충분히 있었음에도 불구하고 무죄를 선고받았다.

acquit 무죄를 선고하다

3. over the weekend는 '주말 동안'이라는 의미이다. 사이에 들어간 entire는 weekend를 꾸며 주는 형용사이므로 앞에 오는 전치사에 영향을 미치지 않는다.

전체 서울 공공 도서관 시스템이 주말 내내 정지될 것이다.

4. 문맥상 '비록 ~일지라도'를 의미하는 접속사 even if가 적절하다.

비록 당신이 수분크림을 바를지라도 당신의 피부가 겨울에는 건조하고 각질이 일어나는 것이 느껴질 것이다.

flaky 얇게 벗겨지는

5. albeit는 접속사로서 '비록 ~일지라도'라는 의미이다. '졸업생의 연설이 비록 다른 사람들과 비교해서 형편없을지라도'라는 의미가 자연스러우므로 정답은 albeit이다. albeit it was poor in comparison with ~에서 〈주어+be동사〉가 생략되었다.

그 졸업생 대표의 연설은 다른 연설가들에 비해 너무 서툴렀지만, 박수와 환호를 이끌어 냈다.

valedictorian 졸업생 대표 elicit 끌어내다

6. 의미상 '스코틀랜드 전역에'가 자연스러우므로 throughout이 알맞다. '~을 통해', '~ 내내'라는 의미의 전치사 through와의 차이점을 분명히 알아야 한다.

하기스는 스코틀랜드 전역에서 인기 있고 전통적인 음식이다.

7. within a matter of months는 '몇 달 안 있어'라는 의미로 암기해 둔다.

연구자들은 이전에 위협적이지 않던 화산들이 몇 달 안 있어 불안해지다가 활화산이 될 수 있다고 추정한다.

non-threatening 위협적이지 않은 volatile 불안정한

8. 공사가 지연됐다고 하므로 문맥상 behind가 알맞다. behind schedule은 '일정보다 늦게'라는 의미이다.

지연된 공사로 인해 우리는 일정보다 늦게 새 아파트로 이사를 왔다.

9. 접속사 while과 전치사 during은 '~하는 동안'이라는 같은 의미이다. while he was treating patients in West Africa에서 〈주어+be동사〉가 생략되어 접속사 while이 남고, 분사 treating이 쓰였다. 따라서 정답은 while이다.

서아프리카에서 환자들을 치료하는 동안 에볼라 바이러스에 걸린 미국인이 지난주에 치료를 위해서 미국으로 돌아왔다.

contract (병에) 걸리다

10. '비록 ~일지라도'를 의미하는 접속사 though와 전치사 despite를 구분하는 문제이다. despite 뒤에는 명사(구)가 오고, though는 〈주어+동사〉로 된 절을 이끈다. 문장에 정확한 〈주어+동사〉 Saudi Arabia still prohibits ~가 있으므로 접속사가 와야 한다.

사우디 아라비아에서는 여전히 여성의 사회 활동을 막을지라도, 여성들은 매우 엄격한 이슬람의 남성 지배적인 사회에서 좀 더 역할을 가지기 시작했다.

prohibit 금지하다

Practice Test

본책 / 122p

1 (b) 2 (a) 3 (c) 4 (b) 5 (b) 6 (b) 7 (b) 8 (a)
9 (b) now that → in case that
10 (b) because → because of / due to

1. 특정 표현에 쓰이는 전치사를 고르는 문제이다. '~라는 이름으로'는 by the name of로 표현한다.

A: 조희야, 루비 레니라는 이름의 남자를 아니?
B: 솔직히 그 이름을 들어 본 적 없어.

2. 시험에서 어떤 성적을 받았다고 하는 경우에는 on the test/ on the exam을 관용적으로 사용하므로 정답은 (a)이다.

A: 무슨 일로 웃고 있어?
B: 기말고사에서 전 과목 A를 받았어.

3. '나이에 비해서'라는 의미의 for one's age는 관용적 표현이므로 꼭 알아 두자.

A: 앨리스가 아이큐 검사에서 160이 나왔다는 걸 믿을 수 없어.
B: 맞아. 그녀는 나이에 비해서 정말 총명하고 지능이 좋은 아이야.

4. 벨트가 드레스와 색깔이 대조되어서 눈에 띈다는 내용이므로 '~와 대조하여'라는 의미의 (b)가 자연스럽다.

A: 빨간 드레스에 이 하얀 벨트가 어울리나요?
B: 드레스와 대조되어 너무 눈에 띄네요.

stand out against ~을 바탕으로 눈에 잘 띄다

5. 문맥상 빈칸에는 조건을 나타내는 '~하는 한'이라는 뜻의 접속사가 필요하므로 as long as가 가장 적절하다.

A: 오바마의 의료 보험 개혁 법안을 찬성하는 투표를 했나요?
B: 네. 세금이 오르지 않는다면 저는 찬성이에요.

reform 개정, 개혁

6. 유효한 신분증을 제시하는 조건이면 무료 제공이 가능하므로, 조건을 나타내는 접속사인 (b)가 정답이다.

그들이 유효한 신분증을 제시한다면 직원 식당은 무료 음식과 음료수를 제공할 수 있다.

valid 유효한

7. 별도의 표시가 없다면 예정대로 진행이 된다는 문맥으로 '별도의 ~가 없으면'을 뜻하는 unless otherwise가 필요하다. 따라서 정답은 (b)이다.

모든 요가 및 명상 수업은 별다른 지시가 없는 한 아침 8~10시에 열릴 예정입니다.

meditation 명상

8. 문맥상 '탈세의 혐의를 받고 있는 가운데'가 적절하기 때문에 빈칸은 어떤 상황이 일어나고 있는 '가운데, 와중에' 또 다른 일이 발생했다는 의미의 전치사 (a) amid가 와야 한다.

탈세 혐의를 받고 있는 와중에 그 여배우는 여행과 새로운 차 구입에 돈을 물 쓰듯이 썼다.

splurge on ~에 돈을 펑펑 쓰다 tax evasion 탈세

9. (b) now that → in case that

태풍으로 인해 전기가 나갈 것을 대비해서 물을 산 것이므로 조건절 in case that이 알맞다. now that은 이유를 의미하는 접속사이다.

(a) A: 허리케인 지젤을 준비하고 있어요?
(b) B: 네. 전기가 나갈 것을 대비해서 일주일 치의 생수를 샀어요.
(c) A: 많은 슈퍼마켓의 선반대가 싹 비워졌다는 얘길 들었어요.
(d) B: 음, 너무 걱정하지 맙시다. 예보에서는 늦은 금요일에 다소 약해질 거라고 했어요.

10. (b) because → because of / due to

(b)의 the fact that ~으로 이루어진 명사구 앞에 접속사 because가 쓰였다. 명사구 앞에는 전치사만 올 수 있으므로 because를 because of나 due to 등으로 바꿔야 한다.

(a) 지난 몇 년간 대학들은 학생들의 쓰기 능력의 급격한 저하를 인식해 왔다. (b) 이는 오늘날의 젊은이들이 비격식적이고 짧은 문자로 때에 맞지 않게 소통하는 데 익숙하기 때문이다. (c) 결과적으로 많은 대학에서 학생들이 에세이 쓰기 수업을 필수 교육 과정으로 등록해야 한다는 규정을 만들었다. (d) 이 새 정책은 학생들이 쓰기 능력을 향상시키는 데 도움이 될 것이다.

drastic 급격한 asynchronously 때가 맞지 않게

Actual Test 1

본책 / 127p

PART I

1 (d)	2 (c)	3 (d)	4 (c)	5 (b)	6 (d)	7 (a)	8 (c)	9 (b)	10 (d)
11 (c)	12 (a)	13 (b)	14 (a)	15 (d)	16 (b)	17 (a)	18 (a)	19 (c)	20 (c)

PART II

21 (d)	22 (a)	23 (a)	24 (c)	25 (d)	26 (a)	27 (d)	28 (d)	29 (d)	30 (a)
31 (a)	32 (b)	33 (c)	34 (a)	35 (d)	36 (d)	37 (c)	38 (a)	39 (b)	40 (c)

PART III

41 (c) drown → drowning
42 (d) used to do → used to
43 (b) have been standing → had been standing
44 (d) no → any
45 (b) be that → be one

PART IV

46 (d) wide → widely
47 (b) are → is
48 (d) equipments → equipment
49 (d) sit → sitting
50 (b) Had it not for → Had it not been for

1. 해석상 적절한 대명사를 찾는 문제이다. 아직 주제를 결정하지 못한 문맥으로 보아, 해석상 '둘 다 재미있어 보이지 않는다'라는 맥락이 들어가야 적절하다. 따라서 주어 자리의 대명사는 '둘 다 아니다'라는 개념의 대명사인 neither를 써야 한다.

A: 나는 아직 심슨 교수님의 수업에서 어떤 주제를 써야 할지 결정 못했어. 너는 했니?
B: 아니, 사실 주제가 둘 다 그렇게 재미있어 보이지 않네.

2. 문맥상 적절한 시제를 찾는 문제이다. A가 How about ~ for lunch?라는 표현을 사용해 점심 메뉴를 스파게티로 제안하자, B가 이에 대해 동의하는 맥락이다. 따라서 '나도 방금 전에 그 생각을 하고 있었어'라는 과거진행을 쓰면서 이에 동의하는 부분과 자연스럽게 이어진다. 참고로 think는 '(~라고) 여기다'라는 의미의 상태동사로 진행형이 불가하며, think of는 '(~에 대해) 고민하다, (~할지 말지) 생각해 보다'라는 의미의 동작 동사로 진행형이 가능하다.

A: 점심으로 스파게티 어떠세요?
B: 좋아요. 사실, 나도 몇 분 전에 그 생각을 하고 있었거든요.

3. 문맥상 가장 적절한 〈조동사+have p.p.〉의 형태를 찾아내는 문제이다. 이 문장들을 보면 잭이 파티에 나타난 것이 매우 의외의 상황인 것을 알 수 있다. 따라서 주어진 문장은 '초대되었을 리가 없다'라는 맥락이므로 적절한 표현은 couldn't have p.p.이다. 그런데 문장의 주어는 Jack을 나타내는 he이고, 그가 파티에 초대되어지는 수동의 개념이므로 정답은 couldn't have been invited가 된다.

A: 잭이 어젯밤에 나타나다니 놀랐어. 그가 어쩌다 그 파티에 오게 된 거지?
B: 모르겠어. 하지만 주인이 그를 모르는 걸 보니 파티에 초대받았을 리가 없어.

show up 나타나다 host 주인

4. 적절한 대명사를 찾는 문제이다. 빈칸은 The one이라는 명사를 받아 주면서 빈칸 뒤의 수식어구인 made in France의 꾸밈을 받을 수 있는(후치 수식을 받을 수 있는) 대명사여야 하는데, 이렇게 쓰일 수 있는 대명사는 that, those뿐이다. 그중 단수형을 받고 있으므로 정답은 that이 된다.

A: 이 두 제품에 대해 알려 주시겠어요?
B: 네 물론이죠. 스웨덴 제품은 프랑스 제품보다 더 내구성이 강하지만 비쌉니다.

durable 내구성이 있는

5. '~를 통해'라는 개념으로 사용하는 전치사는 via이다. 참고로, via는 '~경유지를 거쳐, ~를 통해', amid는 '~가운데, ~ 중에'라는 의미이다.

A: 온라인으로 주문했던 제품은 받았니?
B: 지난주에 보통 우편으로 배송 받았어요.

surface mail (항공이 아닌 육상, 선박으로 가는) 보통 우편

6. 빈칸의 성격을 살펴보면, 주절인 my boss and I toured the island 앞에 빈칸이 있고, 문맥상 '끝나고 나서'의 순차적 개념이므로 접속사 after가 생략된 분사구문이 빈칸에 들어가야 한다. 또한 목적어를 취하는 능동형이고, 주절보다 분사구문이 발생한 시점이 먼저(회의 끝내고 투어)인 점을 보았을 때, 완료형 능동 분사구문인 having finished가 적절한 형태가 된다.

A: 하와이로의 출장은 어땠나요?
B: 성공적이었어요. 그리고 미팅이 끝나고 나서, 상관과 저는 섬을 투어했어요.

7. 주어진 빈칸은 타동사 consider의 목적어 자리이므로 간접의문문의 어순이 되어야 한다. 즉, 〈의문사+주어+동사〉의 어순이고, 얼마나 경쟁적인지가 의문의 대상이므로 how competitive가 붙어야 한다. 따라서 how competitive the restaurant industry is의 어순이 된다.

A: 내 식당을 열어볼까 생각 중이야.
B: 글쎄, 그걸 결정하기 전에 요식업계가 얼마나 경쟁이 치열한지 고려해 보는 것이 나을 거야.

8. '~가 …하는 적지만 전부'의 개념을 나타내는 관계대명사 what little/ few의 관용 표현에 대한 문제이다. 이는 〈what little/ few+명사+주어+동사〉의 어순이므로 정답은 what little money가 된다.

A: 그 영화는 매우 감동적이었어.
B: 그래, 가진 게 거의 없으면서도 그걸 가난한 이들에게 주는 그 남자는 성인 같더라.

touching 감동적인 saint 성인, 성인군자

9. 주어진 문장은 '폭우가/ 끝내는 것을/ 불가능하게/ 만들었다'라는 5형식의 의미 구조를 갖고 있음을 파악해야 한다. 하지만 5형식에서 to부정사가 목적어인 경우, 〈make(동사)+it(가목적어)+impossible(형용사)+to+동사원형(진목적어)〉의 구조를 가져야 하고, 빈칸은 진목적어 자리에 있으므로 정답은 〈to+동사원형〉이 되어야 한다. 또한 부정사 뒤에 목적어를 취하는 능동의 개념이므로 to be completed가 아닌 to complete의 형태가 되어야 한다.

A: 그 회사는 그 다리의 건설을 끝냈나요?
B: 아니, 폭우 때문에 약속한 시간까지 끝내는 것이 불가능해졌어요.

10. no longer의 적절한 위치를 찾는 문제이다. be동사 뒤에, 일반동사 앞에 와야 하므로 are no longer needed의 어순으로 써야 한다.

A: 내가 고등학교를 졸업했으니, 교과서는 더 이상 필요하지 않아. 그걸로 뭘 해야 할까?
B: 중고 서점에 팔아보면 어때?

11. 주어진 빈칸은 '~가 …하는 채로'라는 의미를 나타내는 구문인 〈with+명사(~)+분사(…)〉의 형태 중 분사 부분을 물어보고 있다. 명사와 분사 사이의 관계가 능동이면 –ing, 수동의 의미 관계이면 p.p.를 사용해야 한다. 손이 칼을 '쥐고 있는' 능동적 개념이므로 정답은 holding이 된다.

A: 너는 매우 겁에 질린 것 같아 보여. 뭐가 그렇게 무서웠니?
B: 한 남자가 손에 칼을 든 채로 복도를 따라 걷고 있었어.

12. 빈칸 앞에 있는 명사인 the song을 수식하는 관계대명사를 선택해야 하는 문제이다. 그런데 뒤의 문장과 앞의 명사의 관계를 따져보면, 이 노래 때문에 유명하다는 맥락이 연결되어야 한다. 따라서 뒤의 문장은 원래 they are famous for the song의 형태가 된다. the song 부분이 접속사의 역할을 겸하면서 which로 관계대명사가 들어가면 주어진 문장은 they are famous for which가 되고, 관계대명사와 그 앞의 전치사는 문두로 갈 수 있으므로 결론적으로 빈칸은 for which가 된다.

A: 그들이 방금 부른 곡이 그들이 유명해진 노래죠.
B: 와, 그 곡이 너무 좋아서 그 노래가 들어 있는 앨범을 사고 싶은데요.

13. 주어진 문장의 시간적인 맥락을 살펴보면 '(과거에) 전화를 꺼 놓고 있었다+(그동안) 공부를 하고 있었다'인데 이는 과거 시제이고, 빈칸의 경우 while절에 '공부하고 있는 동안'이라는 의미가 들어가야 하므로 정답은 was studying이다.

A: 나는 오늘 오후에 몇 번이나 너에게 전화를 했어. 왜 전화 안 받았니?
B: 미안, 내가 공부하는 동안 전화를 꺼 놓고 있어서 몰랐어.

14. 주어진 빈칸은 주어 자리이고, 빈칸 뒤에 형용사 보어 low가 나온 점으로 보아 동사는 보어를 위할 수 있는 be동사가 정답이 된다. 또한 주어 동사의 수 일치를 따져보면, 주어가 fifty dollars로 복수처럼 보이기는 하지만, 금액, 무게, 시간, 길이 등의 양적인 개념은 설사 계량의 단위에 복수형 s가 붙는다고 하더라도 의미는 하나로 취급되어 복수가 될 수 없고, 항상 단수 취급을 하므로 정답은 is가 된다.

A: 당신이 필리핀에서 묵었던 호텔은 얼마였나요?
B: 가격이 상당히 적당했어요. 50달러면 상당히 저렴하죠, 그렇지 않아요?

15. 〈by the time+주어+동사(미래 대신 사용하는 현재 시제)〉절과 함께 나오는 주절에 빈칸이 있다. 이 주절은 주어진 시간(by the time 절: 기준 시점)까지는 어떤 행위가 이루어질 것을 나타낸다(by the time이라는 접속사가 이미 이러한 시간적 의미를 내포). 따라서 미래완료 시제(will have p.p.)를 써야 하며 주어가 the work를 받는 it으로 일을 하는 것이 아니고 '된다'는 수동의 개념이라서 정답은 will have been done의 미래완료 수동형이 된다.

A: 언제 일이 다 끝날 것 같나요?
B: 다음 주 당신이 회의에서 돌아올 때에는 다 끝나 있을 거예요.

16. 문맥상 적절한 〈조동사+have+p.p.〉 형태를 고르는 문제이다. 이 문맥의 경우, 여러 번 마사지를 받으러 온다는 것을 근거로, 서비스가 마음에 들었을 것이라는 확실한 추측이 가능한 문맥임을 알 수 있다. 따라서 과거에 대한

확실한 추측을 하는 형태인 must have liked가 정답이다. 참고로 may have liked는 '좋아했을지도 모른다', would have liked는 '(상황이 달랐다면 분명) 좋아했을 것이다', should have liked는 '좋아했어야 했다(그런데 좋아하지 않았다)'라는 뜻이다.

A: 발이랑 전신 마사지 받고 있는 그 고객이 우리 숍을 이번 주에만 세 번째 방문했어요.
B: 그녀는 제인의 서비스가 마음에 든 것이 틀림없군요.

17. lots of 뒤에는 관사가 올 수 없고, room은 '방'의 의미를 나타내는 경우는 셀 수 있는 명사이나, '여지, 공간'의 의미를 나타내는 경우에는 셀 수 없는 명사이므로 복수 형태를 쓰지 못한다. 따라서 정답은 무관사, 무복수 형태인 room이 된다.

A: 그 소년은 대가가 될 수 있는 엄청난 잠재력을 가지고 있어요.
B: 완전 공감해요. 그는 발전의 여지가 많이 있어요.

potential 잠재력 virtuoso 거장

18. by choice는 '주어의 의지대로'라는 의미로 not by choice는 '본인의 의지가 아니라', 혹은 '본인의 의지와는 상관없이'라는 의미가 된다. 참고로 〈happen to+동사원형〉은 '우연히(혹시) ~하다'라는 의미이다.

A: 왜 제임스가 그렇게 우울한지 혹시 아시나요?
B: 그의 의지와는 상관없이 추가 수업을 참석하게 되었다고 하더라고요.

19. '두통 때문에 참석하지 못했다'라는 맥락이 제시되었으므로, '두통이 없었더라면, 분명 갔을 것이다'라는 가정법 과거완료 문장을 완성해야 한다. 따라서 원래는 would have made it to Ben's housewarming party가 된다. 또한 앞 문장에서 반복되는 내용을 생략할 수 있고, 동사 생략의 경우 조동사는 살려야 한다는 규칙을 적용해야 하므로, would have까지는 쓴다. 마지막으로 일반동사를 do 동사로 대신 받아서 쓸 수 있는 경우는 다른 조동사가 없을 때에만 가능하므로, 이 문장의 경우는 대동사 do를 쓰는 것이 불가능하다. 따라서 정답은 would have가 된다.

A: 벤의 집들이에 갔었니?
B: 아니, 두통이 심해서 갈 수 없었어. 그것만 없었다면, 분명 갔을 텐데.

housewarming 집들이

20. '딱 적당한, 딱 맞는 사람'이란 의미로 쓸 수 있는 관용적 표현을 묻는 문제이다. 이 경우 just the person을 쓰면 되므로 정답은 just the가 된다.

A: 다행이네요! 우리가 제때에 헌트 씨를 대신할 사람을 찾았네.
B: 맞아요. 마이어스 씨는 딱 적당한 사람이에요. 왜냐하면 그는 같은 분야에 비슷한 경험이 있으니까요.

21. 동사 자리에 적절한 형태를 묻는 문제이다. 주어의 형태를 보면 〈a number of+복수 명사〉인데, 이 표현에서 a number of는 묶여서 형용사 역할을 하고, 주어는 복수 명사가 되므로 동사도 복수형이 되어야 한다. 또한 등장인물들이 더하는 능동의 개념이 아니고, 더해지는 수동의 개념이므로, were added가 정답이 된다.

수정된 줄거리는 원 버전의 줄거리와는 상당히 달랐는데, 많은 등장인물들이 더해졌기 때문이다.

22. '~보다 몇 배 …한'의 의미를 표현하는 적절한 것을 고르는 문제이다. 이 표현은 두 가지로 가능한데, 첫째는 〈배수사+as+원급+as〉이고, 둘째는 〈배수사+비교급+than〉이다. 빈칸 뒤에 as가 나와 있으므로 적절한 형태를 골라보면 twice as many books가 정답이 된다.

요크 도서관은 바넷 도서관보다 두 배 많은 책을 소장하고 있다. 그래서 나는 후자가 아니라 전자로 다닌다.

house 보관하다, 살 곳을 주다 former 전자 latter 후자

23. ask(요구하다)처럼 요구, 주장, 제안, 명령 등을 나타내는 동사의 목적어에 해당하는 that절에는 〈주어+should+동사원형〉의 형식으로 쓰며 이때 조동사 should는 생략 가능하므로, 동사원형만 남을 수 있다. 따라서 정답은 remember가 된다.

전쟁이 발발한 날짜는 매우 중요했으므로 선생님은 학생들이 그것을 기억해야 한다고 요구하였다.

break out 전쟁 등이 발발하다

24. 전체적인 구조를 보면 so ~ that 구문, 즉 '너무 …해서 그 결과 ~하다'의 구조를 갖는다. 주어진 빈칸은 so를 포함한 부분을 묻고 있는데, so 부사의 경우, 이후의 관사, 명사가 일반적인 어순인 〈관사+부사+형용사+명사〉를 따르지 않고, 〈so+형용사+(a)+명사〉로 쓰게 되므로, 정답은 so beautiful a day가 된다. 참고로 so와 같은 어순을 쓰는 부사로는 as, too가 있다.

날이 너무 좋아서 김 씨 부부는 일을 건너뛰고 즐기기로 했다.

25. 주어진 빈칸은 letter를 수식해 주는 수식어구의 자리이다. 그런데 해석을 해 보면, '동봉된'이란 수동의 개념으로 수식해야 하므로 과거분사인 enclosed가 정답이 된다. 참고로 to be enclosed의 수동 형태는 문법적으로만 판단하면 정답의 가능성이 있지만, to부정사는 '동봉되어야 할'이란 미래의 의미가 되므로 문맥상 적절하지 못하다.

봉투에 동봉된 편지에서는 헬시라이프 수취인들에게 현재의 건강보험 개혁안이 입법화되면, 그들의 수혜가 줄어들 것이라고 설득하려 한다.

recipient 수취인, 수령인 current 현재의

26. 주어진 빈칸은 friends를 수식하는 관계사 절을 나타낸다. 의미상으로 원래 문장을 생각해 보면 he had been close with them(= friends) before가 되고, 여기에서 them이 접속사 역할을 같이 하면서 관계대명사 whom으로 바뀌어 문장을 연결할 수 있다. 또한 목적격 관계대명사는 생략할 수 있으므로, 정답은 he had been close with before가 된다.

한 탐정은 피해자가 이전에 가깝게 지낸 몇 명의 친구들이 있었지만, 아무도 최근에 그와 연락하지 않았다는 것을 알아냈다.

detective 탐정, 형사 victim 피해자

27. '비행기가 이륙하다'라는 의미인 take off는 자동사이므로 수동의 형태로는 불가능하고 능동의 형태가 정답이 된다. 또한 시제를 살펴보면, 그녀가 도착했을 때, '(과거 시점을 기준으로) 이미 이륙했다'는 의미이므로, 과거보다 이전을 나타내는 had taken off가 정답이 된다.

그 소녀는 비행기를 잡아타기 위해 서둘렀으나, 그녀가 공항에 도착했을 때 이미 이륙한 뒤였다.

take off 비행기가 이륙하다, 옷 등을 벗다

28. 빈칸은 '지금까지의 기록 중에서 가장 높은 기록'이란 의미로 최상급을 강조할 수 있는 표현(지금까지 중에서 단연)을 묻고 있으므로 ever가 가장 적절하다.

7월 5일에 데스밸리는 섭씨 54도까지 올라갈 것으로 예상되며, 이것은 지금까지의 최고 기록보다 1도 낮은 것이다.

29. 문맥상 적절한 접속사를 찾는 문제이다. 해석을 해 보면 빈칸 뒤의 문장이 조건을 표현하는 것을 알 수 있는데, 따라서 '오직 ~할 때에만'이라는 의미를 나타내는 only if 접속사가 정답이 된다. 참고로 in case는 '~일 경우를 대비하여'라는 뜻이다.

당신은 가장 깊은 계곡에 가 볼 때만이 가장 높은 산에 오르는 것이 얼마나 장관인지를 알게 된다.

30. 문두에 at no time이라는 부정어가 포함된 부사구가 나와 있으므로, 이후에는 〈동사+주어〉의 의문문 어순으로 도치되어야 한다. 또한 시제는 앞 문장에 이어서 과거로 하면 되므로 정답은 did she complain이 된다.

앨리는 그렇게나 끔찍한 것들을 목격했으나, 다행히도, 그녀가 외상 후 스트레스 장애를 호소하는 경우는 없었다.

witness 목격하다 post-traumatic stress 외상 후 스트레스

31. 문맥상 적절한 접속사를 고르는 문제이다. 우선 decide 동사의 목적절을 이끄는 접속사이고, '~할지 안 할지'란 의미를 나타내는 것으로 if가 정답이다.

상관은 앤더슨 씨가 그렇게 큰일을 맡을 능력이 있는지에 대해 확신이 서지 않았기 때문에 그녀에게 새로운 프로젝트를 맡길지 안 맡길지 결정하지 못했다.

assign 맡기다, 배정하다

32. 빈칸은 선행사를 수식하는 관계사를 찾는 문제로, 이때 선행사는 빈칸 바로 앞의 magazines가 아니라, 그 전의 celebrities가 된다. 또한 선행사와 관계사 절의 관계를 따져보면, 선행사의(소유 개념) 스타일이라는 의미로 연결되고, 빈칸 뒤에 완전한 절이 오면서, 관계대명사가 소유격인 whose가 정답이 된다.

최근에 십대들이 그들의 스타일을 따라하고 싶어 하는 유명 인사들의 사진이 잡지에 많이 실려 있다.

celebrity 유명 인사

33. 빈칸은 동사 자리인데, 빈칸 뒤의 명사와의 의미를 따져보면 뒤의 명사가 목적어가 아니라 '~이다'라는 보어의 개념이므로 be동사가 들어가야 한다. 또한 〈one of+복수 명사〉에서 주어는 one(단수 주어)이므로 단수 동사인 is가 정답이 된다.

그 시스템들을 판매하는 데 있어서 장애물들 중 한 가지는 특히 그런 시스템들의 보안에 대한 사용자 신뢰의 부재이다.

obstacle 장애

34. 문맥상 적절한 조동사를 골라내는 문제이다. 전체적인 문장의 해석상 '(과거에) ~하고는 했다'라는 의미를 나타내는 조동사가 들어가야 하므로 would가 정답이 된다.

어렸을 때 나는 아버지가 톰 삼촌과 이야기하는 것을 지켜보고는 했는데, 왜냐하면 그가 아버지에게 말하고 있는 것은 내가 이해할 수 없는 것이었기 때문이다.

35. 문맥상 적절한 접속사를 고르는 문제이다. 해석해 보면 '그들이 도착해서 바로 달려갔다'라는 의미가 되므로 '~하자마자'인 as soon as가 정답이 된다. 참고로 as long as는 '~하는 한, ~한다면'이라는 뜻이다.

그들은 매우 빠르게 저녁을 준비해야 했다. 그래서 집에 도착하자마자, 그들은 식사 준비를 하기 위해 부엌으로 달려갔다.

fix 음식을 준비하다 dash 서둘러 가다

36. 앞 문장의 내용을 통해서 그렇지 않았다면(더 빨리 도착했더라면) 희생자들을 구할 수 있었을 것이라는 가정적 상황을 설명하는 문장이므로 가정법 과거 완료가 필요하다. 또한 문장의 주어인 victims가 구조하는 것이 아니라 구조되는 수동의 개념이므로 could have been이 정답이 된다.

그들이 더 일찍 범죄 현장에 도착하지 못한 것은 너무나 안타까운 일이다. 그렇지 않았다면, 더 많은 희생자들이 구조될 수 있었을 텐데.

37. 문맥상 '반드시 ~하라'는 의미를 갖는 〈be sure to+동사원형〉의 형태를 물어보는 문제이다. be sure까지 주어졌으므로 정답은 to check가 된다. 참고로 of importance는 important와 의미가 같다.

이 시스템으로 들어오는 새로운 모든 정보를 확인하는 것이 아주 중요합니다. 따라서 반드시 어떤 변화를 위해서라도 꾸준하게 그것을 확인하세요.

utmost 최고의 constantly 끊임없이

38. 관계대명사 관련 구문 중 〈not the least of which+(S)+V〉 '(앞의 내용들 중) 중요한 것이 …이다'라는 것을 묻는 문제이다. 이 문장에서 which는 앞 문장의 volunteer works를 받는 관계대명사이고, 따라서 not the least 이하의 해석은 '(그러한 자원봉사 활동들 중) 중요한 것이 장애인들을 돕는 것이다'가 된다.

자원봉사 단체인 리치아웃은 어려운 사람들을 위한 자원봉사 활동에 헌신적인 것으로 유명한데, 그중 중요한 것이 전국적으로 장애인들을 돕는 것이다.

devoted 헌신적인 the needy 어려운(궁핍한) 사람들 the handicapped 장애인들

39. 완전한 문장 앞에 부가적으로 붙을 수 있는 어구를 묻고 있으므로 정답은 분사 혹은 to 부정사가 된다. 그런데 해석해 보면 '~해서'라는 이유를 나타내고 있으므로 분사구문을 쓴다. 또한 주절의 주어와 분사의 관계를 따져보면, 지붕이 스스로를 칠하는 능동의 개념이 아니고, 지붕이 칠이 되는 수동의 개념이므로 과거분사(painted)가 정답이 된다. 참고로 Having painted는 주절보다 먼저 발생했음을 나타내고, 능동의 개념임에 유의하자.

초록색으로 칠해져서, 그 집의 지붕은 이전보다 더 전원적으로 보인다.

idyllic 전원적인, 목가적인

40. '~를 인정하다'는 맥락에서 〈admit to+동명사〉를 묻는 문제이다. 또한 동명사의 수/ 능동을 따질 때, 빈칸 뒤에 동명사의 목적어를 보는 순간 능동형 동명사가 필요함을 알 수 있다. 따라서 정답은 committing이 된다.

변호사는 그의 사형 선고가 감형되기 위해서는 그 범죄를 저질렀음을 인정해야 한다고 피고를 설득하였다.

the accused 피고 commute 감형하다

41. (c) drown → drowning

〈be close to+동명사〉는 '거의 ~할 뻔하다'라는 의미이다. 따라서 주어진 문장에서처럼 동사원형(drown: 익사하다)이 아니고, 동명사 형태인 drowning을 써야 한다.

(a) A: 릭에게 무슨 일이 있었는지 소식 들었니?
(b) B: 아니, 오늘은 들은 바가 없는데. 무슨 일이 있었는데?
(c) A: 그가 탑승하고 있던 배가 부딪혀서 바다에서 가라앉았대. 그가 구조될 당시에, 거의 익사할 뻔했대.
(d) B: 세상에, 어떤 누구도 다치지 않았길.

on board 탑승 중인 sink 가라앉다 rescue 구조하다

42. (d) used to do → used to

동사의 대용 용법을 물어보는 문제이다. 〈I used to+동사원형〉인 경우 동사 관련 어구 전체는 가능하지만, 대동사인 do를 쓰는 것은 불가능하다. 이것은 used to 자체가 조동사로서 이미 나머지 동사들의 '대용' 역할을 하기 때문에, 다른 대동사인 do와 같이 쓰게 되면 대용어가 중첩된다. 즉 used to와 대동사 do를 같이 사용하는 것이 불가능하므로 대동사 do는 지워야 한다.

(a) A: 홍차 한 잔 더 하고 싶어요.
(b) B: 이거 세 잔째에요. 오늘 밤 자는 데 문제없겠어요?
(c) A: 아뇨, 그렇게 생각 안 해요. 분명 카페인은 저한테는 영향이 없는 것 같아요. 당신은 홍차 몇 잔을 마신 뒤에는 잠을 자기가 힘든가요?
(d) B: 그랬었어요. 그렇지만 요즘은 홍차 몇 잔을 마셔도 잘 자요.

evidently 분명하게

43. (b) have been standing → had been standing

문맥상 적절한 시제를 고르는 문제이다. since 이하의 문장은 내가 버스를 탑승한 '과거 시점 이전에' 하루 종일 서 있었다는 의미이므로, '(과거 ... 이전에 계속) ~했다'는 시제인 had been -ing이 와야 한다. 참고로 have been -ing는 '(지금까지 계속) ~해 왔다'의 맥락에서 쓴다.

(a) A: 오늘 매우 지쳐 보이네요. 오늘 힘들었어요?
(b) B: 집으로 오는 길에 버스에 탔을 때, 하루 종일 직장에서 서 있었기 때문에 자리에 좀 앉고 싶었거든요.
(c) A: 그래서, 결국 앉을 수 있었나요?
(d) B: 아니요, 그래서 더 지쳤네요.

worn out 매우 지친

44. (d) no → any

'거의 ~가 아니다'라는 의미를 나타낼 때 hardly ~ any의 형태로 쓴다. 그런데 이 문장에서는 hardly ~ no를 사용하고 있으므로 부정어가 두 번 들어가서 오히려 의미는 반대가 되었다. 따라서 no를 any로 바꿔야 한다.

(a) A: 그래, 첫 번째 해외 출장에서 돌아왔군요. 어땠나요?
(b) B: 계속 줄지어 있는 회의 준비하고 참석하느라 매우 바빴어요.
(c) A: 관광지에 들르지는 않았나요?
(d) B: 불행히도 그럴 시간이 거의 없었어요.

45. (b) be that → be one

적절한 대명사를 묻는 문제이다. (b) 문장을 살펴보면 seemed to be 다음에 that 대명사가 이후의 to부정사의 꾸밈을 받아서 '선거에 출마할 사람(미래적 개념이 더해짐)'이라는 의미인데, 대명사 that은 이러한 용법으로 쓰지 않는다. 이러한 맥락에서는 대명사 one이 와야 하며 〈one to+동사원형〉으로 '~할 사람'이란 의미로 쓰인다.

(a) A: 론이 학생회 회장 선거에 출마했어요.
(b) B: 와, 그것 참 의외인데요. 그는 너무나 수줍음을 타서 선거에 나올 인물로 보이지 않았거든요.
(c) A: 그러게요.
(d) B: 다른 학생들은 이에 대해 어떻게 생각하는지 궁금한데요.

run for 입후보하다

46. (d) wide → widely

정확한 형용사와 부사의 쓰임을 묻는 문제이다. 마지막 문장에서 wide는 known이라는 과거분사를 수식하는 역할을 하고 있다. 이는 명사를 수식하는 것이 아니므로 형용사 wide가 아니라, 부사인 widely가 쓰여야 한다.

(a) 알제리의 작가인 타오스 암루슈는 유어마인드 서점에서 이번 8월에 사인회를 가질 것이다. (b) 그 행사는 그녀의 최근 회고록을 홍보하는 전국적 행사의 일환이 될 것이다. (c) 그 책은 알제리의 정치 혁명이라는 격변기 동안 암루슈가 성인이 되어 가는 이야기를 서술한다. (d) 소설가 이외에도, 암루슈는 문학에 대한 세미나와 워크숍을 하는 것으로도 널리 유명하다.

nationwide 전국적인 memoir 회고록 turbulent 격변의 literature 문학

47. (b) are → is

(b)는 현재 whether 이하의 절이 주어의 역할을 하고 있고, 동사는 are이다. 따라서 주어는 명사절(whether ~ strains)이고, 명사절의 경우 항상 단수 취급을 하므로 동사도 복수인 are가 아니라, 단수 is가 와야 한다.

(a) 변종 조류 독감이 공기 중으로 확산되는 H5N1에 대한 공포를 확산시키고 있다. (b) 그것들이 많은 변종 중 하나의 변종에 모일 수 있을지가 현재의 급박한 문제이다. (c) 이 변종들이 H5N1이 인간에게 전염될 수 있는 메커니즘을 드러낼 것인가? (d) 그리고 만약 그것들이 인간 감염에 직접적으로 관련이 있다면, 그것들은 주된 경로를 나타내는 것인가? 아니면 가능한 여러 경로들 중 한 가지를 보여 주는 것인가?

mutant 돌연변이의 strain 변종, 종족 airborne 공기로 운반되는 contagious 전염성의 path 길

48. (d) equipments → equipment

equipment는 단복수가 없는 셀 수 없는 명사이다. 따라서 복수로의 사용은 불가능하며, 주어진 문장의 equipments를 equipment로 바꾸어야 한다. 참고로 〈some +(셀 수 있는 명사) 복수〉로 '몇몇 ~', 〈some +(셀 수 있는 명사) 단수〉로 '어떤 ~', 〈some +(셀 수 없는 명사) 단수〉로 '약간의 ~'라는 의미이다.

(a) 오렌지 카운티는 올해 69,101달러 더 많은 1,700,500달러를 지역 예산으로 받기로 되었다는 공문을 받았다. (b) 그것 때문에 오렌지 카운티는 거의 모든 부서에서 새 컴퓨터를 구매 목록에 포함시킬 수 있게 되었고, 10대의 무선 컴퓨터도 살 수 있게 되었다. (c) 오래된 음성 메일 시스템의 개선도 이 지역 예산 때문에 가능할 것이다. (d) 이 카운티는 그 돈으로 3대의 보안관 차량을 구입할 수 있고, 일부 사무용품도 구입할 수 있다.

secure 확보하다 outdated 구식인 aid 원조, 지원 sheriff squad 보안관들

49. (d) sit → sitting

(d) 문장의 sit 이하는 명사 faculty를 수식하는 수식어구로서의 역할을 하고 있다. 따라서 동사가 아니라 분사의 형태로 사용되어야 하는데, 이 경우 명사와 분사의 의미 관계가 능동이면 –ing 형태를, 수동이면 p.p. 형태를 사용해야 한다. sit는 자동사이므로 능동으로만 쓸 수 있고 이 경우 sit이 아닌, 능동의 분사인 sitting의 형태라야 한다.

(a) 미네소타 의과대학이 의학박사인 오스틴 윌슨의 지도 하에 1950년 개교한 이래로, 우리 교수진과 교직원들은 사람들을 교육하고 폭넓은 지식을 제공하고자 하는 우리의 임무를 수행하는 데 있어서 훌륭히 해 왔습니다. (b) 어떠한 학장도 이러한 임무를 혼자 수행하지는 않았습니다. (c) 현재 학장인 의학박사 빌 마틴은 2010년 7월 1일에 임명되었습니다. (d) 그는 학교 운영 위원회에 참석하는 헌신적인 교원들과 학교를 이끌어 나가는 책임을 공유하였습니다.

faculty 교수진 excel 뛰어나다 fulfillment 실현, 수행 spectrum 범위, 영역 comprehensive 포괄적인 dean 학과장

50. (b) Had it not for → Had it not been for

가정법 과거 완료 문장의 적절한 형태를 묻는 문제이다. '~가 없었더라면'이라는 의미를 나타내기 위해서는 if it had not been for ~를 사용하며, 이 문장에서 if를 생략하면 Had it not been for ~라고 해야 한다. 따라서 (b)의 경우, Had it not for를 옳은 형태인 Had it not been for로 바꾸어야 한다.

(a) 나는 나와 함께 모든 기쁨과 슬픔을 나눈 그룹 멤버들에게 매우 감동 받았습니다. (b) 그들이 없었다면, 나는 해내지 못했을 것입니다. (c) 그들은 항상 기쁨과 희망으로 가득 차 있었고, 매일 아침 일찍 일을 시작하며, 밤늦게까지 한 마디의 불평도 없이 일했습니다. (d) 이들과 함께 하면서, 어떤 부정적인 생각들을 가질 수 있었겠습니까?

Actual Test 2

본책 / 135p

PART I

1 (b)	2 (a)	3 (a)	4 (b)	5 (a)	6 (c)	7 (a)	8 (a)	9 (a)	10 (a)
11 (d)	12 (b)	13 (a)	14 (c)	15 (b)	16 (d)	17 (c)	18 (c)	19 (c)	20 (d)

PART II

21 (b)	22 (b)	23 (b)	24 (c)	25 (b)	26 (a)	27 (a)	28 (c)	29 (c)	30 (b)
31 (a)	32 (a)	33 (b)	34 (d)	35 (a)	36 (a)	37 (c)	38 (b)	39 (b)	40 (b)

PART III

41 (a) since you had last seen → since you last saw
42 (d) think over it → think it over
43 (c) anything what → anything that
44 (c) Being convicted → Having been convicted
45 (c) need → need to

PART IV

46 (d) would start → (should) start
47 (b) intending → intended
48 (c) which → in which
49 (b) considering → considered
50 (d) are described → described

1. '~까지'를 의미하는 by와 until의 차이를 정확히 알아 두자. by는 일시적인 동작을 나타내는 동사와 함께 쓰여 어떤 일의 완료를 나타낸다. 한편 until은 지속적인 개념으로, 정해진 시점까지 지속되는 동작이나 상태를 나타낸다. 마감일까지는 3일이 남아 있는 상태이므로 정답은 (b)이다.

A: 우리가 제시간에 끝낼까?
B: 마감일까지 아직 3일 남았어.

2. advice는 셀 수 없는 명사이므로 (a)가 가장 적절하다. some은 셀 수 있는 명사와 셀 수 없는 명사 앞에서 모두 사용 가능하다. 구체적인 충고의 내용을 모르는 상태이므로 (d)는 부적절하다.

A: 몰디브로 가족 여행을 가는 데 뭐가 필요할까?
B: 테리가 몰디브에서 막 도착했어. 아마 그가 약간의 충고를 줄 수 있을 거야.

3. statistics이 '통계학'이라는 학문명의 의미일 때에는 단수 취급하며, '통계 자료, 통계표'의 의미로 쓰일 때에는 복수 취급을 한다. 대화에서는 보고서에 나오는 통계 자료를 뜻하며, 일반적인 사실에 대해 말하고 있으므로 단순현재 시제인 (a)가 정답이다.

A: 이 연말 보고서는 중복 확인이 필요할 것 같아요.
B: 알아요. 그 속의 통계 자료들이 상당히 부정확해요.

4. meal은 셀 수 있는 명사이므로 관사와 함께 쓰거나 복수의 형태로 써야 한다. meal 앞에서 수식하고 있는 light 같은 형용사와 함께 쓰일 경우에는 셀 수 없는 명사인 breakfast, lunch, dinner 등도 부정관사와 함께 사용한다. 따라서 정답은 (b) a light meal이다.

A: 발표하기 전에 가볍게 식사를 할 시간이 없어요.
B: 그런 경우라면 그냥 음료수를 마시죠.

beverage 음료

5. be동사 바로 뒤에 최상급이 오는 경우, 뒤에 명사가 없을 때는 정관사 the를 사용하지 않고 most만으로 최상급을 표현한다.

A: 톰이 지난주에 당신에게 보낸 장미 꽃다발을 받았나요?
B: 네. 그는 최고로 사려 깊었어요. 그에게 정말 고맙다고 전해 주세요.

considerate 사려 깊은

6. 빈칸은 부사절을 이끄는 복합관계대명사가 필요한 자리로 '~라고 할지라도'의 양보의 의미를 나타낸다. 문맥상 두 개의 대학 중에서 하나를 선택하는 것이므로 선택을 나타내는 whichever가 적절하다.

A: 케임브리지와 옥스퍼드, 이 두 대학 중에서 결정을 못하겠어요.
B: 어느 쪽을 선택해도 분명 최고의 교육을 받게 될 거예요.

7. B의 말로 보아 A는 우유와 치즈를 사야 할 것을 기억했는지 묻는 것이므로 〈remember+to부정사〉 형태가 알맞다. 그러므로 정답은 to get이다. 사 왔다는 사실을 기억하는 것은 〈remember+동명사〉를 쓴다. 주절의 시제와 불일치하는 경우가 아니므로 to have p.p.는 적절하지 않다.

A: 우유와 치즈 사는 것 기억했지?
B: 미안해. 깜빡했어. 금방 사다줄게.

slip one's mind 깜빡 잊다

8. 3형식으로 〈주어+find+목적어(tech-savvy experts)〉로 이루어져 있다. 목적어 뒤의 familiar with social media advertising은 목적어를 수식하는 것으로 who are(주격 관계대명사+be동사)가 생략된 것이다.

A: 그 다국적 기업에서 일하기 위한 자격 조건이 무엇인가요?
B: 그 기업은 소셜 미디어 광고에 익숙한 기술적으로 능숙한 전문가들을 찾고 있습니다.

requirement 필요조건 multinational corporation 다국적 기업 tech-savvy 기술적으로 정통한

9. 동사 forget의 적절한 시제를 묻는 문제이다. 회의에 대해 잊고 있었던 시점은 조던이 나에게 상기시킨 시점보다 더 과거 상황이므로 특정한 과거 시점 이전에 발생한 일을 표현하는 과거완료 시제인 (a)가 정답이다.

A: 어디에 있었어요? 회의에 못 들어갈 뻔했잖아요.
B: 죄송합니다. 조던이 저에게 상기시켜 주기 전까지 잊고 있었어요.

remind 상기시키다

10. hesitation은 추상명사로 앞에 부정관사가 올 수 없다. without과 함께 쓰이는 경우 〈without+추상명사〉는 부사처럼 쓰여 '주저함 없이'라는 의미를 가진다. 관용적인 표현이니 암기해 두는 것이 좋다.

A: 무료 숙박을 제공받는다면 어떻게 하실 건가요?

B: 당연히 주저 없이 그것을 받아들이겠어요.

accommodation 숙소 without hesitation 주저함 없이

11. 명령, 제안, 요구, 주장을 나타내는 동사 다음의 that절에는 〈should+동사원형〉을 쓴다. 동사 ask가 나온 후, that 다음의 문장에서 should는 생략할 수 있으므로 be동사 앞의 should가 생략된 (d)가 정답이다. 동사 ask 이외에도, suggest, insist, require, recommend 등의 기본적인 주장, 요구, 제안을 나타내는 동사들은 숙지해 두어야 한다.

A: 제가 세미나에 참석해야 하나요?
B: 네, 교수님이 모든 대학원생들이 참석할 것을 요청하셨어요.

attendance 참석 graduate student 대학원생

12. 주어-동사 수 일치 문제이다. neither of는 뒤에 복수 명사가 오고 동사는 3인칭 단수가 온다. like는 대표적인 상태 동사로 진행형으로 쓰이지 않는다. 따라서 정답은 (b)이다.

A: 너나 네 룸메이트는 학교 행사에 적극적으로 참여하니?
B: 아니, 우리 둘 다 그런 일을 하면서 시간 보내는 것을 좋아하지 않아.

13. 일반동사 speak와 be동사가 함께 쓰인 병렬구조 및 어순 문제이다. fast는 부사이므로 일반동사인 speak 뒤에 오고, confusing은 형용사로서 be동사 뒤에 온다.

A: 물리학 수업 어땠어?
B: 교수가 말을 너무 빨리 해서 굉장히 혼란스러웠어.

14. 빈칸은 she has not redeemed her student loan에서 A의 말과 중복되는 부분인 redeemed her student loan을 생략하고 조동사 had만 쓴 (c)가 정답이다.

A: 시에나가 아직 학자금 대출을 상환하지 않았다니 믿을 수 없어요.
B: 그럴 리가 없어요! 그녀는 이미 상환했다는 확인서도 받았는걸요.

redeem (빚을) 청산하다

15. 어순과 시제를 동시에 묻는 문제이다. 산에 오른 것은 과거이며, 길이에 대해 자신이 생각했던 때는 과거보다 더 과거의 일이므로 과거완료인 (b)가 적절하다.

A: 제시카, 첫 등산 어땠어? 좋았어?
B: 너무 힘들었어. 내가 생각했던 것보다 약간 길기도 했고.

16. program은 셀 수 있는 명사이고, 관사와 복수 접미사가 와야 한다. 의문문에서는 관사가 아닌 any를 쓸 수 있기 때문에 (d)가 가장 적절하다.

A: TV에 재미있는 프로그램 하는 거 있니?
B: 응. 〈X-팩터〉라고 음악 경연 프로그램 할 시간이야. 난 그 방송의 열성팬이거든.

air 방송하다 avid 열성적인 viewer 시청자

17. 집이 너무 답답하다고 하므로 어제 창문들을 닫아 놓았을 것이라는 과거에 대한 추측 '~했을지도 모른다'를 의미하는 may have left가 적절하다. 다른 〈조동사+have p.p.〉의 의미를 정확히 알아 두자. must have p.p. '~했음에 틀림없다', should have p.p. '~했어야 했는데 하지 않았다', cannot have p.p. '~했을 리가 없다'

A: 이 집이 너무 답답하다고 생각하지 않니?
B: 그래. 집주인이 어제 아치형 창문들을 닫아 놨었던 것 같아.

stuffy 답답한 arched 아치 모양의

18. 관사 및 명사에 관한 문제이다. 명사 paper가 '종이'를 의미할 때는 셀 수 없는 명사지만 '리포트, 신문'을 나타낼 때는 셀 수 있는 명사로 쓰인다. 문제에서는 '하나의 리포트'를 의미하므로 (c)가 정답이다.

A: 이스라엘과 팔레스타인의 분쟁에 대한 리포트를 썼어. 읽어 주겠니?
B: 물론이지. 나는 지난주에 리포트를 제출해서 읽을 시간이 충분해.

conflict 마찰 turn in 제출하다

19. 미래의 특정 시점 무렵의 일을 나타내는 by next month로 보아 미래완료 시제 will have p.p. 형태인 (c)가 정답이다. 미래완료 시제는 주로 by the time 또는 〈by+미래 시간〉과 함께 사용된다.

A: 메리, 저널리스트로 얼마나 오랫동안 일해 왔나요?
B: 다음 달이면 〈뉴욕 타임스〉에서 저널지스트로 일한 지 10년이 돼요.

20. 접속사 but으로 보아 빈칸에는 주어 many of the books의 술부가 나와야 한다. 대화의 흐름상 책이 대출되어 없었다는 내용이므로 동사는 be checked out 수동태가 되어야 한다. I want to read는 which가 생략된 관계대명사절로 바로 뒤에서 주어를 수식한다. 따라서 정답은 (d)이다.

A: 대학 도서관 다섯 곳을 갔는데 내가 읽고 싶어 하는 책은 모두 이미 대출이 되었어.
B: 그거 안됐구나! 넌 좀 더 일찍 방문했어야 했는데.

21. 문맥상 '전 지역을 통해서, ~도처에'를 의미하는 throughout이 적절하다. 전치사 through는 '~을 관통하여, ~을 통과하는'의 의미이므로 문맥상 맞지 않는다.

할랄 음식은 이슬람 세계에서 허용되는 전통적인 음식 규정이다.

permissible 허용되는 dietary 음식물의, 식이 요법의

22. a wealth of는 '풍부한, 많은'의 의미로, 가산 명사와 불가산 명사 앞에 모두 사용한다. information은 대표적인 셀 수 없는 불가산 명사로, 그 외에 equipment, furniture, advice, luggage, baggage, scenery 등이 있다.

이 웹 사이트는 출발 시간표, 버스 정류장의 위치와 마지막 제안을 포함한 풍부한 정보를 담고 있다.

last minutes 최후의 순간, 마지막

23. should가 앞으로 나오는 가정법 미래의 도치 구문을 묻는 문제이다. 즉, 〈if+주어+should+동사원형〉에서 if가 생략되면 주어와 should의 자리가 도치되어 〈should+주어〉의 어순이 되므로 (b)가 정답이다. 이런 경우 주절은 대부분 동사의 원형으로 시작하는 명령문이다.

머무시는 동안 불편이 있으시다면, 호텔 안내 데스크에 즉각 통지해 주시기 바랍니다.

concierge desk 안내 데스크

24. most가 부정 형용사로 쓰이면 명사 바로 앞에서 수식하여 most people이 되어야 한다. most가 부정 대명사로 쓰일 경우 〈most of+한정사+명사〉의 형태로 쓰이므로 (c)가 정답이다.

여름에 알래스카에 가는 대부분의 사람들은 기대했던 것보다 더 따뜻한 날씨에 놀라워한다.

25. 〈with+목적어+분사(형용사)〉구조를 묻는 문제이다. (a)와 (d)는 의미상 어색하며, (c)는 하나의 절로서 앞에 적절한 접속사가 필요하다. 예기치 않은 폭풍이 다가오는 것이므로 능동태를 사용하는 것이 문맥상 가장 적절하다.

예측하지 못한 폭풍이 다가오고 있어서 산을 가야 할지 우리는 망설이고 있다.

hesitate 망설이다 **unpredictable** 예측할 수 없는

26. 알맞은 관계대명사를 고르는 문제이다. 관계절의 is known은 전치사 for와 함께 쓰여 '~으로 알려져 있다'라는 의미이므로 관계대명사 앞에 전치사 for가 온 (a)가 정답이다. 선행사가 있으므로 관계대명사 what은 옳지 않으며 in that은 접속사이므로 적절하지 않다.

덴마크의 잘 알려져 있는 뛰어난 사회 복지와 훌륭한 교육 환경은 많은 외국인 학생들과 연구자들을 끌어들였다.

27. 부정 대명사의 쓰임을 묻는 문제이다. 'A와 B는 별개이다'라는 뜻으로 A is one thing, B is another 구문을 쓴다. A와 B는 같은 구조로서 문제에서는 to부정사가 주어로 왔다.

재미 삼아 요리하는 것과 식당을 여는 것은 별개의 일이다.

28. 과거의 사실과 반대되는 상황을 가정하는 가정법 과거완료 문장으로, 문맥상 '~가 없었더라면 …하지 못했을 것이다'의 부정의 의미가 적절하다. 가정법의 주절은 〈조동사의 과거형+have p.p.〉의 형태를 취하며, 주어인 he가 상을 받은 상황이므로 수동태 〈조동사의 과거형+have been p.p.〉의 모습을 갖춘 (c)가 정답이다. without은 시제에 따라 if it had not been for '~이 없었다면' 또는 if it were not for '~이 없다면'을 뜻한다.

비평가들과 관객들의 지지가 없었더라면 그는 분명히 최고의 감독상을 받지 못했을 것이다.

critic 비평가 **moviegoer** 영화 팬

29. 뒤에 절이 나오므로 접속사가 와야 한다. 문맥상 '그럼에도 불구하고'를 뜻하는 and yet이 가장 적절하다. in spite of는 전치사구이므로 뒤에 명사(구)가 오는 것이 적절하다.

세인트루이스 인구의 3분의 2가 흑인이지만 그럼에도 불구하고 시장은 백인이고 6명의 시 의원들도 마찬가지이다.

30. 가격을 나타내는 명사구는 단수 취급하므로, (b) 또는 (c)가 답이 될 수 있다. 빈칸 앞에 과거 시제와 어울리는 표현인 five years ago가 왔으므로, (b)가 정답이다. 가격은 dollars와 같이 -s가 붙어서 복수를 의미해도 하나의 단위로 생각하므로 단수 취급을 한다. 그 밖에 시간, 거리, 금액, 무게를 의미하는 단위 명사들도 마찬가지이다.

자신의 뉴스 웹 사이트로 가장 잘 알려진 아리안나는 현재 수백만장자이지만, 5년 전만 해도 그녀에게 100달러는 큰돈이었다.

multi-millionaire 수백만장자

31. for some time을 통해서 과거에 조나단이 새 멤버로 합류하기 전부터 이미 그들은 공연을 위해 노력하고 있었음을 알 수 있으므로 빈칸에는 과거완료진행 시제인 (a)가 적절하다.

조나단은 신입 회원으로 그룹에 합류를 했고, 모든 구성원들이 한동안 완벽한 공연을 위해 고군분투했었다는 것을 알았다.

32. 〈would rather+동사원형〉은 '~하고 싶다'라는 의미로 부정어가 첨가되는 경우, 〈would rather not+동사원형〉을 쓴다. 여러 가지 다른 경우보다 한 가지를 더 좋아할 때 사용하는 표현이기도 하다.

많은 교환 학생들은 한국어로 그들의 과제들을 제출하고 싶지 않다고 말했다.

exchange student 교환 학생

33. 빈칸 뒤에 차별을 받는 이유를 나타내는 명사가 나오므로 문맥상 '~ 때문에'를 의미하는 on account of가 적절하다. on behalf of '~를 대신해서', on the heels of '~ 후 즉시', on the brink of '~의 직전에'도 함께 알아 두자.

학부모 · 교사 회의에서 교장 선생님은 성별이나 인종 때문에 차별받는 학생들이 전혀 없다고 주장했다.

maintain 주장하다 discriminate 차별하다 gender 성별 race 인종

34. 부정 부사가 문두에 오는 전형적인 부정 도치 문장이다. 부정어가 문두로 나갈 때 도치가 일어나므로 부정어인 never가 문장 맨 앞으로 가고 〈주어+동사〉가 도치된 (d)가 정답이다.

내가 전액 장학금을 받을 가능성은 그 어느 때보다도 이번 학기에 가장 높다.

35. 문맥상 '늦어도 ~까지'의 의미를 가진 (a) no later than이 자연스럽다. 그 외에도 선택지에 나와 있는 숙어들도 문맥에 따라서 자주 사용된다. no less than은 '자그마치', no more than은 '단지, 겨우'를 의미한다.

권장 체크인 시간은 유럽행 1시간, 미국행 2시간이 넘지 않는다.

departure 출발 destination 목적지

36. the more ~, the more ~ 구문으로, 비교급 the more가 앞으로 나가면서 가능성을 나타내는 be likely to의 형용사 likely가 함께 앞으로 나가야 한다. 나머지는 순서대로 쓴 (a)가 정답이다.

슈퍼모델이 채소와 물만 섭취하면 할수록, 그들은 저체중이 될 가능성이 높다.

consume 섭취하다 underweight 표준 체중 이하의

37. 깨닫기 이전에 이미 그녀는 정신적인 충격을 받았기 때문에 한 단계 이전 시제를 나타내는 대과거 have p.p.의 분사구문이어야 한다. 타동사 traumatize 뒤의 전치사 by로 보아 수동태인 (c)가 적절하다.

과거의 관계에서 당했던 많은 배신으로 정신적인 충격을 받은 탓에 그녀는 정상적인 학교생활로 돌아가는 것이 매우 힘들다는 것을 알았다.

traumatize ~에게 정신적인 충격을 주다 betrayal 배신

38. '~와 사이가 나쁘다'의 뜻으로 be at odds with라는 표현을 사용한다. 반드시 복수형으로 사용되는 표현이다.

이스라엘은 오직 미국과 유럽 연합의 지원만 받으면서 거의 50년 동안 대부분의 중동과 북아프리카의 많은 나라들과 관계가 나쁜 상태이다.

39. 시제와 태를 묻는 문제이다. by the time은 '~할 때까지'라는 뜻으로 그 시점까지 완료됨을 나타내므로 종속절의 과거 시점(began)보다 앞선 시제가 들어가야 한다. 따라서 과거완료인 (b)가 알맞다. 증거는 처분되는 것이므로 수동태를 사용한다.

경찰이 돈세탁에 대한 수사를 시작했을 때에는 기밀 증거 대부분이 이미 폐기되었다.

confidential 비밀의 dispose of ~을 없애다 investigation 조사 money laundering 돈세탁

40.

The stockholder was so furious가 제대로 도치된 문장을 찾는 문제이다. 보어 역할을 하는 so furious가 문두에 나오면서, 주어와 동사가 도치된 (b)가 정답이다.

그 주주는 회의에서 회사 간부들에게 고함을 칠 정도로 무척 화가 나 있었다.

furious 화가 난 stockholder 주주 roar 고함을 치다 executive 간부

41.

(a) since you had last seen → since you last saw

'~한 이후로 이제까지 ~했다'라고 할 때 주절은 현재완료 시제이며 since가 이끄는 종속절은 단순 과거 시제가 된다. 따라서 since you had last seen을 단순 과거 시제인 since you last saw로 바꿔야 한다. since 절은 과거의 한 시점의 일을 나타내므로 완료 시제로 쓰지 않도록 주의한다.

(a) A: 부모님을 마지막으로 뵌 지 얼마나 되었죠?
(b) B: 생각해 보니, 부모님을 6개월 넘게 못 뵈었군요.
(c) A: 그래요? 부모님이 많이 그립겠군요.
(d) B: 네. 하지만 일주일 정도 후에는 집으로 돌아갈 거예요.

come to think of it 생각해 보니 head ~로 향하다

42.

(d) think over it → think it over

〈동사+부사〉로 이루어진 구동사의 목적어가 대명사인 경우에는 〈동사+대명사+부사〉 순으로 와야 한다.

(a) A: 학교와 전공을 현명하게 선택한 것 같니?
(b) B: 그렇지 않은 것 같아. 나에게 전혀 맞지 않아.
(c) A: 그럼 무엇을 전공하고 싶은데?
(d) B: 친구들과 생각하고 난 후에 상담 선생님을 찾아갈 거야.

think over 심사숙고하다

43.

(c) anything what → anything that

관계대명사 what은 선행사가 없을 때 쓰인다. anything이 선행사이므로 관계대명사 that이 적절하다. anything, something, nothing과 같이 -ing로 끝나는 명사가 선행사인 경우에는 관계대명사 that이 온다.

(a) A: 너 내일까지 그 학기말 리포트를 제출해야 하지 않아?
(b) B: 다행히 지도 교수님이 마감을 연장해 주셨어.
(c) A: 잘됐네. 뭐 좀 도와줄 것 있어?
(d) B: 내게 몇 가지 자료를 복사해 주면 좋겠네.

extension (기간의) 연장

44.

(c) Being convicted → Having been convicted

분사의 의미상의 주어가 브래드(he)이므로 수동태로 써야 하며, 유죄 선고를 받은 것이 석방된 것보다 이전에 일어난 일이므로 완료형 수동태 분사구문이 적절하다.

(a) A: 브래드가 감옥에서 복역을 마쳤다고 들었어요.
(b) B: 알아요. 그는 매출에서 백만 달러 이상을 숨기고 탈세로 고소를 당했어요.
(c) A: 저지른 범죄에 대해 유죄 선고를 받고 나서 그는 3년을 복역했어요.
(d) B: 3년이라는 시간은 그가 저지른 범죄에 비해서는 짧은 기간이었어요.

do one's time 복역하다 tax evasion 탈세 conceal 감추다 be convicted of ~으로 유죄를 선고받다
sentence 형벌

45. (c) need → need to

need 이하의 생략에 관한 문제이다. if she didn't need to choose such as tough job에서 앞에 언급한 choose such as tough job은 생략되고, need to까지 써야 한다. 이미 앞 문장에서 언급된 내용은 대동사 또는 조동사만 남기고 모두 생략한다.

(a) A: 클로이는 결혼하고 나서 뉴욕으로 이사 가지 않았었니?
(b) B: 맞아. 그런데 LA를 자주 갔고, 법률 보조 시간제로 일을 했었다고 들었어.
(c) A: 그녀가 필요하지도 않던 그 힘든 일을 뉴욕이 아닌 LA에서 고른 이유가 궁금해.
(d) B: 그녀는 다시 LA로 돌아올 계획이었어. 법률 분야에서 계속 일하는 것이 그녀에게 훨씬 나을지도 몰라.

46. (d) would start → (should) start

권고를 나타내는 형용사 advisable 뒤 that절에는 〈should+동사원형〉이 나온다. should는 생략할 수 있으므로 동사원형으로 고쳐야 한다. advisable 이외에도 이성적 판단을 나타내는 형용사 natural, important, crucial, desirable, necessary, essential을 알아 두자.

(a) 암 진단을 받는 것은 매우 심각한 일이다. (b) 당신은 아마 다른 의사의 진단을 받기를 원할지도 모른다. (c) 그러나 두 진단이 비슷하다면 더 이상 다른 전문가들에게 진찰을 받으러 갈 필요는 없다. 그들 또한 똑같은 것을 당신에게 말해 줄 것이기 때문이다. (d) 최대한 빨리 치료를 시작하는 것이 좋다.

diagnose 진단하다 **specialist** 전문가 **advisable** 바람직한

47. (b) intending → intended

intending to ~ acquisition은 문장의 주어 the fund를 수식하는 삽입구로서, 컴퓨터와 네트워크 시설 획득을 돕기 위해 '의도된' 기금들이므로 과거분사 intended를 써야 한다.

(a) 몇몇 IT 회사들은 장기간의 기금 모금 행사들을 조직하여 적극적으로 지원하고 있다. (b) 컴퓨터와 네트워크 시설 획득을 돕기 위한 그 기금들은 IT 기업들의 후원 아래 많은 비영리 기관들에 할당될 것이다. (c) 또한, 그 기금들은 시골 지역에 있는 초등학교에 컴퓨터 시설들을 세우는 데에도 배분될 것이다. (d) 기금들은 많은 학교 구역들과 비영리 기관들에 1년 동안 할당되어 질 것이다.

acquisition 습득 **distribute** 나누어 주다 **nonprofit organization** 비영리 기관 **auspices** 원조 **apportion** 배분하다 **allocate** 할당하다

48. (c) which → in which

관계대명사 which가 나오는 경우는 뒤의 문장이 완벽하지 않다. 그러나 (c)의 which 다음에 오는 people communicate and share with one another가 완벽한 문장이므로 which 앞에 전치사가 와야 한다. 선행사가 way이므로 in which가 적절하다. 참고로 관계부사 how는 선행사 the way와 함께 쓰이지 않는다.

(a) 세계적인 소통과 정보 기술의 만남과 함께 영어는 컴퓨터 매개의 의사소통에서 중요한 역할을 하기 시작했다. (b) 컴퓨터 매개의 의사소통은 '사람과 컴퓨터 수단 사이에 일어나는 의사소통'으로 정의된다. (c) 그러한 소통은 학습의 목적을 만들어 내면서 사람들이 서로 소통을 하고 공유하는 방식을 바꿔 놓았다. (d) 새로운 맥락과 많아진 기회를 제공하면서 컴퓨터 매개의 소통을 통해 협력 학습이 일어날 수 있다.

convergence 융합 **mediate** 중재하다 **instrumentality** 수단, 매개 **alter** 바꾸다 **generate** 발생시키다 **collaborative** 공동의 **context** 맥락

49. (b) considering → considered

(b)의 considering as ~ for business는 주절의 주어 it(=social networking service)을 주어로 한다. 따라서 필수적인 수단으로서 '고려하는' 것이 아닌 '고려되는' 것이 적절하므로 과거분사 형태인 considered가 적절하다.

(a) 트위터, 페이스북, 인스타그램과 같은 소셜 네트워킹 서비스는 한때 관심을 공유하는 사람들을 연결하는 것으로 생각되었다. (b) 그러나 이제 사업을 위해서 필수적인 수단으로서 고려되면서, 그것은 중요한 역할을 하고 있다. (c) 많은 회사들은 진보된 소셜 미디어 기술과 창의력을 요구하고 있다. (d) 소셜 미디어에서 능숙함을 구축하는 것은 가까운 미래에 매우 중요하게 될 것이다.

indispensable 필수적인 proficiency 능숙 drastically 급진적인, 매우 crucial 중요한

50. (d) are described → described

describe oneself as ...는 '자칭 ~라고 하다'를 뜻한다. 주어가 a majority of non-white Britons이므로 동사는 수동태가 아닌 능동태가 되어야 한다.

(a) 영국의 가장 규모가 큰 다섯 소수 민족들은 매우 빨리 증가하고 있어서, 2040년까지 전체 영국 인구의 5분의 1 이상을 차지할 수 있다. (b) 다섯 소수 민족들은 인도와 파키스탄, 방글라데시, 아프리카계 흑인, 캐리비안 흑인이다. (c) 현재 영국의 인구의 14퍼센트가 소수 민족 출신이다. (d) 또한, 백인이 아닌 영국인들의 대다수가 자신들을 '진정한 영국인'이라고 말한다.

ethnic minority 소수 민족 constitute ~을 구성하다 describe 말하다

Actual Test 3

본책 / 143p

PART I

1 (c)	2 (a)	3 (c)	4 (c)	5 (c)	6 (b)	7 (b)	8 (c)	9 (a)	10 (d)
11 (d)	12 (b)	13 (c)	14 (a)	15 (b)	16 (c)	17 (d)	18 (a)	19 (c)	20 (a)

PART II

21 (a)	22 (d)	23 (c)	24 (d)	25 (c)	26 (c)	27 (a)	28 (b)	29 (d)	30 (c)
31 (a)	32 (d)	33 (d)	34 (b)	35 (d)	36 (d)	37 (a)	38 (c)	39 (b)	40 (a)

PART III

41 (d) had → have
42 (b) strange that is a thing → strange a thing that is
43 (d) visit to → visit
44 (a) distracting → distracted
45 (d) losted → lost

PART IV

46 (d) often compare → are often compared
47 (c) will optimize → optimize
48 (a) considering → considered
49 (d) consisting → consisting of
50 (a) to engage → engaging

1. 사역동사 〈have+목적어+목적보어〉 형태를 묻고 있다. it은 this report를 가리키므로 it과 submit은 수동 관계에 있다. 따라서 목적보어 자리에는 과거분사인 (c)가 들어가야 한다.

A: 이 보고서 검토해 주실 수 있나요?
B: 그럼요. 끝내자마자 제가 제출도 해 드릴게요.

go through 검토하다

2. 시간, 금액, 거리, 무게 등을 하나의 단위로 취급할 때는 복수가 아니라 단수 취급한다. 또한 학과, 복수 형태의 국가명, 전체의 일부를 나타내는 경우도 단수 취급을 한다. 무조건 명사의 복수형만 보고 복수 동사를 고르지 않도록 주의한다.

A: 수업 하나 듣는 데 100달러는 너무 비싼 거 아닐까?
B: 네 말이 맞아. 난 돈 내지 않을 거야.

pay 지불하다

3. 앞 문장에서 나온 동사구를 다시 언급할 경우, 반복되는 동사를 생략하는 것이 일반적이지만 to 뒤에 반복되는 동사가 be동사인 경우에는 be동사까지 써야 한다. A의 말에서 do를 써야 할 일반동사는 등장하지 않았으므로 (c)가 정답이다.

A: 오랜만에 학교로 돌아가니 어때?
B: 예전에 그랬던 것처럼 괜찮아.

4. 선택지로 보아 결과에 만족한다는 의미가 완성되어야 하므로 적절한 것은 '이보다 더 만족할 수 없을 것이다'라는 의미의 couldn't be happier이다. (a)는 시제상 맞지 않고 (b)는 문맥상 어색하다. 미래완료 시제가 필요한 시점을 나타내는 표현도 없으므로 (d) 또한 정답이 될 수 없다.

A: 줄리는 대니와 제시의 기여에 만족하고 있나요?
B: 그녀는 결과에 아주 만족하고 있어요.

be pleased with ~에 만족하다 contribution 기여 turn out ~으로 드러나다

5. 빈칸 뒤의 they serve를 이끌 알맞은 관계대명사를 고르는 문제이다. communities가 선행사이므로 장소를 나타내는 전치사 in과 함께 쓰인 (c)가 적절하다.

A: 금요일에 시간 되세요?
B: 아니요. 학교 몇 군데와 그 학교들이 봉사하는 지역 사회를 방문할 거예요.

community 지역 사회

6. explanation을 수식하면서 전치사 of와 연결되는 표현이 필요한 문제이다. 선택지 모두 정답의 가능성이 있어 보이는 까다로운 유형이다. 부정문에서 much of a(n)는 '큰, 대단한'이라는 뜻으로 much of an explanation을 통째로 암기하면 도움이 된다. 따라서 정답은 (b)이다.

A: 아직도 이거 사용법을 모르고 있는 것 같네.
B: 그들이 설명을 많이 해 주지 않았어.

explanation 설명

7. as 삽입구 때문에 문장이 한눈에 들어오지 않을 수 있는데, as ~ show를 빼고 보면 failed 뒤에 빈칸이 이어지는 것을 알 수 있다. 즉, 〈fail to+부정사〉 '~하지 못하다, ~하는 데 실패하다'를 묻는 문제로 정답은 (b)이다.

A: 어제 학생들이 시험을 통과했나요?
B: 점수 게시를 보니 절반의 학생들이 독해 영역에서 향상되지 못했더군요.

grade 점수 posting 게시 section 영역, 분야

8. I wish는 현재나 과거에 이루어지지 못한 일에 대해서 '~하면 좋을 텐데'라는 뒤늦은 소망을 나타내는 표현으로 현재에 이루어지지 못한 일이라면 가정법 과거를, 과거에 이루어지지 못한 일이라면 가정법 과거완료를 쓴다. 문장의 시제는 현재이므로 가정법 과거, 즉 과거 동사를 써야 한다. 단, 3인칭 단수 주어에 맞게 was를 쓰는 것이 아니라 가정법에서 be동사는 were를 쓰므로 정답은 (c)이다.

A: 오늘 셰익스피어 연극은 정말 좋았어.
B: 그러게. 남동생도 오늘 왔으면 좋았을 텐데.

9. 문장 구조로 보아 선택지의 which와 that은 모두 관계대명사이다. 관계대명사 that은 전치사와 함께 쓸 수 없으므로 (c), (d)는 일단 제외한다. 그 다음은 문맥으로 판단한다. 문맥상 프로그램들 중 몇 개만을 나타내므로 전치사 of와 함께 쓴 (a)가 정답이다.

A: 학생들이 그 많은 프로그램들을 쓰나요?
B: 아니요. 실제로는 거기서 몇 개만 써요.

10. 문맥에 적절한 접속사를 고르는 문제이다. 자신은 배를 타고 항해를 하고 싶지만 부인은 집에 있고 싶어 하므로, 빈칸 앞뒤의 내용이 서로 대조되거나 상반되는 상황에 쓰는 접속사 whereas가 가장 적절하다. 나머지 접속사는 문맥상 어색하다. 참고로 as though는 '마치 ~인 듯이'의 뜻으로 as if로도 표현할 수 있다.

A: 두 분의 휴가 계획이 어떻게 돼요?
B: 저는 함께 배를 타고 항해하고 싶지만 아내는 그냥 집에 있고 싶어 해요.

sail 항해하다 whereas 반면에

11. 빈칸 뒤에 절이 나온다는 것에 유의한다. 선택지에 주어가 없으므로 알맞은 분사구문을 고르는 문제인 것을 바로 파악해야 한다. 주절과 동일한 주어 she가 생략되고, 초대받은 것은 더 이전 시점이므로 완료형 분사를 쓰면 된다. 단, she는 초대를 한 것이 아니라 초대를 받은 것이므로 (d)가 정답이 된다.

A: 네 여동생은 오늘밤 파티에 초대되지 않았어?
B: 파티에 초대받았지만 그럼에도 불구하고 가지 않기로 했어.

nonetheless 그렇기는 하지만

12. 관용 표현 〈It is (about/ high) time + (that) + 주어 + 동사〉에 관한 문제이다. 이때 동사는 과거형이나 〈should + 동사원형〉을 쓴다. 따라서 you만 보고 말하는 시제가 현재라서 come을 고르거나 행동이 실제 이루어지는 시점이 미래라서 will come을 고르지 않도록 주의한다. 정답은 과거 시제인 (b)이다.

A: 네가 우리를 보러 올 때야!
B: 맞아. 오랫동안 고향에 가지 못했어.

13. 1등이나 제일 좋은 성적을 나타낼 때는 top이라는 단어를 쓰는데, 이때 앞에 관사는 쓰지 않는다. top of his class 또는 at the head of the class라고 하면 '반에서 1등'이나 '제일 좋은 성적'을 의미한다. 이때 class 앞의 전치사는 at이 아니라 of임에 주의하자. 참고로 이 문장에서 since는 이유를 나타내는 접속사이다.

A: 혹시 존 메이어를 아니?
B: 응, 작년에 걔가 통계학 수업에서 제일 좋은 성적을 받아서 알지.

by any chance 우연히 Statistics 통계학

14. 제안, 요청, 요구, 의무, 주장 등을 나타내는 동사 suggest, request, demand, insist나 '중요한, 필수적인'이란 의미를 가진 imperative, essential, necessary 등의 형용사 뒤 that 절에는 주어 다음에 조동사 should가 생략된 동사원형이 온다. 주어 he 또는 앞으로 일어날 일이라는 것을 의식하여 (b)나 (c)를 고르지 않도록 한다. 동사원형인 (a)가 정답이다.

A: 죄송하지만 포드 씨는 현재 회의 중이세요.
B: 그분 나오시면 가능한 한 빨리 제이 올리버에게 전화해야 한다고 전해 주세요.

imperative 필수의

15. 최상급 the best를 강조하는 표현을 묻는 문제이다. (a)와 (c)는 비교급을 강조하는 부사이고 (d)는 원급을 강조하는데, (d)가 최상급을 강조하려면 the very best의 형태라야 한다. 따라서 정답은 (b)이다.

A: 어젯밤 카를로의 기타 연주는 어땠어요?
B: 좋았어요. 지금까지 최고였어요.

16. 빈칸 뒤의 had it not been for는 '만약 ~이 없었더라면(if it had not been for/ without)'이라는 뜻의 가정법 과거 완료이므로, 빈칸에도 가정법 과거 완료를 나타내는 〈조동사의 과거형+have p.p.〉 형태가 알맞다. 문맥상 '해결하지 못했을 텐데'라는 부정문이 되어야 하므로 조동사의 과거형 뒤에 부정어 never를 쓴 (c)가 정답이다.

A: 그때 너의 조치가 없었다면 문제는 절대 해결되지 못했을 거야.
B: 내 할 일을 했을 뿐인데 뭘.

resolve 해결하다

17. 도둑이 든 것 같다고 생각한 것은 지금의 일이기 때문에 seem은 현재 시제이다. 하지만 도둑이 침입한 것은 현재의 일이 아니라 과거의 일이므로 주절의 seem보다 한 시제 더 앞서서 벌어진 일임을 보여 주는 완료형 부정사인 (d)가 정답이다.

A: 이 동네의 집들이 모두 도둑이 들었나요?
B: 그렇지 않아요. 어떤 집에만 도둑이 들었던 것 같아요.

burglarize 강도질 하다, 집을 털다 break into 침입하다

18. 모두 정답처럼 보이는 혼동하기 쉬운 문제이다. a couple of는 복수를 나타내는 표현이므로 뒤에 오는 hour는 복수가 되어야 한다. 빈칸 뒤에 명사 nap으로 보아 소유격 's가 필요하다. 명사가 -s나 -es로 끝날 때 소유격은 어미에 ,만 붙이면 되므로 (a)가 정답이다.

A: 오늘 아주 피곤하네요. 내일은 더 힘들 텐데요.
B: 집으로 돌아가서 두세 시간 낮잠을 좀 자는 게 좋겠군요.

19. 동사 help의 목적어 자리로, 회원들이 모여서 절차에 익숙해지도록 '서로' 돕는다는 맥락으로 (c)가 적절하다. 참고로 each other와 one another는 문장에서 목적어로 올 수 있는데, 뜻은 거의 같지만 전자는 2인끼리, 후자는 3인 이상일 때 쓴다. 그러나 주어로는 쓰이지 않고 -s가 붙는 복수형도 없다.

A: 어제 왜 회의가 있었어요?
B: 회원들이 새로운 절차에 익숙해지도록 서로 돕고 싶어 했어요.

procedure 절차

20. 부사절은 문장에서 부사의 역할을 하는 절인데 주절을 수식하는 종속절이기 때문에 절대 혼자 문장을 이룰 수 없다. 그러므로 부사절은 문장에서 없어도 되지만 의미를 더 보충하는 역할을 한다. 특히 when, before, after, until, as soon as 등을 써서 시간을 나타내는 부사절에서는 현재 시제를 써서 미래를 나타내므로 정답은 (a)이다.

A: 제 호텔 예약을 확인할 수 있을까요?
B: 호텔 예약 확인서를 받는 즉시 보내 드리지요.

confirmation 확인

21. 빈칸 앞에는 완전한 절이 있으므로 빈칸 이후는 전체 문장의 부가적인 설명이 된다. 따라서 빈칸에는 분사가 오는 것이 적절하다. old municipalities와 sprawling megacities는 주어 urban areas와 능동의 관계이므로 정답은 현재분사인 (a)이다.

도시 지역은 문화적, 기술적인 중심지인데 오래된 지방 도시들부터 쭉쭉 뻗어나가는 대도시까지 다양하다.

epicenter 활동의 중심점 range from A to B A에서 B까지 다양하다 municipality 지방 자치 단체 sprawling 제멋대로 뻗어나가는 megacity 인구 1,000만 이상의 도시

22. 동사 concern은 '~을 걱정스럽게 만들다'라는 뜻이므로 정부가 '걱정한다'는 의미가 되려면 수동태 be concerned여야 한다. (a), (b), (c) 모두 능동태이므로 오답이다. (d)에서는 become이 be동사의 의미로 쓰였으며 have 뒤 과거분사로 들어갔다.

정부는 인도 경제에 미칠 세계 금융 위기의 영향에 관해 걱정해 왔다.

impact 영향 financial crisis 금융 위기

23. 문장의 앞 부분이 복잡한 경우 일단 주어를 찾아서 중심을 잡아야 한다. ~ at the community center today까지가 주어부이므로 선택지에서는 주어가 될 핵심 명사구를 찾아야 한다. '~한 것의 대다수'를 뜻하는 the majority of와 of 뒤를 완성시킬 what 명사절이 이어지는 (c)가 정답이다. is, being, 과거분사 taught는 현재진행 수동태인 is being taught로 쓴다.

오늘 주민 센터에서 배우고 있는 것의 대부분은 고전의 전통에 기초를 두고 있다.

majority 다수 community center 주민 센터 be based on ~에 기초를 두다 classical 고전적인

24. 내용상 가장 매끄러운 전치사를 고르는 문제이다. amid는 '~ 가운데, ~ 중에'라는 의미로 다른 전치사들만큼 문장에서 자주 만날 수 있지는 않기 때문에 별도로 외워 두는 게 좋다. 전치사 문제는 빈칸 다음에 명사나 동명사가 오기 때문에 빈칸 뒤 단어의 품사나 문장 형식으로 답을 찾기는 어렵고 일일이 대입해서 의미상으로 찾는 것이 안전하다.

이것은 과학 교육에 보다 많은 참여에 대한 요구가 있는 가운데 교육부에 반가운 소식이 되었다.

welcome 반가운 Ministry of Education 교육부 participation 참여

25. 타협이란 둘 다 원하거나 둘 다 원하지 않는 것에 대한 합의의 과정이라야 하지, 둘 중 한 쪽만 원하는 것은 어색하다. 둘 다 원할 경우 both여야 하는데 선택지에 없으므로 정답은 둘 다를 부정하는 (c)가 된다.

타협이라는 것은 그에 따라 양쪽 모두 원하지 않는 것을 얻게 되는 합의의 과정이다.

compromise 타협 party 당사자 whereby 그에 따라 in full 전부, 빠짐없이

26. 빈칸의 뒤는 선행사인 high altitudes를 수식하는 관계사절이다. 빈칸 뒤의 문장이 완벽한 절이므로 주어, 목적어, 소유격의 역할을 하는 관계대명사가 아니라 관계부사가 들어가야 한다. 선행사가 장소를 나타내므로 (c)가 정답이다.

많은 새들이 높은 고도에서 잘 살아가는데 그곳의 환경 온도는 낮다.

thrive 번성하다 altitude 고도

27. so … that 용법에서 so absurd가 문장 앞으로 나가면서 주부와 술부가 도치된 상황이므로 정답은 (a)이다. 동사인 was의 왼쪽이 술부, 오른쪽이 주부이므로 해석할 때 뒤쪽을 먼저 해석하고 이어서 앞의 술부를 해석하면 된다. 참고로 that 이하의 they는 the Japanese를 나타낸다.

일본의 주장은 얼마나 터무니없는지 그들은 심지어 씨 셰퍼드 호를 고의성 기름 유출로 고발했다.

absurd 터무니없는 deliberately 고의로 oil spill 기름 유출

28. 〈so[too] + 형용사 + a(n) + 명사 + to부정사〉 용법을 묻고 있으므로 정답은 (b)이며 의미는 '너무 ~해서 …하다'이다. 보통 so 용법이 자주 출제되는데, too의 경우 단순한 too … to 구문보다는 형용사, 명사가 함께 나올 경우의 어순을 확실히 알아야 한다.

자본주의는 오늘날의 신자유주의 경제의 정실주의를 묘사하기에 아주 적절한 이름이라고 한다.

capitalism 자본주의 cronyism 정실주의(인사 관리가 친분이나 개인적 신임에 따라 이뤄짐) neo-liberal 신자유주의의

29. 빈칸 앞에 전치사 with가 있고 뒤에 목적어가 빠진 the governor decides to send가 나오는 것으로 보아 전치사 뒤에서 명사절을 이끌며 목적어 역할을 하는 관계대명사나 복합관계대명사를 골라야 한다. (a), (b)는 관계대명사로서 앞에 수식할 선행사가 없으므로 적절하지 않다. 동사 send의 목적어 역할을 하면서 의미가 통하는 복합관계대명사 (d)가 정답이다. 복합관계대명사 whoever, whomever, whichever, whatever는 문장에서 명사절을 이끄므로 앞에 선행사를 쓰지 않는다.

지역의 법 진행 관리들은 주지사가 보내기로 결정한 사람이 누구라도 기꺼이 함께 일할 것이라고 말했다.

enforcement 집행 governor 주지사

30. 먼저 동사의 수를 결정하는 문장의 주어는 misuse이므로 동사는 3인칭 단수를 써야 한다. 또, 문맥상 동사 lead는 주어와 능동의 관계이므로 수동태를 써야 할 이유가 없다. 따라서 (c)가 정답이다.

항생제의 위험한 남용은 비극적인 결과를 초래한다.

misuse 남용, 오용 antibiotics 항생제 lead to ~로 이어지다 catastrophic 파멸의 consequence 결과

31. (a) alike는 부사로 '똑같이'라는 뜻으로 주로 명사나 형용사 뒤에 쓰이므로 정답이다. (c) both는 both A and B의 형태로 앞에 온다. (b) like가 '~와 같이, ~처럼'으로 쓰일 경우는 전치사이기 때문에 바로 뒤에 수식하는 명사가 이어진다.

고대 작가와 현대 작가 모두에게 올빼미 소리는 불길하며 특히 죽음을 암시하는 소리로 받아들여졌다.

owl 올빼미, 부엉이 ominous 불길한 prophetic 예언의

32. no amount of는 '아무리 많은 ~일지라도'라는 의미로 뒤에 이어지는 명사는 불가산 명사이다. 양을 나타내는 amount의 수식을 받으므로 명사에 –s가 붙거나 앞에 관사가 온다면 오답으로 소거하도록 한다. 따라서 정답은 (d)이다.

아무리 많은 치료제도 위협이 제거될 때까지는 도움이 되지 않을 것이다.

treatment solution 치료제 beneficial 이로운 threat 위협 remove 제거하다

33. 선택지가 모두 –ever가 붙은 것으로 보아 알맞은 복합관계사를 고르는 문제이다. choose의 목적어 자리에 오면서 she think is ~로 이어지는 명사절을 이끄는 복합관계대명사가 필요하다. 보어 자리에 온 형용사 competent의 주어로 사람을 가리키는 대명사가 필요하므로 (d)가 적절하다.

부사장은 자기가 생각하기에 임무를 수행하는 데 충분히 능숙한 사람이면 누구든 고를 것이다.

vice-president 부사장 competent 능숙한 accomplish 달성하다

34. 빈칸 뒤에 명사구가 왔기 때문에 선택지 끝의 전치사만 보면 모두 그럴듯하게 보이지만, 빈칸 앞에 and로 보아 주어는 parts of which임을 알 수 있다. 따라서 수 일치에 어긋나는 (a)와 (d)는 우선 소거한다. (c)는 분사구문의 모습처럼 보이지만 it이 가리키는 것이 무엇인지 알 수 없다. 따라서 〈주어+be동사〉가 생략되고 바로 〈said+to부정사〉가 이어지는 (b)가 가장 적절하다.

그 센터는 바르셀로나의 오래된 시골집에 기반을 두고 있는데 일부는 200년도 넘었고 몇몇 귀신들의 집이 되었다고 한다.

home to ~의 고향

35. 빈칸은 when절의 동사 자리로, 빈칸 바로 앞에 next year가 있다고 해서 섣불리 미래형을 고르지 않도록 한다. 주어인 your plan은 스스로 확인하는 것이 아니라 확인되는 것이므로 수동태인 (d)가 정답이다. 확인할 내용은 미래와 관련이 있지만 확인하는(check) 행동 자체는 미래와 관련이 없다.

귀하의 내년 계획이 확인되었다면 그것이 승인되었는지 아닌지를 확인하는 이메일을 받게 되실 것입니다.

confirm 확인하다 approve 승인하다

36. 과거에 일어난 일에 대해 반대의 상황을 가정하고 있으므로 가정법 과거완료 문장임을 알 수 있다. if절에서 〈had been+p.p.〉를 쓰고 있으므로 가정법 주절의 동사가 들어가는 빈칸 부분은 〈조동사의 과거형+have p.p.〉인 (d)가 정답이다.

도둑들은 그들이 그런 상황에 있었다면 돈에 손을 대지 않았을 거라고 진술했다.

thief 도둑 state 진술하다

37. among these books는 주어가 아니라 강조되는 내용으로 문장 앞으로 나오면서 주어와 동사가 도치되었다. 이 문장의 주어는 the first book written by Wilkinson이므로 동사는 3인칭 단수인 (a)가 된다. (c)는 단수 동사이기는 하나 문맥에 적절하지 않다.

윌킨슨의 첫 책이 이 책들 중에 있는데, 그 책은 사회 진보에 관한 뛰어난 메시지를 담고 있다.

contain 담다 extraordinary 뛰어난 progress 진행, 진전

38. 수 표현을 묻는 문제이다. '수천 명'은 thousands of, '천 명'은 a thousand로 쓴다. thousands of는 뒤에 복수 명사가 오므로 (b)는 답이 될 수 없고, '천 명'이라고 한다면 a thousand를 쓰고 뒤에 전치사 없이 바로 명사의 복수형을 쓰면 되므로 (c)가 정답이다.

이사회는 천 명의 직원들을 안전한 작업 환경으로 이동시켜야 한다고 결론지었다.

board of directors 이사회 conclude 결론내다 relocate 이전시키다

39. 단순한 것을 묻고 있지만, 어렵게 생각하면 틀리기 쉬운 문제이다. 문맥상 특정 시간이 아닌 일반적인 시간을 나타내므로 관사나 복수형 접미사가 붙지 않은 time 그대로가 적절하다. 또한 앞에 any를 써야 할 이유도 없으므로 정답은 (b)가 된다.

여러분은 안내서를 읽어볼 시간이 있을 것이고 자신의 일을 확인할 기회도 갖게 됩니다.

instructions 안내, 설명(서)

40. 문맥상 가장 적절한 조동사를 찾는 문제이다. (c)나 (d)를 넣어 보면 우리가 '어떻게 할 수 있거나' 또는 '어떻게 할지도 모른다'는 어색한 내용이 되므로 should의 의미를 갖는 (a)가 정답이 된다. 조동사 문제는 조동사 자체의 기능이나 의미가 정답의 결정적인 기준이 되므로 문맥에 대입해 보고 가장 자연스러운 것을 선택하는 것이 안전하다.

정치적 법률이 규범적이라는 점에서 과학적 법칙과 정치적 법률은 다르다. 즉, 정치적인 법률은 우리가 어떻게 해야 하는지를 말해 준다.

latter 후자 prescriptive 지시하는, 규범적인

41. (d) had → have

내일 할 일을 묻고 있는데 마감이 다가오는 일이 있어서 하고 싶은 일을 할 수 있을지 고민하고 있는 상황이다. 마감이 다가오는 일이 있는 상황은 현재이므로 과거 시제는 문맥에 맞지 않다. 따라서 (d)의 과거 시제는 현재 시제로 바뀌어야 한다.

(a) A: 내일 뭐할 거니?
(b) B: 낚시하러 가고 싶었는데, 그럴 수 있을지 아직 모르겠어.
(c) A: 왜? 다른 걸 하느라 바쁜 거야?
(d) B: 아니, 곧 업무 마감이 있어서.

be busy with ~하느라 바쁘다 come up 다가오다

42. (b) strange that is a thing → strange a thing that is

how 뒤에 이어지는 어순을 묻는 문제로 뒤에 〈형용사+a(n)+명사〉의 순서다. how 외에 so, as, too도 같은 어순이다. 반면, such, what, quite, rather는 뒤에 〈a(n)+형용사+명사〉의 어순이 이어진다. 따라서 (b)에서 a thing이 형용사 strange 뒤에 와야 한다.

(a) A: 네가 크로스비의 딸인 것을 믿을 수가 없구나. 아빠와 하나도 안 닮았어.
(b) B: 그렇게 말씀하시다니 이상하네요. 왜요, 제 말을 못 믿으시는 거예요?
(c) A: 그게 아니라, 너는 네 엄마를 너무 꼭 닮았어.
(d) B: 사실 그런 얘기 많이 들어요. 저는 가끔 아빠처럼 행동하지만요.

spitting image 빼닮음 I get that a lot 그런 얘기 많이 듣는다

43. (d) visit to → visit

동사 visit는 타동사이므로, 뒤에 전치사 없이 방문하는 대상이나 장소를 나타내는 명사가 바로 온다. 참고로, visit 뒤에 전치사 to가 온다면 visit이 동사가 아니라 명사일 경우이다. 따라서 (d)의 visit to에서 to가 삭제되어야 한다.

(a) A: 여기 봐. 또 다른 궁궐이 있어. 저기도 들르자.
(b) B: 또 궁궐이야? 우리가 또 가야 해?
(c) A: 흠… 가이드북을 보니까 이 궁궐은 200년이 되었대!
(d) B: 테마파크 같이 좀 더 현대적인 곳에 가면 안 될까?

palace 궁궐 modern 현대의 theme 테마, 주제

44. (a) distracting → distracted

동사 distract는 '정신을 산란하게 만들다'라는 의미의 타동사이다. 사람이 주어일 때 어떤 일로 정신이 빠져 있고 집중하지 못하고 있다면 주어와 수동의 관계가 된다. seem 뒤에는 바로 형용사가 오거나 〈to be+형용사〉의 형태가 오는데, 문장에서 seem 다음에 올 형용사는 현재분사 distracting이 아니라 과거분사인 distracted라야 한다.

(a) A: 너 정신이 딴 데 가 있는 것 같네. 무슨 일이야?
(b) B: 그냥, 내 미래와 앞으로 무슨 일을 해야 할지 생각하고 있었어.
(c) A: 생각할 게 뭐가 있어? 넌 대학원에 갈 거잖아!
(d) B: 그게 문제라고. 내가 정말 하고 싶은 일인지 아직 결정을 못했어.

distracted 정신이 산만해진 graduate school 대학원

45. (d) losted → lost

주어진 대로 읽다보면 동사의 시제 변화가 틀려도 지나칠 수 있으니 주의해야 한다. '잃다, 줄다'를 의미하는 lose의 과거형은 lost이므로 (d)의 losted를 올바른 과거형 lost로 바꾸어야 한다. 참고로 (b)의 〈used to+동사원형〉은 '(과거에) ~하곤 했다'라는 의미로, 〈be used to+(동)명사〉 '~에 익숙하다', 〈be used+to부정사〉 '~하는 데 사용되다'와 혼동하지 않도록 주의한다.

(a) A: 건강 유지를 위해 매일 퇴근 후 운동을 할까 생각 중이야.
(b) B: 좋은 생각이야. 나도 예전엔 운동했는데, 지금은 안 해.
(c) A: 그래? 효과가 있었니?
(d) B: 물론. 기분도 좋았고 몸무게도 거의 10킬로그램이나 줄었어.

keep fit 건강을 유지하다 do good 도움이 된다, 좋다

46. (d) often compare → are often compared

(d)의 주어는 aboriginal languages이고 동사는 compare이다. compare A to B는 'A를 B에 비유하다'라는 뜻으로, 문맥상 주어가 A에 해당하므로 수동태인 be compared to의 형태가 되어야 한다. 부사 often은 be동사와 일반동사의 p.p. 사이에 위치한다.

(a) 1788년 유럽에서 온 정착민들이 호주에 도착했을 때 토착어는 약 270종에 이르렀다. (b) 오늘날 일상적으로 말해지는 토착어는 약 60종뿐이다. (c) 이 중 약 6종의 언어가 어른들로부터 자녀들에게 활발히 전수되고 있다. (d) 이러한 토착어는 종종 불충분하게 기록되거나 때로 기록되지 못하기도 했는데, 언어가 가진 특징적인 면에서 종종 일본어 및 라틴어와 비교된다.

settler 정착민 aboriginal 원주민의 roughly 대략 inadequately 불충분하게 unrecorded 기록되지 않은 linguistic 언어(학)의 trait 특성

47. (c) will optimize → optimize

권고를 나타내는 동사 recommend의 목적절인 that절의 동사는 〈(should)+동사원형〉이 된다. 이 경우 조동사 뒤에 동사원형이 오므로 that절의 주어-동사 수 일치에도 영향을 받지 않는다. 문맥상 일의 흐름을 최적화하는 것은 미래의 일이 맞지만 '~하길 권하는' 것이므로 미래 시제는 필요하지 않다.

(a) 우리 회사의 업무 구조에 관한 컨설턴트의 최종 보고서가 들어왔습니다. (b) 요약하면, 우리는 잘하고 있지만 개선의 여지가 약간 있습니다. (c) 특히, 컨설턴트는 우리가 업무의 흐름을 최적화해야 한다고 권했습니다. (d) 그렇게 하면 우리 회사의 생산성이 20퍼센트로 증가하고 일도 더 빨라질 것이라고 합니다.

in short 요컨대 in particular 특히 optimize 최적화하다 workflow 일의 흐름 apparently 듣자 하니, 아무래도 ~같은 productivity 생산성

48. (a) considering → considered

(a)의 삽입구 previously considering a mystical treatment used in the Far East는 주어인 침술을 수식한다. 침술이 극동 지역에서 신비한 치료법으로 '간주되는' 맥락이므로 주어와 동사는 수동의 관계가 적절하다. 즉, Acupuncture, (which is) previously considered a mystical ~ 문장 구조에서 which is가 생략된 것으로 볼 수 있다.

(a) 이전에는 극동 지역에서 이용하는 신비의 치료법으로 생각되던 침술이 서방에서도 입지를 다지고 있다. (b) 기존 관행의 보완책으로서 침술은 특별히 말기 환자 관리 치료법으로 쓰이고 있다. (c) 만성적인 폐 질환, 다발성 경화증, 암 등을 앓고 있는 환자들은 자신의 증상이 완화됨을 목격하게 될 것이다. (d) 예를 들어, 화학 치료로 수반되는 구토하는 일이 침술로 줄어들 수 있다.

acupuncture 침술 complement 보완물 therapeutic 치료의 hospice care 말기 환자 보호 치료 chronic 만성적인 pulmonary 폐의 multiple sclerosis 다발성 경화증 incidence 발생 정도 vomiting 구토 chemotherapy 암 치료 화학 요법

49. (d) consisting → consisting of

consist는 자동사로 '~로 이루어져 있다'라는 의미이며, 뒤에 전치사 of를 항상 수반한다. 따라서 (d)의 consisting은 consisting of가 되어야 한다. 참고로 consisting 앞에는 which is가 생략되어 앞의 core를 수식하고 있다.

(a) 럿거스 대학의 과학자들이 허블 우주 망원경으로부터 받은 자료에 기초한 새로운 종류의 초신성을 발견했다. (b) 이 새로운 1ax 초신성은 2005년에 있었던 SN 2012Z라 불리는 약한 초신성으로부터 처음 관찰됐다. (c) 이 백색 왜성은 근처에 있는 별로부터 그 주위에 수소 층을 추가로 축적했다. (d) 그 결과로 만들어진 초신성은 왜성의 절반만을 날려 버렸고 산소와 탄소로 이루어진 축소된 중심부가 남았다.

supernova 초신성 **dwarf star** 왜성 **accumulate** 축적하다 **layer** 층 **hydrogen** 수소 **blow away** 날려 버리다 **core** 중심부, 핵

50. (a) to engage → engaging

suggest는 목적어로 to부정사가 아닌 동명사를 취하는 대표적인 동사이다. 동명사를 목적어로 취하는 동사는 그 외에도 avoid, consider, deny, postpone, recommend 등이 문제로 출제된다.

(a) 다시 젊은 기분을 느껴 보고 싶어 본 적이 있다면 무모한 활동에 참여해 볼 것을 제안하고 싶다. (b) 예를 들어, 번지 점프를 해 본 적이 있는가? (c) 높은 고도에서 당신은 아주 신 나는 자유 낙하로 공기를 가르며 날게 될 것이다. (d) 눈앞에서 당신의 삶이 번쩍이며 지나가는 것을 보겠지만, 후에 바로 그 삶이 그 어느 때보다도 귀중하게 보일 것이다.

engage in ~에 참여하다 **daredevil** 무모한 **exhilarating** 아주 신 나는 **free fall** 자유 낙하 **flash** 번쩍이다

Actual Test 4

본책 / 151

PART I

1 (b)	2 (a)	3 (c)	4 (c)	5 (a)	6 (b)	7 (c)	8 (c)	9 (a)	10 (a)
11 (c)	12 (a)	13 (a)	14 (b)	15 (a)	16 (a)	17 (b)	18 (d)	19 (c)	20 (a)

PART II

21 (b)	22 (a)	23 (d)	24 (a)	25 (b)	26 (a)	27 (b)	28 (b)	29 (b)	30 (b)
31 (d)	32 (c)	33 (b)	34 (d)	35 (a)	36 (c)	37 (d)	38 (c)	39 (a)	40 (a)

PART III

41 (d) to purchase → purchasing
42 (c) which → where
43 (a) no longer → any longer
44 (d) priority → a priority
45 (b) How → What

PART IV

46 (d) to wear → wearing
47 (c) for which → where
48 (a) have prized → have been prized
49 (d) collaborative → collaboratively
50 (d) every other days → every other day

1. 형용사 stylish의 적절한 형태를 묻는 문제이다. 빈칸 앞에 최상급을 강조하는 by far가 왔고, 문맥상 '검정색 드레스가 가장 멋지다'라는 의미가 자연스러우므로 stylish의 최상급 표현인 (b)가 정답이다.

A: 졸업 파티에 갈 때 어떤 드레스를 입어야 할까?
B: 검정색 드레스가 네가 가진 것 중 가장 멋진 것 같아.

2. 생략에 관한 문제이다. 이미 언급된 내용에 대한 동사구는 생략해야 문법적으로 오류가 없는 문장이 된다. 특히, to부정사가 있는 can't afford to와 같은 문장은 항상 to까지만 남기고 to부정사 다음의 동사를 생략하므로 (a)가 정답이다.

A: 이 프로젝트를 마치고 휴가를 가는 건 어때?
B: 그럴 만한 여유가 없어. 지출을 절약해야 하거든.

curtail 축소[삭감/ 단축]시키다

3. 과거보다 앞선 사실은 과거완료 시제를 사용한다. 전에 그녀의 요리를 먹은 것은 내가 초대를 거절하기 이전의 사실이고, 빈칸 뒤에 before라는 단서가 나와 있으므로 과거완료 시제를 사용해야 한다. 따라서 정답은 (c) had eaten이다.

A: 제인의 레스토랑 오프닝 파티에 갔었어?
B: 그녀의 요리를 전에 먹어 본 적이 있어서 그 초대를 거절했어.

4. 비교급에는 정관사가 오지 않지만 둘 중에 어떤 것이 더 나은지를 비교할 때에는 정관사 the를 사용한다. 빈칸은 be동사의 보어가 오는 자리이므로 수식어구와 같은 전치사구는 올 수 없다.

A: 어떤 학생이 100미터 달리기에서 이겼어?
B: 케이트가 둘 중에 더 강한 것으로 판명이 났어.

the 100-meter sprint 100미터 달리기

5. in a week는 미래를 나타내는 표현이므로 가까운 미래를 나타내는 현재진행형 (a) is being released가 가장 적절하다.

A: 너의 7번째 앨범은 언제쯤 나오는 거니?
B: 일주일 후에 발매될 거야.

release 발매하다, 개봉하다

6. 가정법 문제이다. 〈It is about (high[almost]) time+주어+과거 동사〉는 '~해야 할 시간이다'라는 의미의 가정법 과거 문장이다. 따라서 (b) changed가 가장 적절하다. 3인칭 단수 주어를 보고 단수 동사 (a) changes를 정답으로 고르지 않도록 주의한다.

A: 더 이상은 세라를 견딜 수가 없어.
B: 그녀가 무책임한 행동을 고칠 때라고 생각해.

irresponsible 무책임한

7. chance는 '확률, 가능성'이라는 의미의 추상명사이므로 셀 수 없는 명사 앞에 쓰이는 little을 쓴다. many/ few/ all은 셀 수 있는 명사와 함께 사용한다.

A: 야외콘서트가 제시간에 시작할 수 있을까요?
B: 끊임없이 내리는 비 때문에, 콘서트가 제시간에 시작할 확률이 거의 전혀 없어요.

incessant 끊임없는, 쉴 새 없는

8. get은 사역동사로서, '결정이 승인이 되었는지'라는 수동의 의미가 자연스러우므로 (c) get it approved가 적절하다. 〈have yet to+동사원형〉은 '~하지 못하다'라는 의미이다.

A: 그 비어 있는 자리에 대해 결정이 내려졌는지 궁금합니다.
B: 저희는 인사과로부터 승인받은 것이 아직 없습니다.

9. 문맥상 저녁을 많이 먹었고, 만약 그렇게 많이 먹지 않았었더라면 지금은 당근 케이크를 먹을 수 있을 것이라는 대답이 자연스러우므로 정답은 '그렇지 않았다면'이라는 의미의 (a) Otherwise이다.

A: 이건 촉촉한 홈 메이드 당근 케이크야. 한번 먹어볼래?
B: 사실, 지금 막 저녁을 많이 먹었어. 그렇지 않았다면 먹을 수 있을 텐데.

10. 어순과 부사 문제이다. 〈just as+주어+동사〉를 쓰고 '막 ~하려고 하다'라는 〈be about to+동사원형〉이 오는 것이 자연스러우므로 (a) just as she was about to arrive가 올바른 어순이다.

A: 어제 저녁 수영 대회 결승전에서 앤은 어땠어?
B: 안타깝게도, 그녀가 결승 선에 도착할 찰나에 다리에서 쥐가 났어.

11. a dozen of는 '12개의'라는 의미이므로, 6병은 그 앞에 half를 붙여 표현한다. dozen은 '12개 한 묶음', 또는 '십여 개 이상의 무리'를 의미하며 명사, 한정사로 사용한다. dozens of는 '많은, 수십의'라는 의미이다.

A: 누가 내 탄산수를 가지고 간 걸까? 어제 7병이나 샀는데.
B: 미안해. 우리가 달리기를 한 후에 물을 6병이나 마셨어.

12. 알맞은 조동사를 고르는 문제로, 오는 길에 교통 신호를 제대로 보지 못해서 딱지를 떼였다고 후회하고 있는 상황이므로 과거에 대한 후회 및 유감에 대한 표현인 (a) should have taken이 가장 적절하다.

A: 실수로 내가 너의 차를 뒤에서 받았어. 표지판을 좀 더 잘 봤어야 하는데.
B: 너무 심각하게 받아들이지 마. 내 차는 많이 손상되지 않았어.

rear-end 들이받다, 추돌하다

13. 적절한 어순을 묻는 문제이다. 서수 앞에는 항상 정관사 the를 써야 한다. 또한, 최상급의 수식을 받는 명사는 to부정사가 수식한다. 따라서 올바른 어순은 (a) the first woman to head the IMF이다.

A: 왜 그렇게 많은 사람들이 크리스틴 라가르드를 높이 평가하고 있는지 알고 있니?
B: 그녀가 국제통화기금을 이끈 최초의 여성이기 때문이야.

think highly of ~을 높이 평가하다 IMF 국제통화기금(International Monetary Fund)

14. 〈admit to+동명사〉를 사용하는 관용적인 표현이다. admit to 외에도 confess to -ing, object to -ing, be opposed to -ing와 같은 to로 끝나고 동명사형이 이어지는 동사를 주의해야 한다.

A: 비행기가 이륙할 때, 무서워하는 것처럼 보이더라.
B: 내가 무서워했던 거 인정해. 나는 비행기로 여행하는 동안에는 공황장애가 있거든.

take off 이륙하다 panic disorder 공황장애

15. 생략 및 대부정사 문제이다. 일반적으로 〈used to+부정사〉가 있는 경우 to부정사 다음을 생략할 수 있다. 그러나 〈used to+be동사〉를 대신 받는 경우에는 be동사까지 써 주어야 하므로 (a) used to be가 정답이다.

A: 많은 사람들이 추석에 고향에 가지 않는 것 같아.
B: 맞아. 추석이 예전 같지 않아.

ancestral 조상의

16. 자동차가 수리되는 것이므로 사역동사 have를 사용해서 have it fixed이고, 뒤의 문장이 모든 구성 요소가 갖추어진 완전한 절이므로 관계부사 where가 나와야 한다. 따라서 정답은 where you can have it fixed이다.

A: 이 중고차를 산 지 한 달밖에 안 됐는데, 제대로 작동이 안 돼.
B: 유감스럽구나. 하지만 네 차를 고칠 수 있는 좋은 곳을 알고 있어.

second-hand 중고의

17. 분사구문 문제이며, 주절과 종속절의 주어가 다른 경우이다. 원래 문장은 Because it rained so hard ~이다. 여기에서 접속사 because를 생략하고 주어가 다르기 때문에 it을 그대로 쓰고, 동사 rain을 능동 형태인 raining으로 고쳐서 분사구문을 만든다.

A: 어제 골프 경기 어땠어?
B: 일기 예보 못 들었니? 비가 너무 심하게 와서 취소했어야 했어.

18. all but two는 '두 개를 제외한 모두', all but two countries는 '두 나라를 제외한 모두'라는 의미이다. 따라서 정답 (d)가 가장 올바른 어순이다. all but은 '거의', '~ 외에 모두'라는 의미로 쓰이는 것을 알아 둔다.

A: 작년 유럽연합의 경제 상황은 어땠어요?
B: 마지막 분기에는 두 나라를 제외하고 모든 곳이 경제 성장을 보였어요.

19. ⟨cannot (help) but+동사원형⟩으로 '~하지 않을 수 없다'라는 의미의 관용적인 표현이다. 동일한 표현으로 ⟨cannot help -ing⟩, ⟨have no choice[option] but to+동사원형⟩이 있다.

A: 미국 기자 한 명이 시리아에서 무장한 남자에 의해서 참수당했어.
B: 미국이 한 것에 대한 보복이라고 생각하지 않을 수 없어.

behead 목을 베다, 참수하다 armed 무장한 retaliation 복수

20. not so much A as B는 'A라기보다는 B인'이라는 의미이며, 비교의 표현으로서 어순에 주의해야 한다. 참고로 not so much as는 '~조차 없는, ~ 정도는 아닌'이라는 의미이다.

A: 여전히 정기적으로 하프마라톤에 참가하니?
B: 응. 그건 하프마라톤이라기보다는 10킬로미터의 재미있는 달리기야.

take part in 참가하다 on a regular basis 정기적으로

21. baggage는 셀 수 없는 불가산 명사로, 부정관사 a(n)나 복수형을 사용하지 않는다. 따라서 여기서는 many/a few가 아닌 much를 사용한다. baggage와 같은 대표적인 집합명사에는 luggage, equipment, furniture 등이 있다.

짐꾼은 짐이 너무 많아서 한꺼번에 들 수 없었다.

22. 동사가 has been이므로 주어는 단수여야 한다. 선택지 중 단수 동사가 올 수 있는 가장 적절한 주어는 (a) Everyone이다. those나 all은 복수 명사와 함께 쓰이므로 동사 has와 어울리지 않는다.

여름방학 강의를 등록했던 모든 학생들은 추가 학점이 수여되었다.

sign up for ~을 등록하다 credit 학점

23. 주어인 '몇몇 미국의 고위 지도자들'이 새로운 군 관계를 구축하기 위해서 모여드는 것이므로 수동이 아닌 능동 형태가 와야 한다.

미국의 몇몇 고위 지도자들은 한국과 일본 사이의 새로운 군 관계를 구축하기 위해서 중국에서 모여들었다.

converge 모여들다, 만나다 forge 구축하다, 위조하다

24. 전치사 in이 있고 뒤에는 형용사와 명사가 나오므로 빈칸에 들어가기에 가장 적절한 형태는 동명사이다. 주어인 저스틴이 justify의 주체이므로 능동태인 (a)를 써야 한다.

그의 반항적이고 건방진 행동을 정당화하다가, 저스틴은 인기를 잃어버렸다.

rebellious 반항적인 bratty 건방진

25. 과거보다 더 과거에 일어난 일을 나타내는 것이 과거완료이다. 남동생의 웨딩용 요리를 하루 종일 준비하는 것이 피로를 느끼는 것보다 더 먼저 일어난 일이므로 과거완료 시제를 쓴다. 따라서 정답은 (b) had been catering for이다.

자넷은 그녀의 남동생을 위한 웨딩용 요리를 하루 종일 제공한 후에 극도의 피로감을 느꼈다.

cater for ~을 제공하다

26. 전치사 barring은 '~이 없다면'이라는 뜻으로 without 또는 except for와 같은 의미이다. 빈칸 뒤에 명사구 any overdue record가 왔으므로 명사 또는 명사구와 함께 쓰이는 (a) Barring이 적절하다. granted는 '~이므로'라는 의미의 접속사이다.

아무 연체 기록이 없다면, 당신은 학생 등록금 대출을 무이자로 4년 동안 받을 수 있다.

student loan 학생 대출 interest 이자

27. evidence는 셀 수 없는 명사이므로 단수 명사 형태로 사용되며, 따라서 동사로 is가 왔다. 역으로 동사가 is이므로 뒤의 명사가 단수임을 추론할 수 있다. some은 가산/ 불가산 명사 앞에 모두 사용 가능하므로 (b)가 답이다.

적절한 알코올 섭취는 감기에 걸리는 것을 막아 줄 수 있다.

28. when they are taken as directed의 문장에서 〈주어+동사〉인 they are가 생략되고, 제시되어 있는 것처럼 수면제를 복용했을 때가 남은 형태이다. 따라서 올바른 어순은 (b) when taken as directed이다.

처방에 제시된 것처럼 수면제를 복용하는 것은 불면증에 도움이 될 수 있다. 그러나 일반적으로 그 약은 문제를 더 악화시킨다.

29. '~하자마자 …했다'라는 의미의 〈scarcely had+주어+p.p. ~ when[before]+주어+과거 동사〉 구문을 알고 있어야 풀 수 있는 문제이다. when[before] 다음에 과거 시제를 사용하는 것에 주의하자.

심층 인터뷰가 시작되자마자 그녀의 목소리는 두려움으로 떨리기 시작했다.

tremble 떨리다

30. demand, recommend, suggest, propose, insist처럼 요구, 주장, 제안 등을 나타내는 동사가 이끄는 that절에서는 〈should+동사원형〉이 온다. 이때 should는 생략할 수 있으므로 정답은 동사원형 (b) mail이다.

모든 지원자들은 마감일을 충분히 앞두고 지원 서류들을 우편으로 보낼 것을 권합니다.

31. 수식어가 수량 표현 some of로 시작하고 있기 때문에 (b) that은 빈칸에 올 수 없고, 빈칸 바로 뒤에 whose와 소유 관계를 이루는 명사가 없으므로 (a) 또한 적절하지 않다. 또한, (c) where는 뒤에 완전한 절이 와야 하는데 빈칸 뒤의 절에는 주어가 없으므로 적절하지 않다. 따라서 정답은 (d) which이다.

암스테르담에는 100미터 이상의 아름다운 운하들이 있는데, 그것들 중 몇 개는 유네스코 문화유산 목록에 올려져 있다.

32. 양 또는 정도를 나타내는 전치사는 by이다. '10퍼센트 정도 가격이 오르다' 또는 '심장질환이 50퍼센트 감소되다'의 표현은 정도의 의미를 나타내는 전치사 by가 가장 적절하다. 따라서 (c) by가 정답이다.

2분 정도의 걷기 휴식과 함께 한 번에 30분 이하로 앉아서 활동하면 심장질환을 50퍼센트까지 줄일 수 있다.

33. 여기서 the Philippines는 -s로 끝나서 복수 명사처럼 보이지만 '필리핀'이라는 나라를 의미하므로 단수 취급해야 한다. 따라서 (b) consists가 정답이다. 그 밖에 the Netherlands, the United Stations, the United Nations도 복수 형태의 지명이지만 모두 단수 취급한다.

필리핀은 대략적으로 루손 섬, 비사야 제도, 민다나오의 3개의 주요 지리적 지역으로 나뉜 7,000개의 이상의 섬으로 구성되어 있다.

geographical 지리학의, 지리적인

34. Among the issues discussed at last week's meeting이라는 부사구가 문장 앞으로 온 도치 구문이므로 이 문장의 주어는 빈칸 뒤에 있는 the need이다. 주어가 단수이고 last week라는 단서가 있으므로 과거 시제인 (d) was가 적절하다.

지난주 회의에서 논의된 문제들 중 하나는 신상품의 시장조사에 대한 필요성이었다.

35. 〈no matter+의문사〉는 '비록 ~일지라도'라는 의미이며 no matter how 다음에는 〈형용사[부사]+주어+동사〉가 온다는 점에 주의해야 한다. 참고로 no matter how는 however로 바꿔 쓸 수 있다.

경영진은 아무리 많은 시간이 걸리더라도 그 계약이 마무리되어야 한다고 말했다.

36. in rent years를 통해서 건물들이 악화된 시점은 과거에서 현재까지임을 알 수 있다. 따라서 과거에서 현재에 이르기까지 계속되는 일을 표현할 때 쓰는 현재완료 시제가 적절하고, 건물들이 '방치된' 것이므로 수동형인 (c) have been neglected가 정답이다.

정부는 재정 부족으로 인해 최근 몇 년간 방치되었던 중심 경제 지구에 있는 허물어져 가는 몇 개의 건물을 개축하기로 결정했다.

dilapidated 다 허물어져 가는 **neglect** 방치하다

37. 〈부정부사+조동사+주어〉 도치 구문 문제이다. 부정을 나타내는 부사구 under no circumstance가 that절의 맨 앞에 오면, 조동사가 주어 앞으로 도치되어 〈under no circumstances+조동사+주어〉의 어순이 되므로 (d) should their belongs be left unattended가 정답이다.

어떠한 경우에도 캠퍼스 내의 학교 건물 어디에서든 그들의 소지품들을 방치하면 안 된다.

unattended 주인이 옆에 없는

38. 관계대명사의 계속적인 용법이며 선행사는 앞 문장 전체이다. it can have the opposite effect가 지칭하는 것이 앞 문장 전체이므로, 선행사를 받는 관계대명사 which가 들어간 (c) in which case가 정답이다.

수년 동안 우리는 잠자기 직전에 운동을 하지 않는다면 운동은 수면을 향상시켜 준다고 들어왔다. 잠자기 전에 운동을 하는 경우에 운동은 반대의 효과를 가진다.

39. 부사를 수식하는 구조를 묻는 어순 문제로, 정상적으로는 〈a(n)+부사+형용사+명사〉의 순서로 쓰려는 경향이 있다. 그러나 특수한 어순으로 쓰이는 부사인 such, quite 등은 부정관사 앞으로 가서 〈quite+a(n)+형용사+명사〉의 순서로 사용된다. 따라서 정답은 (a) quite a large donation이다.

그 비영리 환경 단체는 개인 지지자들과 재계의 거물들로부터 꽤 많은 기부금을 받았다.

tycoon (재계의) 거물

40. 추상명사는 구체적인 형태가 없는 추상적인 개념을 칭하는 불가산 명사이다. 여기서는 〈of+추상명사〉를 사용해서 형용사를 만든 구조로, of와 concern 사이에 들어간 great는 concern을 수식하는 형용사이므로 〈of+추상명사〉 구조에는 영향을 미치지 않는다. 따라서 정답은 (a) of great concern to이다.

대학생들 사이에서의 증가하는 표절은 고등 교육 담당자들에게 큰 걱정거리이다.

plagiarism 표절 **tertiary** 제3의, 고등 교육의

41. (d) to purchase → purchasing

consider는 동명사를 목적어로 취한다. (d)에서 consider와 동명사 leasing and purchasing이 병렬 구조로 와야 한다. 따라서 to purchase를 purchasing으로 바꿔야 하므로 (d)가 정답이다.

(a) A: 그래서 내 컴퓨터에 무슨 문제가 있다고 생각해?
(b) B: 글쎄, 컴퓨터를 오래 사용할수록 더 느려지지. 새로운 것을 하나 사는 것이 낫겠어.
(c) A: 말이야 쉽지. 그런데 나는 새 컴퓨터를 살 여유가 없어.
(d) B: 그러면, 컴퓨터를 빌리든가 하드웨어만 구입하는 것을 고려해 볼 수 있어.

42. (c) which → where

(c)의 a decent position which she will be satisfied에서 뒤의 문장이 완벽하기 때문에 which 앞에 전치사를 사용하거나 which를 where로 바꿔야 한다.

(a) A: 줄리가 첫 번째 말도 안 되는 질문 후에, 그녀의 취직 면접을 완전히 망쳤다고 들었어.
(b) B: 그 끔직한 인터뷰가 그녀가 우울한 이유임에 틀림없어.
(c) A: 난 정말 그녀가 만족할 만한 적절한 일자리를 찾았으면 좋겠어.
(d) B: 나도 그래. 그녀가 기운을 낼 수 있는 것을 생각해 보자.

in the dumps 의기 소침하여 decent 괜찮은

43. (a) no longer → any longer

'더 이상 ~하지 않다'의 표현은 not ... any longer 또는 no longer로 표현해야 한다. 앞의 don't에서 이미 부정부사 not이 쓰였으므로 (a)의 no longer를 any longer로 바꿔야 올바른 표현이 된다.

(a) A: 더 이상 그 신발 가게를 이용하지 않는 게 맞니?
(b) B: 맞아. 그 가게 주인은 너무 무례해. 그리고 나는 항상 바가지를 써.
(c) A: 그런데 그 가게가 우리 동네에서 유일한 곳이잖아.
(d) B: 알아. 하지만 그곳을 이용하느니 차라리 직장에서 가까운 다른 가게를 이용하겠어.

rip off ~에게 바가지를 씌우다

44. (d) priority → a priority

priority는 '우선 사항, 중요 사항'이라는 뜻으로 쓰이는 경우에는 셀 수 있는 명사이므로 (d)의 priority를 a priority로 바꿔야 한다.

(a) A: 온라인 설문지를 다 작성했어요?
(b) B: 아니요. 체크할 시간이 없었어요.
(c) A: 그냥 빈칸에 클릭만 하면 돼요. 단 3분이면 끝나요.
(d) B: 네. 그걸 먼저 하고 우선순위를 바꿀게요.

45. (b) How → What

what이 의문문을 만들기 위해 문장의 앞으로 나가는 경우이다. What ... like는 How와 같은 의미이며, 뒤에 like가 왔으므로 How가 아닌 What이 와야 한다.

(a) A: 내 컴퓨터 가방 찾는 것 좀 도와줄래?
(b) B: 어떻게 생겼는데?
(c) A: 줄무늬가 있는 검은색이고 나일론으로 제작된 로고가 새겨져 있어.
(d) B: 저기 있는 저거 아니야?

craft 공들여 만들다 emblazon 선명히 새기다

46. (d) to wear → wearing

recommend는 동명사만 목적어로 취하는 동사이므로 (d)의 to wear를 wearing으로 고쳐야 한다.

(a) 만약 당신이 긴 비행 시간 동안 움직일 가능성이 매우 적은 비좁은 장소에 갇혀 있다면, 발 마사지 기계가 도움이 된다. (b) 그것은 매우 훌륭한 종아리 마사지를 제공하고, 건전지 AAA 배터리 2개로 작동하며, 다리를 교체해야 하는 10분이 지나면 꺼진다. (c) 에어짐은 당신의 다리를 움직일 수 있도록 하는 매우 효율적인 운동기구이다. (d) 또한, 나는 긴 비행에서 생길 수 있는 혈액 응고를 예방할 수 있는 의학 압박 스타킹을 신을 것을 적극적으로 추천한다.

cramped 비좁은 massager 마사지 기계 come in handy 도움이 되다 calf 종아리 blood clot 혈전 compression stocking 압박 스타킹

47. (c) for which → where

전치사 for와 연결되는 동사가 없고 앞 문장에 해안 지역, 즉 장소를 나타내는 선행사가 왔고, 그 뒤의 문장은 완벽하기 때문에 관계부사 where가 적절하다. 따라서 (c)의 for which를 where로 바꿔야 한다.

(a) 우리는 켄달 잭슨이 지금 미국에서 가장 잘 팔리는 화이트와 레드 와인이라는 것을 알리게 되어서 자랑스럽습니다. (b) 우리는 미국 와인을 사랑하는 한국인의 증가하고 있는 갈망을 고려해 새 켄달 잭슨을 만들었습니다. (c) 그것의 산뜻하고 풍부한 맛은 캘리포니아의 잘 알려진 시원한 해안 지역의 산꼭대기, 산등성이, 산비탈에 있는 포도밭으로부터 나온 최고의 과일로부터 나옵니다. (d) 오늘 이 놀라운 와인을 한번 맛보시고 왜 이 와인이 최고인지 발견해 보십시오.

vineyard 포도밭 atop 꼭대기에 ridge 산등성이

48. (a) have prized → have been prized

과거부터 지금까지 허브가 귀하게 여겨져 온 것이므로 문맥상 현재완료 수동태를 사용해야 한다. 따라서 (a)의 have prized를 have been prized로 고쳐야 한다.

(a) 아주 옛날부터, 허브는 고통 완화와 치료 능력으로 귀하게 여겨져 왔고, 오늘날 우리 의학의 약 75퍼센트 정도가 여전히 식물들의 치료할 수 있는 속성들에 의지하고 있다. (b) 수세기 동안, 전 세계적으로 사회는 의학적인 식물들과 그것들의 사용들을 이해하기 위해서 그들 자신의 전통을 발전시켜 왔다. (c) 이러한 전통적이고 의학적인 관행의 일부는 이상해 보일 수도 있지만, 다른 것들은 합리적이고 실용적이다. (d) 그러나 그 모든 것들은 병과 고통을 극복하기 위한 시도들이고 삶의 질을 향상시키기 위한 것들이다.

medical practice 의학적인 관행 curative properties 치료할 수 있는 속성들 rational 합리적인

49. (d) collaborative → collaboratively

일반동사 write를 수식하는 경우에는 형용사가 아닌 부사를 사용해야 하므로 (d)의 collaborative는 collaboratively가 되어야 한다. be동사를 꾸며 줄 때만 형용사를 사용할 수 있다.

(a) 비동시적인 공동 쓰기 도구의 잠재적인 사용은 생각의 빠르고 성공적인 성장을 용이하게 할 수 있다. (b) 예를 들면, 학생들은 토론에 참여하고, 아이디어를 나누고, 동료들과 협동하도록 장려된다. (c) 특히, 블로그와 위키의 사용은 학생들이 쉽게 생각을 토론하고, 내용을 추가하고 편집할 수 있도록 해 준다. (d) 그들은 웹상에서 협력적으로 쓰고, 고치고, 저장하고, 출판할 수 있도록 온라인으로 같은 문서에 접근할 수 있다.

asynchronous 동시에 발생하지 않은 facilitate 가능하게[용이하게] 하다 engage in ~에 관여[참여]하다

50. (d) every other days → every other day

'이틀에 한 번'을 의미하는 표현은 every other day이므로 (d)의 days가 아니라 day가 적절하다. 참고로 〈every+기수+복수 명사〉, 〈every+서수+단수 명사〉 형태로 사용된다는 것을 알아 두자.

(a) 연구 조사에 따르면, 미국 인구의 50퍼센트 이상이 수면에 문제가 있고, 네 명의 사람들 중 한 사람은 삶의 어떤 지점에서 불면증으로 고통을 받았다고 합니다. (b) 달리기는 밤에 숙면을 도와줄 뿐 아니라, 수면의 질을 향상시킵니다. (c) 수면은 몸에서 방출되는 화학적 물질들, 즉 연료를 위해서 당을 태우는 부산물에 의해 발생하므로 더 많이 활동할수록 더 잠을 잘 것입니다. (d) 하버드 의과대학의 전문가들에 의하면, 이틀에 한 번씩 20~30분 조깅을 하는 것은 수면의 질을 향상시키는 데 도움을 준다고 합니다.

by-product 부산물 snooze 잠깐 잠을 자다

Actual Test 5

본책 / 159p

PART I

1 (a)	2 (c)	3 (b)	4 (a)	5 (b)	6 (c)	7 (a)	8 (b)	9 (c)	10 (b)
11 (c)	12 (a)	13 (d)	14 (b)	15 (a)	16 (a)	17 (b)	18 (d)	19 (c)	20 (c)

PART II

21 (c)	22 (a)	23 (d)	24 (d)	25 (c)	26 (a)	27 (c)	28 (a)	29 (c)	30 (d)
31 (b)	32 (b)	33 (d)	34 (a)	35 (c)	36 (d)	37 (d)	38 (b)	39 (c)	40 (a)

PART III

41 (b) to meet myself → to meet me
42 (c) have bought → bought
43 (b) appropriately → appropriate
44 (d) if I have known that → if I had known that
45 (c) a help → help / some help

PART IV

46 (d) remind → be reminded
47 (a) tips to → tips for / tips on
48 (d) those → ones
49 (b) bring → brings
50 (c) them → which

1. 공통 요소를 포함하고 있는 두 문장을 하나로 연결할 때 관계대명사 혹은 관계부사를 이용한다. 둘 중 무엇을 써야 하는지는 다음에 나오는 절이 완전한 절인가, 불완전한 절인가로 판단한다. 빈칸 뒤에 주어, 동사, 목적어를 가진 완전한 절이 왔으므로 빈칸에는 관계부사가 와야 하고 관계부사 중 장소를 선행사로 하는 where가 정답이다.

A: 휴가로 어디 가고 싶어요?
B: 아름다운 해변을 즐길 수 있는 곳으로 가고 싶어요.

2. 시제를 묻는 문제에서 반드시 기억해야 할 것이 과거완료 시제이다. 과거보다 더 과거에 일어난 일을 나타낼 때 과거완료인 had p.p.가 사용된다. 이 문제에서 DVD를 돌려준 것보다 손상된 것이 먼저 일어난 일이기 때문에 과거완료 시제를 써야 한다.

A: 도서관에서 왜 당신에게 전화를 했어요?
B: 제가 빌렸었던 DVD 있잖아요. 어제 반납을 했는데, 손상되었다고 하네요.

3. 특정 형용사와 어울리는 전치사를 찾는 문제이다. '~에 알레르기가 있는'은 전치사 to를 사용해서 allergic to로 표현한다. 이와 같이 특정 형용사와 함께 쓰이는 전치사를 꼭 암기하도록 하자.

A: 이 땅콩버터 쿠키는 셰리의 생일을 위한 거예요. 그녀가 좋아했으면 좋겠네요.
B: 몰랐어요? 그녀는 땅콩 알레르기가 있어요.

4. 문맥상 어머니에 의해 노출이 된 것이므로 사역동사를 써서 〈have+목적어+p.p.〉로 표현하는 것이 가장 적절하다. expose는 '~에 노출되다'라는 의미로 전치사 to와 함께 쓰고, as ... as 사이에 much art를 넣어 '될 수 있는 한 많은 미술품'이라는 의미를 나타낸다.

A: 고갱에 대해서 어떻게 그렇게 잘 아나요?
B: 어렸을 때 어머니께서 가급적 많은 미술품을 접하게 하셨어요.

as ... as one can 될 수 있는 대로

5. 가정법의 형태를 정확히 알아야 한다. 주절이 would have p.p.의 가정법 과거완료 형태이므로, 종속절도 가정법 과거완료 형태가 와야 한다. 종속절에 〈if+주어+had p.p.〉의 형태인 If he had had more experience가 와야 하는데, 이때 If가 생략되면 주어와 동사의 어순이 바뀌어 Had he had more experience가 된다.

A: 그의 취업 면접은 어떻게 되었나요?
B: 안 됐어요. 제 생각엔 그가 경험이 더 많았다면 채용이 되었을 거예요.

6. 문맥상 '~이었음에 틀림없다'라는 의미를 나타내야 하기 때문에 강한 추측의 조동사 must를 써야 한다. should have p.p.는 '~했어야 하는데 그렇지 않아서 유감이다'라는 의미이고, ought to와 바꿔 쓸 수 있다. cannot have p.p.도 과거의 추측을 나타내지만 '~이었을 리가 없다'라는 부정의 의미를 갖는다.

A: 새로 산 헤드폰 보세요. 18달러밖에 안 했어요.
B: 제 것과 똑같은 것 같은데 전 35달러를 줬어요. 제가 바가지를 쓴 것 같네요.

overcharge 바가지를 씌우다

7. 분사구문을 묻는 문제이다. 현재 널찍한 거실을 가질 수 있었던 것은 이전에 남자의 충고를 받아들였기 때문이다. 따라서 주절과 시제가 동일한 단순형 분사구문이 아닌, 주절보다 한 시제 앞선 having p.p. 형태의 완료형 분사구문을 사용해야 한다.

A: 우리가 이야기했던 것처럼 책장의 오른쪽에 램프를 놓았군요.
B: 당신의 조언을 따랐기 때문에 거실이 더 넓어졌어요.

floor lamp 바닥에 세워 놓는 키 큰 스탠드 spacious 넓은

8. give up 다음에 to부정사, 동명사, 동사원형 중 어느 것이 오는지를 묻는 문제이다. '포기하다'라는 의미를 갖는 give up 다음에는 반드시 동명사를 써야 한다. 동명사를 목적어로 갖는 동사와 to부정사를 목적어로 갖는 동사, 그리고 둘 다 목적어로 취할 수 있는 동사를 반드시 익혀 두어야 한다.

A: 생일 때 사준 책은 다 읽었나요?
B: 미안해요. 수백 페이지나 돼서 한참 전에 포기했어요.

quite a while ago 오래 전에

9. 어순 문제에서 반드시 기억해야 할 것이 so와 such의 어순이다. so는 〈so+형용사+a(n)+명사〉의 어순이고 such는 〈such+a(n)+형용사+명사〉의 어순이다. as와 too도 so와 같은 어순을 갖는다는 것을 알아 둔다.

A: 여기에서 공원 전체와 근처 산까지 볼 수 있어요.
B: 네, 저기를 보세요. 강의 일부도 보여요. 정말 놀라운 전망이에요.

10. 문맥상 알맞은 부사를 고르는 문제이다. '이따 4시에 보는 것이 어떠냐'는 내용이므로 later가 가장 적절하다. late는 '늦은, 늦게', lately는 '최근에', latest는 '최신의'라는 의미이다.

A: 사장님께 보내기 전에 계약서에 대해서 논의하고 수정을 해야 해요.
B: 제가 지금 나가야 해서요. 이따 4시에 보는 것이 어때요?

11. 명사 population 앞의 적절한 관사를 묻는 문제이다. 명사가 수식어구(of this city)로 한정되는 경우, 명사 앞에 정관사를 써야 한다.

A: 일주일 동안 보고서를 썼잖아요. 무엇에 관한 건가요?
B: 이 도시의 인구가 왜 감소하는지에 관한 거예요.

work on 작업하다 population 인구

12. 빈칸에는 절과 절을 이어주는 접속사가 들어가야 한다. (b)와 (d)는 전치사로 다음에 명사(구)가 와야 하고, (c)는 접속사로 쓰일 때가 있지만 문장 중간에 쓰이지 문두에서 절을 이끌지 않는다. 따라서 '비록 ~이긴 하지만'이라는 의미를 갖는 접속사 much as가 가장 적절하다.

A: 여기 와서 컴퓨터 하는 것 좀 도와줄래요?
B: 도와주고 싶지만, 지금 너무 바빠요.

13. 두 개의 절을 잇는 관계사를 고르는 문제이다. 빈칸 앞에 선행사가 없으므로 선행사가 필요한 관계대명사 who와 whom은 답이 될 수 없다. 선행사를 포함하고 전치사 to의 목적어가 될 수 있는 명사절이면서 needs의 주어 역할을 할 수 있는 것은 (d)뿐이다.

A: 어떻게 대학 등록금을 내야 할지 모르겠어요.
B: 장학금을 알아보세요. 필요한 사람에게 재정적 도움을 주는 다양한 기관들이 있어요.

support 부양하다 scholarship 장학금 organization 기관

14. 과거를 나타내는 상황이기 때문에 현재와 관련이 있는 선택지는 답이 될 수 없다. 또한, 과거 시점에서 지속되던 일은 과거 진행형으로, 갑자기 일어난 일은 과거 시제로 표현한다.

A: 케빈과 레슬리 사이에 정확히 무슨 일이 있었는지 아세요?
B: 아니요. 그런데 제가 문을 열고 들어섰을 때 그들이 말다툼을 하고 있었어요.

argument 논쟁

15. peel은 자동사로 '껍질이 벗겨지다'라는 수동의 의미가 있지만, 수동태로 쓰지 않는다. 이와 같은 동사로 read, sell 등이 있다.

A: 이 요리를 만드는 데 생각보다 시간이 오래 걸리네요.
B: 마늘 껍질이 잘 안 벗겨져서 그래요.

16. 관용 표현을 묻는 문제이다. Rumor has it that ~은 '~라는 소문이 있다'라는 의미이다. It is rumored that ~으로 바꿔 쓸 수 있다는 것도 기억하자.

A: 여름에 할 적당한 일자리를 아직 못 찾았어요.
B: 폴에게 한번 물어봐요. 소문에 따르면 시내에 있는 큰 기업에서 인턴을 하게 되었대요.

decent 괜찮은 internship 인턴 근무

17. 목적격 보어의 형태를 묻는 문제이다. 동사 get은 분사와 to부정사를 목적격 보어로 취할 수 있는데, 목적어와의 관계가 능동이면 to부정사와 현재분사를, 수동이면 과거분사를 쓴다. food와 deliver의 관계가 수동이므로 delivered를 써야 한다.

A: 점심때가 한참 지났어요. 너무 배고파요.
B: 밖에 나갈 시간은 없어요. 배달을 시켜요.

way 아주 **past** 지난 **starving** 배고픈

18. to 다음에 동명사가 오는지 동사원형이 오는지를 선택하는 문제이다. come near to는 '거의 ~할 뻔하다'라는 의미로 to 다음에는 동사원형이 아닌 동명사가 온다. 그리고 plan과 cancel의 관계가 수동이므로 (d) being cancelled를 써야 한다.

A: 마침내 공사가 시작되었군요.
B: 네, 예상보다 오래 걸렸어요. 자금이 모자라서 건설 계획이 거의 중단될 뻔했어요.

19. 빈칸에는 보어 역할을 할 수 있는 대명사가 와야 한다. 의미상 '그의 것'을 뜻하는 소유대명사가 오는 것이 알맞다.

A: 이 재킷은 누구 건가요?
B: 제이미가 벗어서 거기에 놓은 것 같아요. 그의 것 같아요.

take off 벗다

20. 명사 앞에 올 수 있는 알맞은 한정사를 고르는 문제이다. (a)와 (b)는 셀 수 있는 명사의 복수형과 함께 쓴다. (d)는 little의 비교급으로 셀 수 없는 명사와 쓰이는데, side는 셀 수 있으므로 답이 될 수 없다. 따라서 셀 수 있는 명사의 단수형과 함께 쓰이는 (c)가 정답이다.

A: 이 동네에 사는 거 어때요?
B: 아주 좋아요. 가장 좋은 점 중 하나는 길 양쪽에 은행나무들이 있다는 거예요.

neighborhood 동네 **ginkgo tree** 은행나무

21. 문맥상 '~이기는 하지만'이라는 의미의 연결어가 들어가야 한다. '하지만'의 의미를 갖는 (b)와 (d)는 접속사가 아닌 부사이기 때문에 절과 절을 이어줄 수 없다. 절과 절을 이어주는 접속사이면서 문맥상 가장 알맞은 것은 (c)이다.

많은 속담은 깊은 의미가 있지만, 때때로 오해를 불러일으키기도 한다.

saying 속담 **profound** 깊은 **misleading** 오해를 일으키는

22. 동사의 수를 결정하는 문제이다. 주어 자리에 neither A nor B가 올 경우, 동사의 수는 B에 일치시킨다. 따라서 nor 뒤에 나오는 his doctor에 수를 일치시켜 단수 동사를 써야 한다.

그의 부모와 의사는 그가 때때로 군것질하는 것이 몸에 해롭다고 여기지 않는다.

occasional 가끔의 **consumption** 섭취 **junk food** 군것질 식품

23. 도치가 일어난 어순을 묻는 문제이다. 부정어와 마찬가지로 〈only+부사(구, 절)〉가 문두로 갈 경우 주어와 동사가 도치된다. 이때 일반동사 자체가 움직이는 것이 아니라 시제와 인칭에 따라 do/ does/ did를 사용한다.

몇 년이 지나고 나서야 사람들은 그 기술이 사생활 침해라고 비난하기 시작했다.

criticize 비난하다 **invasion** 침해 **privacy** 사생활

24. 두 절을 잇는 알맞은 관계사를 묻는 문제이다. 빈칸 뒤에 나오는 절이 〈주어+동사+목적어〉를 갖는 완전한 절이기 때문에 불완전한 절을 이끄는 (b), (c)는 답이 될 수 없다. 관계대명사 which의 선행사인 important information과 문맥상 가장 어울리는 전치사는 with이므로 정답은 (d)이다.

그 브로슈어는 책을 좋아하는 사람들이 어떤 서점에서 언제 세일을 하는지 알 수 있는 중요한 정보를 제공한다.

booklover 애서가 special offer 세일 particular 특정한

25. 명사와 전치사가 만나 특정한 의미를 갖는 경우를 반드시 익혀야 한다. '규모'라는 의미의 명사 scale은 전치사 on과 다른 형용사와 만나 '~한 규모의'라는 의미로 쓰인다.

도시의 공장과 자동차가 매일 대규모로 많은 공해를 배출한다.

emit 배출하다 pollution 공해 massive 거대한

26. 제안(propose, suggest), 명령(order), 요구(demand), 주장(insist) 등의 동사 다음에 나오는 that절은 〈should+동사원형〉을 써야 한다. 이때 should는 생략이 가능하기 때문에 동사원형만 남을 수 있다는 것을 알아 둔다. 여기서는 should not skip에서 should가 삭제된 (a) not skip이 정답이다.

그가 체중이 많이 줄고 있었기 때문에 그의 어머니는 그가 더 이상 아침을 걸러선 안 된다고 하셨다.

lose weight 체중이 줄다 skip 거르다

27. 로리가 어머니께 그녀가 어디에 있는지 말하지 않은 것이 그녀가 깨달은 것보다 먼저 일어난 일이기 때문에 단순형 분사구문이 아닌 완료형 분사구문 having p.p.를 써야 한다. 분사구문의 부정은 그 앞에 not을 쓰는 것이다.

어머니께 그녀가 어디에 있는지 말하지 않았기 때문에 그녀는 어머니께서 걱정하실 거라는 것을 깨달았다.

28. 한 문장 안에 같은 표현이 반복되는 경우 대명사로 바꿔 표현한다. 명사가 단수일 경우는 that, 복수일 경우는 those로 대체하며, 여기에서는 notes라는 복수 명사가 쓰였기 때문에 대명사 those를 써야 한다.

트로이는 그의 친구의 필기가 그의 것과 많이 다르다는 것을 알고 놀랐다.

29. 부대 상황을 나타내는 〈with+목적어+분사〉의 표현을 묻는 문제이다. 목적어와 분사의 관계가 능동이면 현재분사, 수동이면 과거분사를 쓴다. 목적어인 his eyes가 빛나는 것이므로 현재분사 (c) twinkling을 써야 한다.

그녀가 아들을 처음으로 동물원에 데리고 갔을 때, 그는 놀라움으로 눈을 반짝거리면서 돌아다녔다.

twinkle 반짝거리다 amusement 놀람

30. 〈so as to+동사원형〉은 '~하기 위해서'라는 의미이다. 이때 to부정사를 부정하기 위해서는 to 앞에 not을 붙이면 된다.

할 일이 아무리 많다고 하더라도, 스트레스를 받지 않기 위해서 저녁에는 휴식을 취하려고 노력하라.

get stressed 스트레스를 받다

31. 접속사와 시제를 묻는 문제이다. 시간과 조건의 부사절에서는 현재 시제가 미래 시제를 대신한다. 따라서 현재 시제를 사용한 (b)가 정답이다. (a)와 (d)는 시제를 현재로 바꾸면 답이 될 수 있다. so는 문두에서 절과 절을 이어줄 수 없는 접속사이다.

당신이 그들에게 물건과 영수증을 보여 주면, 그들은 당신이 건물 안으로 들어갈 수 있도록 영수증에 도장을 찍어줄 것이다.

32. seem은 형용사를 보어로 취하는 동사이다. 비록 '~하게'라고 해석된다고 해서 부사를 쓰지 않도록 주의한다. seem처럼 형용사를 보어로 취하는 불완전 자동사로 appear, sound, feel, smell, become, get 등이 있다.

일단 그가 그의 문제에 대해 말하기 시작하자, 내가 가지고 있던 문제들은 중요한 것 같지 않았다.

issue 문제 insignificant 중요하지 않은

33. very는 비교급을 강조할 수 없으므로 (b), (c)는 답이 될 수 없다. '예전에 그랬던 것보다'라는 의미의 it used to ~에서 to 이하의 동사는 생략할 수 있지만 to는 생략할 수 없고, be동사와 함께 쓰일 경우 be를 생략할 수 없다.

선생님들은 좋은 점수를 받는 것이 예전보다 쉽다고 말한다.

grade 점수

34. 문맥상 참가자들이 질문을 받는 것이므로 수동태를 쓰는 것이 가장 적절하다. 능동태 문장의 목적어가 수동태 문장의 주어로 바뀌기 때문에 수동태 문장은 목적어가 없다고 착각하기 쉽지만, 4형식 문장의 능동태의 경우 목적어가 두 개이므로 수동태로 바뀌어도 두 개의 목적어 중 하나가 목적어로 남는다. 따라서 문제를 풀 때 목적어가 있으므로 수동태 문장이 될 수 없다는 생각을 해서는 안 되고 정확한 해석을 통해 파악해야 한다.

조사하는 동안 외국에 나가 본 적이 없는 참가자들은 그들을 가장 두렵게 하는 것이 무엇인지 질문 받았다.

participant 참가자 scare 무섭게 하다

35. 빈칸에는 두 개의 완전한 절을 연결하는 등위 접속사 혹은 부사절 종속 접속사가 들어가야 한다. (a)는 전치사이기 때문에 답이 될 수 없다. 빈칸 앞에 선행사가 없기 때문에 〈전치사+관계대명사〉도 답이 될 수 없다. (c) in that은 '~라는 점에서'라는 의미로 문맥상 가장 적절하다.

당신이 전문적으로 치아를 미백할 시간이나 돈이 없다면 치아를 미백할 정도로 충분한 산을 가지고 있다는 점에서 페퍼민트 같은 천연 대체물도 유용하다고 여겨진다.

professionally 전문적으로 whiten 미백하다 alternative 대체물 acid 산

36. 조동사 다음에는 언제나 동사원형을 쓴다. 따라서 조동사 will 다음에 나오는 동사는 원형을 써야 한다. most likely는 부사로 '아마도'라는 의미로 쓰였다. 형용사로 쓰이는 be likely to와 혼동하여 to부정사를 고르지 않도록 주의해야 한다.

자녀와 좋은 관계를 쌓는 것은 어려운데, 그 이유는 아이들이 당신과 이야기하는 것보다 비디오 게임을 하는 것을 더 좋아하기 때문이다.

37. 전체 문장의 동사가 들어가야 할 자리이다. who절의 동사 crave가 복수형으로 쓰였지만 people을 수식하는 것이므로 주절의 동사와는 관련이 없고 동명사 Giving이 주어이기 때문에 단수 취급하여 단수 동사를 써야 한다. to부정사, 동명사, 명사절이 주어로 쓰일 경우 단수 취급한다는 것을 기억하자.

인정을 갈망하는 사람들에게 다른 사람 앞에서 칭찬해 주는 것이 그들의 생산성에 좋은 방향으로 영향을 미친다.

praise 칭찬 crave 갈망[열망]하다 recognition 인정 productivity 생산성

38. 분사구문을 만들 때 종속절의 주어와 주절의 주어가 일치하지 않을 경우 종속절의 주어를 생략하지 않고 남겨두어야 한다. 원래 종속절 if all other things are equal에서 접속사만 생략하고, 동사원형에 -ing를 붙인 being으로 바꾼다.

레이첼은 항상 높은 곳을 무서워했기 때문에 다른 조건이 모두 같다면 그녀는 비행기보다 기차를 더 좋아한다.

39. 조건절은 과거 사실에 반대되고, 주절은 그런 과거를 전제로 현재 사실과 다른 상황을 나타낼 때 가정법 과거완료와 가정법 과거를 함께 쓰는 혼합가정법을 사용한다. 조건절의 last month, 주절의 now라는 힌트를 놓치지 말아야 한다.

아만다가 지난달에 내 충고를 따랐다면, 그녀는 지금 유럽 여행을 하는 데 어려움을 겪지 않을 것이다.

40. 원래 문장은 The passengers did not realize that there were some technical problems with the plane until the in-flight announcement이다. not until을 강조하기 위해서 문두로 보내면 주어, 동사가 도치된다. unitl 이하의 구문이 길어서 헷갈릴 수 있으나 구 전체가 until과 함께 문두로 이동한다는 것을 알아 두자.

기내 방송이 있고 나서야 승객들은 비행기에 기술적인 문제가 있다는 것을 알았다.

in-flight announcement 기내 방송 technical 기술적인

41. (b) to meet myself → to meet me

재귀 대명사를 언제 쓰는지 정확히 알아 두어야 한다. 주어가 행하는 동작의 대상이 주어 자신일 때 목적어로 재귀 대명사를 사용한다. 그 외에는 일반 대명사를 써야 하므로 (b)의 myself를 me로 고쳐야 한다.

(a) A: 주말 어떻게 보냈어요? 이야기했던 영화 봤어요?
(b) B: 아니요. 친구랑 극장에서 보기로 했는데, 차가 막혔어요.
(c) A: 그래서 어떻게 했어요?
(d) B: 대신에 미술관에 갔어요.

work out 일이 잘 풀리다 get stuck 꼼짝 못하게 되다

42. (c) have bought → bought

현재완료는 과거와 현재와의 연관성을 나타내는 시제이다. 따라서 분명한 과거의 상황에서나 분명한 과거를 나타내는 표현이 있을 때는 현재완료를 사용할 수 없다. (c)의 last week는 명백한 과거를 나타내기 때문에 현재완료 have bought를 과거 시제 bought로 고쳐야 한다.

(a) A: 제 새로 산 가방 보세요.
(b) B: 비싸 보이네요. 큰돈이 들었겠어요.
(c) A: 실은 지난주에 중고 가게에서 60퍼센트 할인 가격에 샀어요.
(d) B: 많이 절약했네요. 다른 사람이 썼던 거지만 완전 새것 같아요.

cost a fortune 큰돈이 들다 second-hand 중고의 brand-new 새것의

43. (b) appropriately → appropriate

be동사는 형용사와 함께 쓰이고, 일반동사는 부사와 함께 쓰인다. 하지만 sound, smell, look, feel과 같은 감각동사는 일반동사이지만 부사가 아닌 형용사와 함께 쓰인다는 사실을 반드시 기억해야 한다. 따라서 (b)의 appropriately를 appropriate로 고쳐야 한다.

(a) A: 이 의자가 새로 산 탁자와 어울리겠어요. 하나에 50달러네요.
(b) B: 적당한 것 같아요. 몇 개나 살까요?
(c) A: 네 개면 될 거예요. 배송비가 있네요.
(d) B: 그래요. 제가 신용 카드로 계산할게요.

charge 요금을 청구하다 delivery fee 배송비

44. (d) if I have known that → if I had known that

인터넷이 끊긴 것을 알았었다면 회사에서 확인했을 것이라는 의미이다. 과거 사실의 반대를 가정하고 있으므로 가정법 과거완료를 사용해야 한다. 따라서 (d)의 if I have known that을 if I had known that으로 고쳐야 한다.

(a) A: 내일 이삿짐센터에서 오니까 오늘 밤 할 일이 많아.
(b) B: 진정해. 그들이 다 싸 줄 거야. 그게 그들의 일이잖아. 난 메일을 확인해야겠어.
(c) A: 안 돼. 인터넷을 끊었어. 새 집에 가야 쓸 수 있어.
(d) B: 봐야 할 서류가 있는데. 알았다면 사무실에서 확인했을 텐데.

mover 이삿짐센터 pack up 싸다

45. (c) a help → help / some help

help가 '도움'이라는 뜻으로 쓰일 때는 불가산 명사이기 때문에 부정관사 a를 쓰지 않는다. 따라서 (c)의 a help를 help 또는 some help로 로 고쳐야 한다. help가 '도움이 되는 사람(것)'의 의미일 때는 a help로 쓸 수 있다는 것도 알아 두자.

(a) A: 그레이스 씨, 뭐하세요?
(b) B: 상자를 위층으로 옮기고 있어요. 어머니께서 고향에서 물건을 좀 보내셨거든요.
(c) A: 무거워 보이는데, 도와줄까요?
(d) B: 그렇게 해 주시겠어요? 감사해요!

46. (d) remind → be reminded

(d)의 Please remind that ~은 그 자체로 틀린 표현은 아니지만 여기서는 문맥상 전문가들이 권하는 것을 '기억하라, 상기하라'라는 의미가 되어야 하므로 수동형 be reminded가 적절하다. remind는 '상기시키다'라는 의미이다.

(a) 건강을 유지하기 위해서는 매일 균형 잡힌 식사를 해야 하고 이것은 다양한 과일과 채소를 먹는 것을 의미한다. (b) 그런데 요즘은 아이들뿐만 아니라 성인들도 과일과 채소를 덜 먹고 있고, 이것은 심각한 건강 문제로 이어질 수 있다. (c) 색깔은 어떤 종류의 비타민이 들어 있는지를 보여 주기 때문에 다양한 색깔의 과일과 채소를 먹도록 해라. (d) 전문가들은 하루에 다섯 번은 먹어야 한다고 권한다는 것을 기억하라.

balanced diet 균형 잡힌 식사 a wide variety of 다양한 serving 1인분

47. (a) tips to → tips for / tips on

특정 명사와 함께 쓰이는 전치사를 묻는 문제이다. '조언'을 뜻하는 명사 tip은 전치사 for나 on과 함께 쓰인다. 따라서 (a)의 tips to를 tips for나 tips on으로 고쳐야 한다.

(a) 이제 당신의 옷의 수명을 늘릴 방법에 대한 조언을 해 드릴까 합니다. (b) 먼저, 표백제는 섬유를 약하게 하는 화학 물질이 들어 있으므로 가능하면 사용을 줄이십시오. (c) 두 번째로 열은 색을 바래게 하므로 건조기를 사용하는 대신에 자연 건조하세요. (d) 마지막으로 얼룩을 바로 제거하셔야 하는데, 그냥 놔두면 나중에 제거하기가 훨씬 어렵기 때문입니다.

bleach 표백제 weaken 약하게 하다 fade 바래게 하다 dryer 건조기 stain 얼룩

48. (d) those → ones

대명사 those는 앞에 언급한 사람이나 사물을 대신해 쓸 수 있지만, 형용사나 관사와 함께 쓰이지 않는다. 반면에 one과 ones는 앞에 언급한 셀 수 있는 명사를 대신하여 〈관사+형용사+one(s)〉의 형태로 쓸 수 있다. 따라서 (d)의 those를 ones로 바꿔야 한다.

(a) 새로운 아이디어를 거절하는 것은 정상적이라고 여겨진다. (b) 하지만 이렇게 함으로써 당신은 상대방의 자존심을 상하게 하고 그래서 그들은 방어적으로 대응하게 된다. (c) 이것을 예방하기 위해서 상대방의 새로운 아이디어에 대해 부정적으로 말하기 전에 좋은 점을 먼저 말하도록 하라. (d) 당신의 지지하는 말이 비판하는 말보다 더 크다면, 상대방은 당신의 말을 더 잘 받아들일 것이다.

step on 해치다 ego 자존심 defensively 방어적으로 remark 말 critical 비판하는 receptive 수용적인

49. (b) bring → brings

수 일치를 묻는 문제이다. 〈each of+복수 명사〉가 주어로 쓰일 경우, 동사의 단수, 복수를 결정하는 하는 것은 복수 명사가 아닌 each이다. 따라서 언제나 단수 동사를 쓴다는 것을 기억하자. (b)의 bring을 brings로 고쳐야 한다.

(a) 인생을 살면서 우리 모두는 아버지 혹은 어머니, 아들 혹은 딸, 직원 혹은 사장과 같은 다양한 역할과 직함을 맡게 된다. (b) 이 각각의 역할은 어떤 책임과 의무를 동반한다. (c) 그러나 이러한 역할을 잘 수행하기 위해서 우리는 먼저 안정된 내적 기반이 있는 개인이 되어야 한다. (d) 이러한 내적인 강인함이 없다면 주변 사람들에게 긍정적인 영향을 미칠 수 없다.

take on 역할을 맡다 internal 내적인 foundation 기반 inner 내적인

50. (c) them → which

두 절을 연결할 때는 반드시 접속사가 필요하다. (c)의 them은 앞 절의 remedies를 가리키므로 them을 관계대명사 which로 고쳐 두 절을 연결해야 한다.

(a) 기원전 166년과 266년 사이에 두 번의 전염병이 로마인들을 강타했다. (b) 집안에서 병을 치료하는 것이 일반적이었다. (c) 일부 로마인들은 부모와 조부모 때부터 내려오던 오래된 치료법을 사용했다. (d) 이러한 약초 치료가 성공하지 않아 절망적이었던 사람들은 건강의 여신 살루스와 같은 신들에게 의존하기로 결정하기도 했다.

plague 전염병 hit hard 심하게 치다, 강타하다 age-old 오래된 remedy 치료법 pass down 전해주다
desperate 절망적인 herbal 약초의 turn to 의존하다

서울대 텝스 관리위원회 최신기출 Listening | 서울대학교 TEPS관리위원회 문제 제공 · 넥서스 TEPS연구소 해설 | 320쪽 | 19,800원
서울대 텝스 관리위원회 최신기출 Reading | 서울대학교 TEPS관리위원회 문제 제공 · 넥서스 TEPS연구소 해설 | 568쪽 | 24,800원
서울대 텝스 관리위원회 최신기출 스피킹·라이팅 | 서울대학교 TEPS관리위원회 문제 제공 · 유경하 해설 | 340쪽 | 28,000원
서울대 텝스 관리위원회 최신기출 *i*-TEPS | 서울대학교 TEPS관리위원회 문제 제공 · 넥서스 TEPS연구소 해설 | 296쪽 | 19,800원

독해 · 청해 · 문법

How to **텝스 독해 기본편** | 양준희 · 넥서스 TEPS연구소 지음 | 312쪽 | 17,500원
How to **텝스 독해 중급편** | 장우리 지음 | 360쪽 | 17,500원
How to **텝스 독해 고난도편** | 넥서스 TEPS연구소 지음 | 324쪽 | 17,500원
How to **텝스 청해 중급편** | 양준희 지음 | 276쪽 | 18,500원
How to **텝스 문법 고난도편** | 테스 김 · 넥서스 TEPS연구소 지음 | 160쪽 | 12,500원

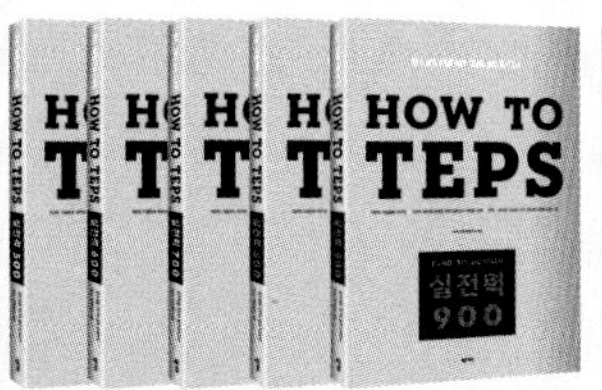

텝스 기출모의 1200 | 넥서스 TEPS연구소 지음 | 456쪽 | 18,500원
How to TEPS 실전력 500 · 600 · 700 · 800 · 900 | 넥서스 TEPS연구소 지음 | 308쪽 | 실전력 500~800: 16,500원, 실전력 900: 18,000원
서울대 텝스 관리위원회 텝스 실전 연습 5회+1회 | 서울대학교 TEPS관리위원회 문제 제공 | 200쪽 | 9,800원
텝스 기출모의 5회분 | 넥서스 TEPS연구소 지음 | 364쪽 | 14,500원

어휘

서울대 최신기출 TEPS VOCA | 넥서스 TEPS연구소 · 문덕 지음 | 544쪽 | 15,000원
How to TEPS VOCA | 김무룡 · 넥서스 TEPS연구소 지음 | 320쪽 | 12,800원
How to TEPS 넥서스 텝스 보카 | 이기헌 지음 | 536쪽 | 15,000원
How to **텝스 어휘 기본편** | 고명희 · 넥서스 TEPS연구소 지음 | 304쪽 | 15,500원
How to **텝스 어휘 고난도편** | 김무룡 · 넥서스 TEPS연구소 지음 | 296쪽 | 17,000원

How to TEPS 시크릿 청해편 · 독해편 | 유니스 정(청해), 정성수(독해) 지음 | 청해: 22,500원, 독해: 14,500원
텝스, 어려운 파트만 콕콕 찍어 점수 따기(청해 PART 4 · 문법 PART 3,4) | 이성희 · 전종삼 지음 | 176쪽 | 13,000원

고급 (800점 이상)

How to TEPS 실전 800 어휘편 · 청해편 · 문법편 · 독해편 | 넥서스 TEPS연구소(어휘, 청해, 독해), 테스 김(문법) 지음 | 어휘: 12,800원, 청해: 19,000원, 문법: 16,000원, 독해: 19,000원
How to TEPS 실전 900 청해편 · 문법편 · 독해편 | 김철용(청해), 이용재(문법), 김철용(독해) 지음 | 청해: 17,000원, 문법: 16,500원, 독해: 17,500원

How to TEPS L/C | 이성희 지음 | 400쪽 | 19,800원
How to TEPS R/C | 이정은 · 넥서스 TEPS연구소 지음 | 396쪽 | 19,800원

How to TEPS Expert L | 박영주 지음 | 340쪽 | 21,000원
How to TEPS Expert GVR | 박영주 지음 | 520쪽 | 28,000원
How to TEPS Expert 고난도 실전 모의고사 | 넥서스 TEPS연구소 지음 | 388쪽 | 21,500원